閱讀與觀察

——青少年文學的檢視

張子樟◎著

怎樣閱讀　如何觀察（代序）

二〇〇三年八月，我離開服務長達十五年半的花蓮師院，轉到台東大學兒童文學研究所，繼續教學工作，在兒童文學領域觀察和參與的範圍更加寬闊，不再侷限於少年小說的專研，還涉及其他文類的推廣。推廣閱讀是兒文所主要的工作之一，因此，一年多下來，曾先後在羅東、北市、馬公、新營、嘉義市、高雄市、旗山、國家教育研究院籌備處等地所舉辦的教師種子培養研習營擔任過講師，甚至還在「聯經」的《蝴蝶》電影中文錄音本中客串爺爺角色。這段期間，受邀撰寫導讀、觀察的文字不斷，這些都是本書內容的主要來源。

英文how這個字在疑問句中問情況、問方法、問程度都可，但本書輯一和輯二談到的閱讀方式和觀察角度純粹都是個人的累積經驗，可以做為參考，希望能激發不同的想法。每個人的閱讀和觀察都深受自己的「預存立場」所左右，因此，別人的思考方式如何轉化為自己的，仍然有一段距離。但聆聽和閱讀可以強化原有的「預存立場」卻是無法否認的。希望這本書能帶給讀者某些激盪助益。

不論導讀或觀察的文字都是下列這些編者力邀的結果。他們是李黨小姐（東方）、李怡慧小姐（允晨文化）、余治瑩小姐（麥克）、可白小姐（小兵）、周姚萍小姐（小魯）、桂文亞小姐（民生報）、陳素芳小姐（九歌）、封德屏小姐（文訊）、高明美小姐（信誼）、李玉霜小姐（三民）、蔡素芬小姐（自由時報）、黃惠鈴小姐（聯經）、連翠茉小姐（遠流）、吳雪梨小姐（小天下）和林朱綺小姐（青林）。「國語日報」的鄭淑華小姐、湯芝萱小姐和「民生報」的桂文亞小姐慷慨提供篇幅，刊登了大部分的文字，個人的想法才能發揮一些影響力。

輯三是三篇專文研究，重點依舊是少年小說。【附錄一】的幾篇文字是對於英語教學的淺見；【附錄二】是三位專家對作者兩本書的一些看法；【附錄三】則是對老友李潼的追憶文字。他的遽然離去是國內兒童文學界的重大損失。

最後謝謝內子蘇月英提供她的畫作做為本書的封面。

張子樟

2005年5月於哄哩岸

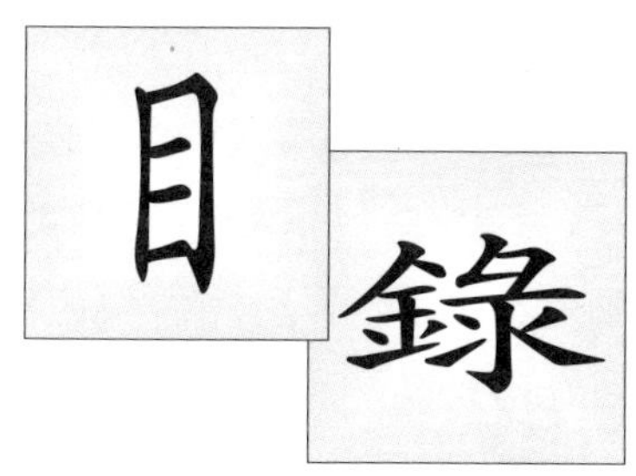

目錄

怎樣閱讀　如何觀察（代序）

輯一　童書導讀

論 述

專　文

【附錄一】

【附錄二】

【附錄三】

輯一　童書導讀

解構「魯賓遜神話」

——讀《海狸的記號》有感

書　　名：《海狸的記號》
（*The Sign of the Beaver*）
作　　者：伊麗莎白．喬治．史畢爾
（Elizabeth George Speare）
譯　　者：傅蓓蒂
出版公司：東方
出版日期：2003年4月15日

誰是主人？誰是奴隸？

一七一九年，狄孚（Daniel Defoe）的《魯賓遜漂流記》（*Robinson Crusoe*）問世，成為冒險小說的濫觴。這本作品的主題十分顯明：人對抗大自然，個人可以開創自我世界，並可完全掌控。魯賓遜必須覓食、造屋、織衣，與野生動物搏鬥，記載時間，設法讓自己處於文明狀態，而不致於發瘋。類似他這種沉船倖存者的故事接二連三的出版。一八一二年，大衛．懷斯（Johann David Wyss）寫了《瑞士家庭魯賓遜》（*The Swiss Family Robinson*，中文譯為《海角一樂園》），刻畫一個信仰虔誠、精力充沛的家庭流落在荒島上的故事。相較之下，後者似乎比前者更具說服力，因為一個人生活在荒島上，即使物質上的種種困難可以克服，但心靈上的孤獨寂寞卻難免會造成心理上的不正常。星期五（Friday）的出現可說是作者嘗試讓故事合理化，但背後又隱含另一個意涵：誰是主人？誰是奴隸？

有人說，《魯賓遜漂流記》和斯威夫特（Jonathan Swift）的《格列佛遊記》（*Gulliver's Travels*）的書寫，主要目的在於鼓勵當時的年輕人奔向海洋，在異域宣揚國威。但我們不能忽略這些作品特別強調盎格魯撒克遜族（Anglo-Saxon）的優秀，合理化英國到處殖民的事實。魯賓遜獨居荒島多年，一副據地為王的架勢。星期五的命是他救的，他把自己的生活方式強加在星期五身上，星期五唯唯諾諾，當然只有當奴隸的分。魯賓遜行好事而得奴隸，在某些人眼中，是個非常划算的交易。尊卑分明似乎是那個時代的特色之一。兩百多年後，這樣合理化的情節卻受到史畢爾（Elizabeth George Speare）的質疑。她寫了《海狸的記號》（*The Sign of the Beaver*），故事的背景是一七六八年的緬因州，距離《魯賓遜漂流記》問世剛好半個世紀。

顛覆式的書寫

書中主角麥特一個人苦守與父親合建的小木屋，有點類似遭遇船難，孤居荒島的魯賓遜。但麥特絕對無意扮演魯賓遜的角色。他也不敢把印第安男孩阿汀當成星期五。兩人的碰觸純屬巧合，一種魯賓遜神話幻滅的見證。

麥特在父親離去後，諸事不順。陌生人「班」偷走了他保護自己和打獵用的來福槍；熊闖進屋裡，撕破麵粉袋，打翻糖蜜，然後他又遭蜂螫，幸好海狸族的沙克尼和阿汀祖孫二人及時出現，救了他，但同時也給他上了人生中最寶貴的一課。

為了報恩，麥特決定把唯一擁有的書《魯賓遜漂流記》送給沙克尼祖孫，沒想到沙克尼卻要求阿汀把獵獲的鳥和兔子送給麥特，來交換麥特教阿汀認識「白人的符號」，理由是印第安酋長看不懂白人符號，交易不公平，白人常輕而易舉的佔了印第安人的土地。沙克尼深刻體會文字的急迫性，便強迫阿汀跟麥特學識字。他所關注的只是眼前土地買賣的問題而已，但如果深一層思考，印第安人不識白人文字，則白人可全由自己立場出發，以白人利益的角度去詮釋印第安人的歷史，因為沒有文字，在歷史上往往就失去了發言權。

麥特別無選擇，只得以《魯賓遜漂流記》作為教本，嘗試教阿汀接觸白人文化，然而阿汀一直懷疑麥特的生活能力，始終是一副不屑、嘲弄和鄙視的態度。麥特講到魯賓遜救了星期五，兩人成為主僕，魯賓遜教導星期五時，阿汀更露出滿面輕蔑，因為他教麥特如何在大自然中討生活，他扮演的是魯賓遜，而不是星期五。

兩個年齡相當的孩子在猜疑中學習接納對方，經過幾次考驗，終成好友。先是兩人合作殺熊，然後麥特為了救出阿汀那隻被捕獸夾夾住的老狗，趕去阿汀營地。阿汀祖母見到此一舉動，消除了當年兒子和媳婦命喪白人手中的恨意。當然，最讓阿汀刮目相看的是，寒冬來臨時，海狸族準備北移，阿汀好意邀麥特隨行，麥特堅信家人會出現，堅決要留下來繼續等待；麥特對家人的信賴，讓阿汀深為佩服，便稱他為「白人兄弟」，確定他已完全接納了麥特。

「書中書」的啓示

《海狸的記號》是本成長小說。為了勝任「男人」的角色，阿汀必須尋找「曼尼圖」（神靈）。等到曼尼圖現身，阿汀才能成為獵人。對麥特來說，他在森林中獨居面對種種考驗，就是他尋找曼尼圖的過程。他也確實找到了。但這本書的啟示並非如此單純。

《魯賓遜漂流記》是本虛構的冒險故事。兩百多年後，它的故事情節出現在另一本虛構作品中，成為書中主角辯證的材料，來論述主僕地位的互換及其荒謬的內涵，前者自然成為後者的「書中書」。小說是虛構的，但貼近現實生活的敘述卻往往可成為讀者自省與反思的一種工具。史畢爾巧用「書中書」構想，以樸實手法寫了這樣一本以批判白人的自大狂妄為主的少年歷史小說。她的自省與反思的精神，令其他作家汗顏不已。「人生而平等」這句話雖早在一七七六年就登錄在美國的獨立宣言中，但絕大多數的有色人種都深刻體會到它的口號性。「白人第一，白人優先」的想法依舊深植在某些白人的腦海中，史畢爾的努力是種先鋒行為，然而，其效果卻有待驗證。

類似這兩本議論種族孰優孰劣的故事，我們並不感到陌生，「吳鳳」的故事便是一個極為典型的例子。漢人塑造了犧牲自己的吳鳳，突顯原住民的無知、殘暴、嗜殺，然而卻忘了漢人來臺墾荒，使得多少原住民顛沛流離，從原鄉出走，根本就是白人侵占紅人土地故事的翻版。經過原住民的大聲疾呼和不斷抗議後，漢人逐漸了解自己以往行為的不是，也嘗試去彌補先人所犯的過錯，但實際做的並不多，各族群尚待繼續努力的空間依然不小。在強調族群融合、互相尊重的多元社會的年代裡，細讀《海狸的記號》，別有一番滋味。

——《海狸的記號》，東方，2002年6月

戀鄉情結的昇華

——簡介《高飛》

書　　名：《高飛》
（*The Tiger Rising*）
作　　者：凱特·狄卡密歐
（Kate Dicamillo）
譯　　者：張子樟
出版公司：東方
出版日期：2003年1月15日

一

許多作家對自己生長的地方總有一種莫名的愛戀感覺，作品中常把這種戀鄉情結融入，成為主要背景，因為對最熟悉的地方所滋生的情感往往最珍貴，也最真實。凱特·狄卡密歐（Kate Dicamillo）也不例外，她的成名作品《傻狗溫迪克》（*Because of Winne Dixie*）的背景是她成長時住過的佛羅里達州，這本《高飛》（*The Tiger Rising*）寫的也是這個氣候溫和、到處都是棕櫚樹的南方大州的故事。主角羅伯有如《傻狗溫迪克》的歐寶，失去母親後，變得孤單、自我封閉，但經過一些切身之事的衝激後，最後勇敢敞開心胸，重新接納親情的撫慰和友誼的關懷。

羅伯的父親擔心六年級的羅伯整日思念逝去的母親，便在半年前搬遷到里斯特，希望一切重新開始。羅伯隨父親住在汽車旅館「肯塔基之星」裡。他在「家」裡，面對的是感情不輕易外露的父親；到了學校，他也不受歡迎，常被兩位惡童欺侮，又因為腿上長疹子，校長逼他暫時休學，他便找到了一種不想事情的方法：「他想像自己是只裝得太滿的手提箱……他把所有感情放進箱裡，塞得緊緊的，然後坐在手提箱上，把它鎖起來。」然而，西斯汀和老虎的出現、威力美的介入，逼他打開箱子，同時扭轉了他的生命軌道。

二

來自賓州費城的西斯汀跟羅伯同病相憐，因為父母婚姻亮起紅燈，只得搬家。在新學校，她同樣受同學歧視排斥，因為他們兩人是「外來者」（當然，兩人的應對方法不同），沒有其他朋友。西斯汀遭同學圍毆時，羅伯奮不顧身，出面救了她，兩人因此產生一種奇特的友情，越走越近，羅伯甚至把老虎的秘密告訴她，惹起更大的風波。西斯汀非常盼望外遇的父親來接走她，嘴裡說著，但心知肚明，機會渺茫。等羅伯直接點出她父親根本不會出現，她又受不了。

旅館管家威力美扮演智慧長者的角色。觀察力極為敏銳的威力美毫不保留的點出羅伯和西斯汀的毛病：「這個男孩滿腹悲傷，讓悲傷沈到他的腿……你（西斯汀）滿臉憤怒，讓憤怒像閃電一般在你身上劈啪作響。」她告訴羅伯要治癒他的雙腿，只有「讓悲傷升起」。她擔心兩個孩子私自放了老虎，會受到傷害，急忙將此事轉告羅伯父親。為了保護兒子，羅伯父親不得不開槍射殺老虎。羅伯在喪失某種情感的依附後，猛然打開關閉已久的感情手提箱，讓情緒得到適當的宣洩。羅伯父親也說出自己壓抑很久的感情，父子關係得以重新調整。

表面上，就全書的架構來看，老虎的安排頗不搭調。牠出現的場合不多，根本沒有機會展現應有的屬性，但卻是個不可或缺的角色，因為牠和西斯汀、威力美同樣扮演了促使羅伯轉變的催化劑。受困的老虎成為羅伯自我禁閉的一種隱喻。籠子裡的老虎，活動空間有限，羅伯的情緒始終放不開，同樣也缺少空間。老虎的死，是羅伯短短半年來的第二次重大打擊。他小小年紀，就得不斷面對死亡。母親死後，他緊鎖感情之箱；老虎的死，他自責、悲傷，但這件意外同時也促成他肯定生命、擁抱生命。

三

儘管整篇作品字數不多，但作者嘗試以有限的篇幅，表達無限的奧義，卻是相當成功。作者簡潔的筆觸頗具詩意（可惜譯文不易完全表達）。她同時以細緻的情景，深入探究每位角色的心靈深處。西斯汀的任性、反覆無常，恰與羅伯的壓抑、閉鎖成為強烈對比。威力美的率真與豪氣又和旅館主人博向波的庸俗與流氣成為另一對比。陰沈鬱悶的天氣是角色心情轉換的最好寫照。老虎葬禮上，西斯汀低吟威廉・布雷克（William Blake）的詩〈老虎〉（'The Tiger'）更是畫龍點睛般的勾勒出全書的豐盈意涵，值得讀者省思一番。

在作者筆下，部分佛羅里達人（包括校長費爾瑪、諾頓和比利兄弟、以及學校的其他同學）表面上似乎十分保守、排外，不易接納外來的人，所以羅伯和西斯汀在學校的日子並不好受。然而，作者只是刻意營造某些情景和醞釀衝突，對書中每個角色並未加以實質褒貶，是非善惡全由讀者去思考、去判斷。如果換個角度來細察，我們會訝然發現，作品中的排外現象似乎在任何地方都十分普遍，因為作者極想展現的是共通的人性。畏懼陌生人、排斥陌生人的言語動作，幾乎處處可發現，只是程度上的差異而已。作者毫不避諱的刻劃人性的陰暗面，襯托主角羅伯對親情與友情的嚮往和追尋，使得作品的可讀性更高，同時也間接提昇了作品的藝術性。

——《國語日報》「星期天書房」，2002 年 12 月 15 日

與孩子一起「悅」讀
——推介《我是寶貝》繪本系列

書　　名：《請爲每個孩子著想》
作　　者：凱洛琳．凱索/改寫
圖　　　：楊翠玉等
譯　　者：陳杏秋
出版公司：遠流
出版日期：2003年11月1日

書　　名：《尼可萊的三個問題》
文　、圖：瓊．穆德
譯　　者：張子樟
出版公司：遠流
出版日期：2003年11月1日

書　　名：《跟我一起看地球》
文　、圖：約翰．伯寧罕
譯　　者：林眞美
出版公司：遠流
出版日期：2003年11月1日

一

「兒童是國家未來的主人翁」是大人常常掛在嘴邊的一句老話，但不知是言不由衷還是言行不一致，我們的孩子並沒有得到「未來主人翁」應該享有的待遇。相對地，由於社會變遷劇驟，許多成人無法調適自我，常把孩子當成洩憤對象，家暴虐童新聞不斷，更遑論戰爭給孩子帶來的種種肉體上和心靈上的傷害。從前是生活條件和衛生設備均不如理想，造成孩子死亡率偏高，如今孩子的早夭卻是父母疏於照顧，或大人世界政策執行偏差造成的。大人行事時，很少為孩子著想。

工業革命前，不論「兒童」或「孩子」都只是個模糊的名詞，毫無地位可言，更說不上什麼寶貝似的。工業革命後，大人開始體會孩子的重要，兒童地位才得以提昇，但速度十分緩慢。二十世紀戰禍綿延不斷，處處充滿血腥、衝突與爭鬥，孩子全無安全保障，有識之士頗為憂心。一九八九年十一月，聯合國正式通過的《兒童權利公約》，在孩子的保護、撫養與教導方面，可說是邁出一大步。《請為每個小孩著想》是凱洛琳·凱索依據這份公約的基本精神，以淺顯的文字說明，並請來約翰·伯寧罕、巴貝·柯爾等十四名傑出童書插畫家繪圖，文圖並茂，期待孩子閱讀時，能夠初步認知自己的權利。

二

明確知道自己的權利後，孩子應有權進一步參與社會工作的機會，從被動的等待，改為主動的介入。《跟我一起看地球》一開始，上帝醒轉過來，檢視祂創造原來十分美麗的地球，卻大失所望。在兩個沒睡著的孩子陪同下，上帝痛心的看到了空氣污染、森林迅速消失、水源污染、糧食分配不均等。上帝要求二位孩子去轉告大人，要他們改變生活方式。孩子一貫相信的真理是：大人不會理孩子。只好搬出上帝，終於說服了那些拼命砍樹、拼命弄髒水和空氣的有錢人，一天到晚都在爭論不休的人，那些有槍和子彈、常常製造殺害的人、那些只會袖手旁觀、對世界毫不關心的人。「以上帝之名」終能讓兩位孩子創造了奇蹟，但這只是故事，並不見得可能實踐，何況會有人認為「上帝已死」，能夠救己救人的就是自己。透過作者的用心，我們還是能夠了解他的苦心與無奈。

作品中所提到的一切確實都發生在當今的現實世界裡。如果上帝能再現，協助我們解決這一切傷害眾人的不愉快的事，當然會使得這個世界變得乾淨、祥和、可愛。但在大人無能為力之際，寄望在孩子身上，盼望具有靈性的他們能伸出援手，似乎有點困難。我們也懷疑，大人會因上帝說的，就會放棄手邊正在做的。在現實與幻想的揉合中，我們只能期待，孩子將來不會犯下眼前大人所犯的嚴重錯誤。我們也不得不承認，把一切都寄望在孩子身上，未免殘酷了些。

三

隨著孩子年齡的劇增，慢慢會開始思考「我」的重要性。瓊・穆德以托爾斯泰的短篇小說《三個問題》為本，寫出了每個孩子在孩童時期的共同問題：什麼時候是做事的最佳時機？什麼人是最重要的人？什麼事是最應該做的事？作者以水墨畫勾勒出多幅美麗的畫面，告訴我們一個充滿東方哲理的故事。主角尼可萊徜徉在山林中，與蒼鷺、狗兒、猴子等為友。三個動物朋友都給了這三個問題的最佳答案，但尼可萊不滿意，只得遠赴深山，尋找智慧長者烏龜李奧幫忙。一場暴風狂雨解決了所有問題。在李奧的說明下，尼可萊終於了解當下與身邊人物的重要。及時伸出援手，救助需要幫忙的人，就成為尼可萊終生行事的標準之一。

栩栩如生的畫面，動人的故事，雖帶哲理，但毫無教訓意味，孩子可以從中學習為友之道；李奧之言簡明扼要，不帶大道理，卻如棒頭重喝，使得尼可萊及時頓悟，是一本非常優秀的改寫圖畫故事。

四

透過這套書，孩子從被動告知應有的權利，到主動參與社會工作，進入與成人共存的世界，再進一步思考較高層次的哲理問題。他們循著正常的道路邁進，相信可以使這個世界更加美好，是這套圖畫故事的宗旨，盼望能帶給家長一些啟示，樹立榜樣，在孩子成長的過程，予以良好的教導，為他們塑造一個更適合人類居住的世界。

——《國語日報》「星期天書房」，2003 年 1 月 12 日

英雄的靈視追尋

——讀瑪汀娜．迪克思的《精靈戰爭》

書　　名：《精靈戰爭》
（*Feenkrieg*）
作　　者：瑪汀娜．迪克思
（Martina Dierks）
譯　　者：劉興華
出版公司：允晨文化
出版日期：2003 年 2 月 20 日

虛擬的完整幻想世界

對於兒童文學研究者來說，文類的區分並不是十分重要。他們關心的是作品有沒有寫好，能不能吸引小讀者。童話、圖畫故事、少年小說、童詩都一樣，趣味性不足的、藝術性不高的就不值得介紹給小讀者，但還是值得研究，因為必須把作品為什麼沒寫好說明清楚。

其實兒童文學文類的區分還有一種更簡單的方式，乾脆就把作品分為寫實與幻想兩類，這種分法尤其適合青少年讀物。當然，有不少作品揉合了寫實與幻想。故事中的主角在現實世界解決不了問題，便藉某種通道，到第二世界遨遊一番，進入幻想空間，尋找解決問題的妙方，例如《說不完的故事》（*The Neverending Story*）、《神偷》（*Herr der Diebe*）等。也有的作家虛擬了完整的幻想世界，讓故事中的主角進出自如，《精靈戰爭》（*Feenkrieg*）就是朝此方向努力，作者瑪汀娜·迪克思（Martina Dierks）的功力也就完全展現在於幻想力的揮灑與創造力的迸發。

細讀這本十多萬字的作品是需要耐心的。故事人物多，情節變化大，讀者最好身邊準備一支筆，先弄清楚每個角色的來龍去脈，然後逐字閱讀，腦海中便會凝聚一幅一幅如夢如幻般的絕妙精緻畫面。

幻想世界是現實人生的投射

故事遵循的依然是傳統的「在家——離家——返家」（home-away-home）模式。主角特麗西為了想懇求精靈女王解除對她父親大魔法師亞迦多的詛咒，化解雙方的恩恩怨怨，並同時想找出她母親多年前離奇失蹤的原因，便隻身前去嚮往已久的黃金城。她歷經艱辛，終於達成目的。

特麗西成長的地方奇海原本是人類與精靈合住的地方，卻因皇后的神秘失蹤，魔法師便憤然下了魔咒，任何精靈或魔物都不能再進入奇海，也因此奇海成為一處幾乎永遠是冬天狀態的孤城。但特麗西想解開的謎只有親自到黃金城才能得到答案，而黃金城無疑是奇海的翻版，精靈和人類一起生活著。特麗西對精靈不甚了解，幸好她忠實的老馬維洛內瑟給了最好的詮釋：「她們（精靈）老了，也不會有皺紋，她們擁有的力量愈少，也就愈蒼白，直到最後失去顏色，變成透明跟著消失。」

有了這層認識，特麗西心懷悲憫，進了黃金城，但精靈世界彷彿是另一個人類世界，階級觀念更是牢固，每個精靈都想踏在他人背上，力爭上游，也因此彼此爭鬥激烈，非生即死，現實人生的醜陋幾乎完全投射在精靈世界裡，使得特麗西大開眼界，了解人性惡的層面。她一面在惡劣的環境中學會如何自保，一面逐漸成長為有智慧的人。最後，如讀者所預期的，特麗西克服所有困難，得到善心人士的協助，終於發現真相，惡人也得到應得的懲罰。

追尋的痛苦帶來啓悟的狂喜

特麗西的這趟靈視的追尋，誠如神話學的大師喬瑟夫・坎伯（Joseph Campbell）所說的：「令人難忘的不是追尋的痛苦，而是獲得啟悟的狂喜。」她親眼目睹精靈間的勾心鬥角、吉爾與父親金匠布拉邦特的相異之處、黑木剛化身達格林特的虛偽狡猾、法爾法羅的寬恕精神和對愛情的執著、父王對母親的懷念和性情的轉變。她確實經歷了相當漫長的追尋的痛苦，但啟悟的狂喜卻使她邁向成熟。

全書強調的不離「愛」與「恕」二字。大魔法師因為愛而捨棄先前的女友，娶了摩甘娜。摩甘娜的神秘失蹤，使他變得固執、不講理。主角特麗西眼見父親受難，親赴黃金城，想找出解救父親的方法。金匠布拉邦特權慾心重，妻子非常愛他，但他竟未回報這份愛，弄得妻子因憂愁而死。森林之神法爾法羅一聽到從前女友火焰精靈維納斯有難，便出發去找多年前因誤會而不來往的大魔法師，發揮恕道先救了他，然後再趕去救維納斯。大魔法師也在漢斯的勸告後，彎下身，朝臨死前表示懺悔的金匠布拉特邦遞出了友誼之手，化解兩人的恩怨。

全書雖以精靈為主，但實際折射出來的卻是一般人性的表露。貪婪、爭權奪利與殺戮的戲碼不斷的在黃金城上演著。冰霜精靈弗拉奇拉在金匠布拉特邦的煽動和協助下，攻下黃金城。她想據地稱王，卻因功力不足，最後自動化解。這部分情節隱約點出：人應守本份，不該有非份的想法。作者同時在黑木剛死後，借維納斯的想法，說明「這個生物的特殊物質是無法用火和劍消滅的，就算現在將他碎屍萬段，他還是有可能隨時重新拼合起來的，只要一不注意餵養了他，給了他新的動力。」這些話其實是作者暗喻人世間的惡永遠存在於人的身邊，無論是明匿或暗藏，所謂的消滅只是一時的，只要給予適當成長的場域，終究會再出現。

藉追尋掙脫自我監禁的迷宮

作者以超凡的創造力與幻想力，精心營造了無限廣闊的想像空間。不論是人的器官、植物、自然現象，甚至於抽象名詞，都可以化為精靈，在她令人讚嘆不已的幻想世界裡盡情翱翔。她賦予這些精靈基本人性，演出人世間的眾生相。她不時上天入地，勾勒並鋪陳各種非人間的自然和非自然美景的美景，讓讀者稍有喘口氣的機會，不因情節的過度超越現實，而止步不前，不想再讀下去。在角色刻畫方面，作者表露了她一流的描述才能，賦予每個角色十分明顯的個性，不論特麗西的天真純潔、約愛娜的忠心耿耿、布拉特邦的陰沉、大魔法師的跋扈專橫與傲慢、夢精靈茱莉蕾維的狡詐等，都拿捏得十分細膩準確。

人人都得走上靈視追尋的旅程。無論這段旅程是進入全然陌生的冰天雪地或斷崖絕壁的肉體冒險，或是穿越時空的幻想之旅，或是獨自一人在家或向社會尋求認同，都是非常艱辛的過程。在原型的旅程中，主角離家，遭遇怪獸或凶暴者，經歷嚴酷的考驗，完成成人禮後，轉變成一位信心十足的英雄。特麗西的故事也是如此。她具有英雄行為的本質——忠貞、節制、勇氣。憑藉著這些本質，她終於掙脫了自我監禁的迷宮。她的冒險讓讀者重溫舊夢，回到美好童年的幻想世界。

——《國語日報》「兒童文學」，2003年1月19日

「故」事「新」編

——讀《望天丘》的一個角度

書　　名：《望天丘》
作　　者：李潼
出版公司：民生報
出版日期：2003 年 4 月 22 日

一

少年小說的書寫與成人小說是大同小異的。這兩類小說的內容與形式始終擺盪在傳統與創新之間。當然，照排列組合的說法，傳統與創新會有多種組合方式。李潼新書《望天丘》的內容與形式也同樣介乎傳統與創新之間。精明的讀者在翻開數頁之後，馬上會了解李潼的「戲法」：用科幻手法敘述一件正史上未曾登錄的往事。換句話說，這本書的形式是創新手法，但其內容卻在轉述（或詮釋）一件往事，一件可能曾發生過的往事。

或許讀者會質問：往事的重新詮釋不也是一種創新嗎？因為新的詮釋常常借用新的角度，內容又不離奇幻之事，舊事新包裝，志怪傳奇之說豈不是沿襲傳統？不論形式與內容和傳統與創新，不同讀者賦予不同的詮釋，頗有百花齊放，百鳥爭鳴的模式。當前暢銷的《哈利．波特》和《魔戒》亦復如此。兩本書中的奇人幻事雖不脫荒誕，但其敘述手法依舊遵循傳統模式。

二

如果與李潼的第一本歷史少年小說《少年噶瑪蘭》比較，我們可以察覺二者一些不同之處。《少年噶瑪蘭》中的現代青少年潘新格回到過去，與祖先共處一段時間，全書主題在於略述噶瑪蘭族的衰亡經過。《望天丘》的陳飲川是「今之古人」。一百多年前，他被飛碟帶走。二十世紀末重返地球。「天上一日，地上數年」，他以十七歲的容貌，向鄉人敘述陳年往事：北管福祿派和西皮派樂工械鬥七十年的緣由；法蘭西艦企圖在台灣東岸登陸，慘遭擊退等，均是他再現人間的主要目的。等諸事底定，飛碟再現，接走陳飲川，失蹤多日的方向重返世間。書中角色的未來是一大片空白，讀者可以盡情去揮灑、去填補。

歷史少年小說固然有所依據，但畢竟不是正史。如果以強調趣味性為主，內容顛覆歷史也不為過，因為這樣的書寫還是不離「虛構」二字，是作者發揮想像力和創造力的最佳場域。讀者不必事事去求證，而影響到閱讀的興趣。我們看得出，李潼為了寫這本書，費了好一番功夫去做考證工作，但把獲得資料串聯起來時，他卻不同於其他作家。他懂得篩選、歸納、綜合，尤其重要的是他捨得。先淘汰雜質，留下可用之材，然後在主幹上添加枝葉，終於成就一棵繁茂的大樹。

三

李潼筆下的台灣人，始終是族群意識相當濃烈的一群人。這本書沒有偏離他一向倡導的「新台灣人」理念。他關注的是「族群融合」這個大主題，因為台灣再也沒本錢繼續械鬥、互相撕裂。當然，我們也看出，李潼甚至於要把消滅族群意識的想法，延伸到宇宙間各個星球的互動中。其實，讀者可能會覺得北管福祿派和西皮派樂工的械鬥七十年，和流落台灣的法蘭西少女貞德的冤死較具歷史感，因為星球之間的互動是未來不可測知之事，幻想成分較高。陳飲川回到現實，主要在於現身，交代過去一切不甚清楚的往事。水晶人的喃喃自語反而成為作者的夫子自道。

拋開書中某些荒誕情節（這也許是作者刻意添加的），我們細讀後，不難發現李潼在角色刻畫上的用心。陳飲川不必多說，多才多藝，書生典型。書中最搶眼的是梅的爸爸和外公。中年人離婚後的失落和盲眼老人的不服老，都可以在他們身上得到驗證。簡家三姊妹和梅姊弟二人的的描繪，確實合乎現代這種年齡層未婚女子和青少年的模樣，相當討好。全書中最模糊的是方向，這當然受制於其出場機會太少。

李潼筆下的人物一向充滿生命力，活蹦亂跳的。即使遇到逆境，他們絕不輕易認輸，又不忘隨時自我調侃一番。在這樣的角色塑造裡，他的作品自然形成一種難以抗拒的特殊風格，吸引讀者去閱讀、去沉思。他充分掌握了人性的善變，但不想深入挖掘，因為取其精華，已經足夠展露他想要呈現的一切了。所以，陳飲川完成任務後，欣然重返飛碟，面對命運之神給予的。書中與他來往密切的不同年齡的角色，並沒有把他當「古人」看待。他的離去自然不會激起太多的傷感，因為他們相信他依然活著，活在另一個空間裡，凡俗的生死早就拋至腦後了。

四

李潼的歷史小說，可以一本一本去細讀，也可以串聯式的精讀，不管寫實或幻想，都有其可讀之處，其中的樂趣全由讀者去尋找、去領悟。這篇導讀只不過是種閱讀感想，讀者可以參考，但如何去汲取其中精華，還是得用心逐字「悅」讀作品。

這是一本依據幻想結合現實的敘述模式寫成的好作品，是一本可以多重角度閱讀的作品。這篇導讀只是一個角度。

——《國語日報》「星期天書房」，2003 年 3 月 30 日

大都會歷險記

——《天使雕像》的成長啓示

書　　名：《天使雕像》
（*From the Mixed-up Files of Mrs. Basil E. Frankweiler*）
作　　者：柯尼斯柏格
（E. L. Konigsburg）
譯　　者：鄭清榮
出版公司：東方
出版日期：2003 年 3 月 15 日

一

眾所皆知，冒險故事是最古老的小說作品。較早的寫實冒險故事常以怒海、荒島、蠻荒地帶等為主要空間，目的在於突顯故事主角必須經歷險惡自然環境的酷驗，才能脫胎換骨，身心重新得到良好的調適，以新的面目出現在人生舞台上。然而，隨著現當代時空的轉移，縱使幻想冒險故事依然仰賴童話般的空間，如古堡、森林、大海（例如《魔戒》、《精靈戰爭》），冒險作品的空間不再只侷限於「狹隘」的海洋、孤島或叢林中。大都市在現當代寫實冒險故事裡取代了從前的空間。主角進入都市叢林後，面對的嚴苛考驗決不亞於上述的空間，有時候更遠遠超過，因為這類冒險故事除了得克服硬體的障礙外，往往還涉及人與人的互動，而人與人的互動經常是最複雜、也最難解決的。嗑藥吸毒、幫派爭鬥、飆車玩命之事，常常影響到故事中角色的成長。儘管當前出現許多暴露社會陰暗面的寫實作品，但也有不少傳達人世間可愛的一面的溫馨小品，柯尼斯柏格（E.L. Konigsburg）的《天使雕像》（*From the Mixed-up Files of Mrs. Basil E. Frankweiler*）便是一例。

二

《天使雕像》是本迷人的作品。兩個孩子逃家，在紐約大都會博物館寄宿一個多星期，情節細緻動人。故事中十二歲的克勞蒂雅精心安排所有冒險的行程。姊弟兩人同行，行事不慌不忙，情緒平穩鎮定，使得原本超乎想像的背景（在博物館裡露營！）可以讓讀者接受。作者絕不可能在大都會博物館過夜，但全書的氣氛營造和細節安排卻使讀者深信不疑，這就是作者的「虛構」功力高超之處，令人不得不嘆服。

克勞蒂雅厭倦家中做不完的家務，她想做些不同的事，因此決定逃家，暫時離開舒適的住處，但她想尋找的是一處有點奢侈、優雅忙碌的地方，因此她選了大都會博物館；最重要的是要有一位有錢的伴，因此她選了小氣鬼弟弟傑米。

從躲在公車開始，讀者就隨著作者的魔筆進入世界之都紐約。姊弟在博物館進進出出，周遭的一切均有適當的描繪，加上姊弟之間精采的幽默對白，使得故事趣味橫生，這要歸功於作者能充分掌握兩位小主角的心態。克勞蒂雅發現逃家的樂趣沒了後，有點失望。她想找件不同的事，《天使雕像》適時展出，使她有了新的目標——找出雕塑者。隨著故事的順暢進行，我們忍不住要為作者的巧妙安排擊掌叫好，因為她點出了兩人互動的結果：萌生特別的感覺，「他們成為一個真正的團隊……並不意味著他們不再爭吵，而是這種吵吵鬧鬧已經融為這趟冒險的一部分，成為一種討論，而不是要戰勝對方。……這種感覺為『關心』，甚至稱為『愛』。」作者在此間接點出了這本書的主旨，「愛」的力量當然也就成為找出「天使雕像」雕塑者的原動力。

三

這本作品還有一點特別之處值得一提。它的敘述方式與其他少年小說不太相同。全書透過雕像的原主人芭瑟爾・福蘭克威爾夫人的雙眼，把整個冒險過程娓娓道來。敘述拍子似乎要與八十二高齡的夫人年齡配合，緩慢且清晰。文中不斷插入的補述，補足了敘述觀點不甚明確的缺憾。芭瑟爾不時的介入間接的突顯了她的性情與癖好。姊弟倆與夫人見面後，場面便全由夫人掌控，言談之間一再展露她的慧黠、固執和霸氣，但同時也顯示姊弟倆的聰慧、堅持和應變能力。

套句老話，芭瑟爾夫人扮演了傳統兒童文學中的智慧老人，因此，在她眼中，她覺得「克勞蒂雅已經開始踮著腳尖走入成人世界了。」對於克勞蒂雅提出的「每個人都應該每天學一樣新東西」的說法，她回答說：「我當然贊成每個人都應該學習，有時候一天還不只要學一樣；但是有時候我們也應該要空下來，讓已經學過的東西有機會消化，有機會融會貫通，然後你會覺得它真正存在你的內心。」這段話給姊弟倆帶來當頭棒喝的啟示作用，遠比他們得到天使畫像更有價值，因為她在他們成長時及時伸出援手，拉著他們朝向成熟之路邁進。

四

或許有讀者會覺得這是篇中產階級以上的孩子的故事，一般孩子那敢有此奢望？克勞蒂雅姊弟根本是「人在福中不知福」。有多少孩子能夠擁有他們那樣的生活？他們有機會到紐約一住一個多星期，扭轉了未來的成長空間，多麼令人羨慕的特殊遭遇！這種說法當然是種閱讀反應，難以論斷其對錯，但我們如果能換個角度來探討，心中應該會覺得舒坦些。畢竟整篇故事的重心還是擺在啟蒙與成長的描述上。人各有命，各種階級的孩子都必經成長階段，只是各有各的成長方式。以欣賞與喜悅的態度來閱讀他人的成長過程，應該也是一件快樂的事，何必怨嘆自己的命不好呢？心存不平，也改變不了自己命定的未來。不如安下心來，翻開書本，與書中主角共歡樂。

——《國語日報》「兒童文學」，2003年4月6日

週五症候群

——淺析《手提箱小孩》

書　　名：《手提箱小孩》
（*The Suitcase Kid*）
作　　者：賈桂琳．威爾森
（Jacqueline Wilson）
譯　　者：胡芳慈
出版公司：東方
出版日期：2003 年 6 月 5 日

一

許多青少年小說談到父母離婚對子女的影響，但總是以溫柔的言語或態度，嘗試傳達一些帶有療傷作用的大道理，如此一來，往往不切實際，對文中的青少年提不出任何助力，使得故事本身也喪失了說服力。賈桂琳．威爾遜（Jacqueline Wilson）的《手提箱小孩》（*The Suitcase Kid*）卻能避開了這個毛病。

作者冷眼旁觀，以翔實細膩的筆調描繪一個離婚父母共有監護權的可憐女孩的生活困境。主角安德芮．威斯特

（Andrea West）一直想挽回父母破碎的婚姻，只希望一家三口仍然繼續住在原來的「老」家——桑椹小屋。但殘酷的現實逼得她在父母各自的家兩邊住，一邊住一星期。更糟糕的是，離婚後的父母不久就各自再婚。安荻（主角的暱稱）提著手提箱兩邊過日子已經夠苦了，一下子又多了繼父、繼母原有的五個孩子，她成了夾心餅乾，處處惹人嫌。她孤單無助的感受，似乎沒有一個人曾想過。她只得設法自救，但十歲的小女孩又能做些什麼？因此，她一直生活在恐懼不安中。

繼父的三個孩子年紀較大。十四歲的寶拉跟媽媽吵個不停，房間立體音響開得很大；十二歲的葛拉漢整天黏著電腦，很少說話。安荻與十歲的凱蒂同住，必須忍受她的敵意挑釁與嫉妒。安荻跟繼父也處不來，還曾編過邪惡咒語，希望他出意外。相對之下，繼母的五歲雙胞胎還比較容易對付，但總是覺得無法過得像從前那樣「美好」的日子。

對於只有十歲的安荻來說，每週必須換地方住，兩邊又沒有自己的臥房，是種心理與生理上的雙重重擔。她除了得搬動生活必需品、課本作業外，還得自己做心理調適，去適應另一個家庭的生活方式，去面對不斷滋生的難題，弄得她整日神經兮兮的。兩個家庭似乎都沒肯定她的地位。結果，她成為兩家之間流動的「人球」。每到週五，她總是覺得身體不舒服，不是發燒就是腸胃出狀況，來回奔波的身心負擔造成「週五症候群」。親生父母似乎又無法體會她的感受，總認為她的不適是裝出來的。最後，她只得自己想辦法，對著比父母更親密的玩偶蘿蔔訴苦，帶著它跑到小巷花園，尋找心目中的「樂園」。玩偶的失蹤促成她離家出走，但也使得小巷花園主人彼得斯夫婦出面接納了她，他們的家成為她的C房子。

二

故事由安荻擔任敘述者，讀者讀到的都是安荻沒有受到良好照顧的種種經過。她為了逃避眼前的痛苦，只得耽溺於從前美好的日子（例如看六、七、八歲時的幼兒書）。但如果從繼父、繼母的五個孩子的角度來看的話，安荻未嘗不是個「入侵者」，她的出現奪走了不少他們原有的「權利」，因此，安荻慘遭排斥是必然的，何況這些孩子的心理也並非十分健康。以安荻最感困擾的凱蒂為例，葛拉漢告訴安荻，他們母親過世時，大人告訴他們她睡著了，凱蒂「不知道死是什麼。他們告訴她，那就跟睡覺一樣。……從那時候開始，她就非常怕睡覺。」因此，凱蒂經常徹夜不眠，又具侵略性，多少都受到此事的影響。

安荻在A房子（媽媽新家）和B房子（爸爸新家）來來回回住了一段時間，發生蘿蔔失蹤之事，找到C房子（彼得斯夫婦的小巷花園）後，她漸漸體會到，渴望回到從前與親生父母一起生活的想法，根本不可能做到了。她只好學著調適，重新認識繼父、繼母兩家人，懂得寬容，學會從他人的角度出發，來觀察所有的事。她同時還發現，事情不會永遠是老樣子，隨著時間的過去，最後總會轉好的。在結尾處，她說了這樣的話：「現在一切都在我的控制之下。就跟唸ABC一樣簡單。」ABC原本是「入門」或「基礎」的代號，從安荻口中說出，卻另有特殊的意涵，她不是一直在ABC三處房子走動嗎？讀者同時也可看出作者對於段落的精心安排，除了第一段外，其餘全用英文二十六個字母開始的某個字來串聯。

三

作者素描現代家庭的劇變與解體的筆觸雖然銳利冷靜，但她的出發點卻是帶著同情與諒解。對於安荻的繼父比爾著墨之處極少，繼母凱若的描繪有如父親背後的陰影，兩人都模糊不清，因為她不想作任何無意義的批評和指控。她同情安荻的遭遇，但沒把握去破解現代家庭中親情的錯綜複雜。她以安荻與雙親之間的距離變得越來越遠，來代表許多當代兒童和青少年的失親之痛。字裡行間傳遞的寂寞與疏離，有待讀者去細細咀嚼、吞嚥。

快樂的結局是賈桂琳・威爾遜寫書的一貫作風。她不認為自己是故意去平衡故事中的悲傷與幽默。在一次訪問中，她用下面的話來回答這個問題：「我認為幽默是一種處理悲傷或煩惱事情的理想方法。我不願說我特別樂觀，但我總是想盡辦法給我的故事一個快樂的結局。」作者在揭露人生中的陰暗面的同時，讓讀者震驚之餘，又能以合理的方式賦予故事快樂的結局，在故事情節安排方面，是需要具有相當高超的手法。這本作品至少說明了她是一個說故事的高手。

——《國語日報》「星期天書房」，2003年5月25日

虛虛實實　真真假假

——《藍熊船長的奇幻大冒險》

書　　名：《藍熊船長的奇幻大冒險》
　　　　　（*Die 131/2 Leben des käpt'n Blaubär*）
作　　者：瓦爾特・莫爾絲
　　　　　（Walter Moers）
譯　　者：李士勛
出版公司：正中書局
出版日期：2003 年 4 月 30 日

一

在奇幻小說盛行的今天，《藍熊船長的奇幻大冒險》（*Die 13*$^{1}/_{2}$ *Leben des käpt'n Blaubär*）的問世，把讀者的視野拓寬得更加廣闊。國內文學作品的翻譯一向以英語作品為主，但隨著外語人才日益增多，英語已經不是國人唯一精通的外語。讀者有幸接觸到其他語言的作品，一向為人詬病的英文文化帝國主義的現象也隨著趨於淡化。

細讀這本作品，讀者或許會訝異於作者的天馬行空般的想像力和創造力。主角藍熊有點類似《西遊記》裡的孫悟空，不知來自何方，卻流落在無限的宇宙間，當然也不知牠何去何從，因為牠另有十三條半生命的故事還沒說出來。

全書以藍熊為主要敘述者，重點當然在藍熊的「真實」生活上，但故事中的各種事件和人物又跟真實世界相隔甚遠。明眼人一看，就知道整本書完全出自作者細心的「虛構」，情節曲折有趣。敘述中一再借用阿卜度・納赫蒂博士編著的《查莫寧及其周邊地區的奇蹟、種群和怪異現象百科全書》來擔任「講述」（telling）的任務，「顯示」（showing）反而不是很多。任何奇特怪異的現象或角色都可用這本百科全書來說明清楚，荒誕中常帶幾分道理，真真假假，最後也把讀者給搞亂了。藍熊船長明明是個聲名狼籍的說謊大王，牠講的故事沒有一則是真實的，卻又令人深信不疑。

二

藍熊十三條半命的敘述以「我在亞特蘭蒂斯的生命」所佔篇幅最多。全書六百五十四頁，它竟然佔了一百七十九頁，達全書四分之一以上。其中敘述藍熊參與說謊決鬥士比賽部分也在一百頁以上，可說是全書的精華與總結。

在藍熊參加強化訓練之前，牠已經有了下面的體認：「……說謊的藝術也是由勤奮和無數層次組成的。畫家塗上一層又一層透明的和不透明的顏料，作曲家把旋律、節奏、聲調和樂器的音區安排在一起，作家把語言的層次一層層地組織起來，說謊者把謊言疊加成一個傑作。一個好的騙局必須像一道堅固的牆壁，耐心地層層疊加，使之變成一個不可動搖的整體。」在最初的十一個命的敘述中，藍熊已經逐漸說服讀者，牠的遭遇雖奇幻（漏洞）之處頗多，還是蠻「真實」的，但牠把這些經歷用在比賽時，聽眾卻認為是牠的謊言的一部分。到了最後，不但藍熊自己無法分辨虛實，連讀者也覺得毫無頭緒。因此，虛實之間的界線變得模糊。但讀者不須深入追究，只要認為這本書確實提供讀者一些樂趣，增進部分了解，同時獲得有關資訊，也就足夠了。

三

用「輕、薄、短、小」四字來說明現代青少年的閱讀行為，是相當得體的。一般的青少年小說作品很少超過兩百五十頁，因為青少年不願看欠缺精彩彩色圖案的書。這本厚達六百五十四頁的「磚頭書」，究竟有多少青少年會用心讀完，倒是令人存疑。同時，作品的內容會直接衝擊讀者的想像力、創造力的說法，也不具說服力。

認定這樣一本書是值得介紹給青少年閱讀的成人，可能是很想補償孩童時期閱讀不足的遺憾。但只以成人閱讀標準來決定一本書是否適合孩童閱讀，完全不顧及孩童的閱讀角度，又是另一種遺憾。這樣一本以閒談方式衝擊兒童文學界的好書，作者的下場絕對不像《哈利波特》故事中主角那般的自信與瀟灑，其內容極可能會引發某種程度的關注，而成為票房毒藥，譯本在台灣，這種可能性極高。

作者雖全力衝刺，我們卻替他擔心，有多少青少年讀者會不按照章節順序，隨性閱讀這樣一本厚書。我們不鼓勵正襟危坐般的閱讀，因為那是一種謀殺式的乏味閱讀。嫌這本書太厚的讀者不妨一邊看文字，一邊看趣味性頗濃的黑白插圖。這種閱讀方式極可能是讀完此書的最佳方法。

當然，跳躍式的閱讀也不失為一種好方法。

——《中央日報》「副刊」，第17版，2003年7月20日

悲喜交加的啓蒙儀式

——淺析《亞當舅舅》

書　　名：《亞當舅舅》
（*A Corner of the Universe*）
作　　者：安・馬汀
（Ann M. Martin）
譯　　者：李畹琪
出版公司：東方
出版日期：2003年10月1日

一

米樂頓是個沒有個人秘密的平凡小鎮。在鎮上過著一成不變、平靜乏味生活的小女孩海蒂，在期待十二歲生日來臨之前，生命中突然有了重大的變化。家中長輩一向絕口不提的陌生舅舅亞當因為學校關門，只得回家。這一來就顛覆了海蒂的整個生活。

亞當的古怪舉止有如在海蒂平靜無波的心湖上，丟下了無數小石，接連激起數不清的漣漪。海蒂既訝異又感動，竟然認定她和亞當是志趣相投的「兄妹」，站在同一國的人。

突然之間，她經歷了一個非常特殊的夏季。在炎熱的日子裡，她與遊藝團新結交的朋友羅菈和亞當舅舅的互動，終於使她了解：人要過完整的日子，必須張開雙手，迎接美好的歲月，但也得同時面對不理想的時光。

二

作者藉海蒂與亞當的適切描繪，真實傳達了家有「怪胎」的苦惱。全書刻畫以他們二人為重心。亞當似乎得了躁鬱症，有「心理上的問題……他要控制自己的行為會有點困難。他的行為不太能預料，古怪不定。」他說話快，但含糊不清，有時興奮，有時又抑鬱，言談與舉止常有「真情流露，率性而行」的味道。他的出現破壞了海蒂那對富有、喜歡指揮他人的外祖父母的井井有條的生活。他有如外星人，「並不屬外婆努力創造出來的那個完美世界。」

在海蒂心目中，亞當是個熱愛生命的人，從不畏懼面對來自周遭的排斥與嘲弄：「大部分的人都不像亞當一樣，可以那麼快樂。亞當高興的時候，像個小孩一樣跳上又跳下。或者他會大叫：『幸福啊！』」處處顯露他十分單純，毫無心機。因此，海蒂對他的一切行為逐漸從好奇轉為喜愛，甚至認為他們兩人十分相像，都是「外星人」。

整篇故事裡的兩次突發事件決定了亞當卑微的一生。「摩天輪」故障事件暴露了亞當無法自制的缺陷。他長年壓抑隱藏心中的情慾，卻撞見了他心儀已久的安琪與男友衣衫不整同處一室的尷尬場面，迫使他自縊了結生命。率性的

「外星人」畢竟不屬於這個繁文縟節的世界，或者另一個世界更適合於他。亞當有如赫胥黎（Aldous Huxley）筆下的反烏托邦名著《島》（*Island*）中的「蠻子」（Savage），回到家裡，惹了不少麻煩，最後只能自殺了事。

三

故事是以海蒂過完十二歲生日後，在起居室查看家庭影帶開始。她關掉放映機後，在黑暗中回想著：「爸爸的影片很棒，但是它們並沒有敘述今年夏天的故事。漏掉沒有拍到的部分遠比拍到的重要。爸爸捕捉到開心的時光，不過僅只開心的時光。他沒有拍到的部分改變了我的人生。」「沒有拍到的部分」就是指她與亞當相處甚歡的快樂時光。

海蒂藉由追憶，想起亞當行為舉止的點點滴滴，顯示家中每一成員對亞當的愛護與心痛，但卻表達不出來，唯一能表達的只有無奈。亞當挖開世界的角落時，她開始了解他的意思。她希望家人因此懂得療傷和學習溝通。

海蒂在這家族秘密中想謹慎行事，處處呵護亞當：「我覺得有點像他的臨時保姆，有點像他媽媽，完全不像他的姪子，十分像他的朋友。」她和亞當嘗試邁出這熟悉的世界的種種限制，去面對一些痛苦的挑戰。亞當在她鼓舞下，勇於為自己打造令人振奮的生命，但最後失敗了，令海蒂心碎。

海蒂經歷了不同程度的情緒變化，從無知到有知，從渾渾噩噩變成了解人生，正式成為人類社會的一分子。她掙脫了她的殼，並挖開了宇宙的角落，她恰似哈潑・李（Harper

Lee）的名著《梅崗城故事》（*To Kill A Mockingbird*）中的那位出色女孩史卡特（Scout）。兩本書同樣以回憶方式舖陳過去，同樣是發生在小鎮上，同樣是啟蒙故事。唯一不同的是兩本書的時間相隔了三十年之久〔《梅崗城故事》發生於經濟不景氣的三十年代〕。史卡特從她律師父親那兒學會了勇氣和容忍，而海蒂從亞當舅舅那兒了解了人生的悲歡與無奈。

四

作者安・馬汀（Ann M. Martin）寫了一本頗具傷感的美麗故事。角色刻畫鮮明動人，情節安排也十分合理。比較可惜的是，故事的展開太過於緩慢，海蒂的家居生活敘述得太過於冗長詳盡，以致於主要故事一直拖延著，讓讀者覺得沉悶難熬。或許節奏快些，會使故事更為精彩。

——《國語日報》「兒童文學」，2003 年 9 月 7 日

新童話　新寫法

——淺談〈神射手小羽〉與〈拜託拜託土地公〉

書　　名：《拜託拜託土地公》
作　　者：王文華、王蔚、王夏珍等
繪　　者：余麗婷
出版公司：國語日報
出版日期：2003年10月25日

故事新編的侷限

博覽各類作品的讀者，看到新作品時，往往會把它與讀過的作品聯想在一起。〈神射手小羽〉同樣會讓讀者有這種聯想。

主角小羽身為北天王六子，年少氣盛，急躁易怒，好打抱不平，到處惹禍，讓人想起《封神演義》裡的哪吒。讀者可以明顯看出小羽義助小龍王過程，類似哪吒故事的部分情節。最後小羽被流放到火焰山，又讓人想起《西遊記》中被悟空救了的牛魔王和羅剎的兒子紅孩兒。不同的是，哪吒誤殺東海龍王敖光的兒子，只得棄捨肉骨，化身蓮花；紅孩兒為觀音菩薩收去，成為善財童子。小羽最後卻因悟出箭道，做了好事，得到北天王的諒解，隨父重返北天庭。

這樣的「故」事「新」編作品如果要引人注意，必須別出心裁。作者為了凸顯小羽展現魯莽、頑皮、禁不起激怒的情節，安排尚稱合理。最後北天王出現，說出小羽悟道，也可以接受。但情節重複之處，卻讓人詬病。

作者有意遵循童話中「三」的重複原則，因此小羽和小白馬的石化時間合計兩千年，但文中石化過程只有「三」次。雖然石化的時空略有不同，但類似情節一再重複，減弱了趣味性，十分可惜，還不如設計類似孫悟空受制於五指山下五百年那樣的情節。

從舊傳說找新素材

公主、王子、巫婆、後母和巨怪一向是傳統童話的常客。隨著皇族凋零，這些常客逐漸在兒童文學裡隱退。生活在島上的孩子除非願意回到從前，沉迷於格林童話或安徒生、王爾德的經典作品，否則上述的常客可能成為往昔的身分符號。隨著作家的覺醒與省思，現代童話偏重鄉土。作家從周遭的人事物擷取題材，寫出與小讀者容易產生共鳴的作品，〈拜託拜託土地公〉便是一個明顯的例子。作者以民間熟悉的土地公婆為主角，寫了一篇深具鄉土味又趣味性頗高的好作品。

主角性格鮮明。土地公深知責任所在，因此賠上自己兩扇門板，趕走啄食農作物的麻雀，顧人不顧己的行為惹來土地婆不滿。等到隨著他枴杖遷往鷹嘴峰的麻雀全部凍死後，他被玉帝貶到鷹嘴峰上。他樂於助人的本性幫了峰上惟一住戶陶藝家阿巧的忙，請來火神祝融把火燒旺。這時，一向嘮叨的土地婆才展露母性，衝進火裡，把老鷹腳下的孵蛋抱走。

作者把民間的神和凡間的人與動物融合在一起，凸顯了土地公助人的本性和土地婆碎碎唸的習慣，十分鮮活。情節安排合理，事件相連，一氣呵成，沒有冷場是優點，也是缺點。讀者閱讀時，會覺得敘述緊湊，閱讀時非一口氣讀完不可。如果能插入過場，讓讀者稍微停頓一下，閱讀效果會更好。

複製人的悲歌

——《蠍子之家》的預言

書　　名：《蠍子之家》（*The House of the Scorpion*）
作　　者：南茜・法墨（Nancy Farmer）
譯　　者：劉喬
出版公司：東方
出版日期：2003年10月1日

一

「桃莉羊」的問世是對人類生老病死不變的自然法則的重大挑戰，複製的功與過可能一時也說不清楚，但它對人類傳統倫理的衝擊卻是肯定的，尤其從「桃莉羊」的複製聯想到人的複製時。「複製人」是人類直接向死神挑戰，也是科技成就中一項最讓人非議的話題。《蠍子之家》（*The House of the Scorpion*）作者南西・法墨（Nancy Farmer）結合了人的複製與器官移植的理念，寫了這本震懾人心的科幻小說。

這本書雖被定位為科幻小說，但細讀之後，我們會訝然發現，作者的敘述焦點並沒有完全集中於科技，反而集中於故事的社會學、心理學和人的情緒層面。它的範疇極為廣泛，無所不包：科學、歷史、地理、健康、心理學、科技等。故事的鋪陳不只仰賴敘述，對白所佔比例相當可觀，對於書中人物的了解是不可或缺的，例如：主角馬特的保鑣塔姆林的真正自我是藉由東一句西一句的評語（comment）洩露出來，讀者要費心去自行拼湊，才能看出塔姆林的性格全貌。角色刻畫的細膩成為這本書最令人讚賞的地方。

二

主角馬特是複製人，直接從母牛「收割」來的無父無母的「人」，準備未來充當鴉片王國毒梟阿爾．帕特隆移植器官之用。然而，阿爾．帕特隆卻犯了一個重大的錯誤，沒有在馬特的腦袋裡植入晶片，反而讓他接受教育，成為一個有思想、有知識的複製人，再也無法約束。

馬特離開溫室，陷入鋸屑裡所受到的折磨只是在為他陷入白骨場的考驗作準備。進入大房間，他便開始漫長的自我發現的「追尋」（quest）過程，來確定自己的身分。因此，在完成「在家——離家——返家」的辛苦歷程後，他重返鴉片農場，準備搗毀鴉片國。

一百四十二歲的阿爾．帕特隆是個令人畏懼的角色，怪異的童年生活是他心理不正常和行為暴虐的主因。塔姆林對他的描述最為貼切：「阿爾．帕特隆有他好的一面，也有他壞的一面。黑暗才是他真正的一面。他想擁有至高無上的權威。在他年輕的時候，他有過選擇，就如同一棵樹打算往哪裡長一樣。他生長得又大又茂盛，覆蓋了整座森林，但是他大部分的軀幹是扭曲的。」他的毒品帝國建立在殘暴的機制上。長生不老的強烈意念讓他一再移植複製人的器官，沒想到最後卻栽在馬特看護人塞麗亞的手中。她用毛地黃、皇帝蝶給馬特長期使用，讓他的心臟變得虛弱，不能進行移植手術。阿爾·帕特隆終究無法戰勝死神。

配角中以塔姆林最為搶眼。他因年輕時曾犯下重罪而內疚，以細心照顧馬特作為補償。他帶馬特到一個阿拉克蘭家族不知道的地方，告訴馬特的身世、呆瓜的特性、阿爾·帕特隆的陰暗面。他鼓勵馬特逃亡，教他如何利用大自然求生。因此，馬特懂得如何辨別善惡。最後，他更以一種特殊的葡萄酒，與一群惡徒同歸於盡。他服侍惡人多年，卻能擇善固執，有所為有所不為，是個典型的圓型人物。塞麗亞的刻畫也頗為出色，長年活在阿爾·帕特隆的陰影下，依然堅持自我，為了救馬特一命，更想出長期服毒的絕招，讓毒梟只得服膺自然法則的召喚。其餘如湯姆、馬莉亞、費麗西姬、史蒂文等人，都趨近扁平，更加襯托塔姆林與塞麗亞的不凡。

三

作者是創作高手，她巧妙使用象徵語言和輕描淡寫的手法，緩緩激起讀者的好奇心和懸念。在她筆下，馬特不是自然法則的產品，卻嚮往大自然的一切，處處利用大自然景色來突顯馬特的心情轉化。她花費不少篇幅來細緻刻畫馬特對花草、鳥獸的感受。不論馬特身處何地，他最感興趣的是「綠」色。以大自然的綠色對照機械化社會的冷酷。藉由馬特的遭遇，作者激起讀者對複製的同情，而對那些不把馬特當「人」看待的人，感到憤怒。另外，這部多面向的作品同時提出許多值得深思的問題：人的意義、生命的價值、社會的責任等，但並沒有明顯地提出解決問題的方式，等待讀者去細細咀嚼，並反思複製人的未來：複製人的社會地位在那兒？他們會受到平等待遇嗎？他們可以與正常人結婚嗎？生下來的孩子又如何定位？

作者擅長以具體的實物來描繪抽象的現象，例如：「老鼠就該學著不要把腳印留在奶油上。」（偷吃不要忘記擦嘴）「任何下水道裡的老鼠都可以撒謊。」（人一撒謊，就像下水道裡的老鼠）「她的臉好像是一張拉下來的百葉窗。」（一百零一種的表情）「就連蟑螂都要搭車到別的地方。」「只不過耗子們都搬到了條件更好的貧民窟去了。」（窮的不能再窮）讀者讀到這些具像又略帶幽默的酸辛文字，在會心一笑之餘，一定會感慨良多。但讀者同時也不要忘記作者特別強調的「反烏托邦」想法。

馬特逃走後，掉入農場巡邏隊手中，便處於一個充滿共黨宣傳口號的世界：「工作就是自由，自由就是工作，辛苦是有代價的。」「生產線的紀律與人民大眾的利益息息相關。」「致力於國家繁隆昌盛是每個上進公民的美德。」加上所有的孩子們必經背誦「五條好公民準則和四種正確思想的表現。」這些敘述難免會使讀者回想到《一九八四》、

《美麗新世界》（*Bvave New World*）或《記憶傳授人》（*The Giver*）的情節。烏托邦畢竟是虛構的理想世界，未來的世界如果是如此這般，那就不是大家所嚮往的。另外，書中對白骨場的描寫也讓人想起路易斯·薩奇爾（Louis Sachar）那本強調罪、罰與救贖的《洞》（*Holes*）。

當然，馬特在白骨場鼓舞查丘求生的一段話，極可能作者故意突顯人的生命意義。馬特重複了塔姆林的話：「……閉眼等死是動物的做法，因為他們不懂得希望，但人不一樣。他們跟死亡抗爭，不管事情有多糟，有時候，即使情況對他們非常不利，他們還是贏了。」這時作者已經把馬特提升為「人」，所以瑪莉亞母親埃斯帕蘭莎最後所說的話：「……同一個人在同一時間不可能有兩個版本，他們其中一個——那個複製品——必須被聲明為非人類。但是一旦本尊死了，這個複製品就取代了他的位置。」更確切確定了馬特是「人」。

——《國語日報》「兒童文學」，2003 年 10 月 5 日

是嚴師，也是人師
——簡介《我的老師虎姑婆》

書　　名：《我的老師虎姑婆》
作　　者：王文華
出版公司：小兵
出版日期：2003 年 11 月 20 日

一

大環境急速變遷的今天，教師地位大不如從前，是眾所公認的。「一日為師，終身為父」的說法，早已成為一種虛擬幻構；「嚴師出高徒」同樣受到質疑，家長學生不認同，特別在強調不可體罰的年代，「嚴」字根本不可行。一般教師為求自保，便不敢實施任何震撼政策。然而，奇怪的是，令人懷念不忘的卻是那些一直以「嚴」出名的老師。《我的老師虎姑婆》中的陳春珠老師便是個典型。

本書作者擅用襯托法。故事一開始，先借用曾經在陳春珠門下受教過的家長的說法，以及道聽塗說的種種聽聞，來突顯這位嚴師的特別之處。果然，「山雨欲來風滿樓」過後，主角現身，眾家娃娃便開始接受不同程度的「嚴管」，生活中有了另一種滋味。

二十世紀末，是講求孩子品質的年代，孩子不多，父母付出太多的愛，反而讓孩子不知自律、自治，尤其在生活規律方面，更是如此。細讀全書，會發現陳春珠老師所要求的不過是生活細節的管教。她隨時隨地給孩子正確的觀念，要求孩子誠實，懂得自理生活。她嚴格要求學生，但所有要求都是合情合理的。表面上，她嚴厲無情，但卻能和學生打成一片，例如罰學生跑操場，竟然跑到街上，她騎腳踏車在後面追；例如園遊會時，她放下身段，與學生同樂。

二

敘述者曹立的親身體驗是「虎姑婆」面惡心善的最佳說明。曹立受不了一杯冰豆漿的誘惑，弄得上課時肚子痛，卻不敢舉手要求上廁所，結果，「便便」氾濫成災。陳老師發現了他的「痛苦」之處，便把班上其他同學支開，幫他清洗一番，解了圍，同時也保住了他的面子，這是真正關心孩子的好老師。

有一次，三個高中生在孩子上體育課時來鬧場，兩位老師上前理論，被推倒在地，「虎姑婆」出現，先喝止兩位她教過的學生，又順勢教訓了另一個「大塊頭」，讓在場學生欽佩得五體投地，甚至對於不寫作業的學生李志勤，也不採取打罵方式，以柔克剛，終於使得李志勤每天能寫作業。

這樣特別的老師卻因氣不過班上的曾有全和吳大智在班上吵架、打架，又聽到曾有全罵吳大智雜種，終於動了手，打了曾有全一巴掌。這一打就打出了問題，曾有全爸爸是會長，堅持要其他家長簽名，支持他的提議，叫虎姑婆退休，演變成兩派意見，最後曾爸爸竟然要求賠償一百萬，使得原本支持他的人紛紛退出，但也因此，虎姑婆決定退休，三十多年的教書生涯便告一段落。

三

本書採用橋劇方式，把不同時間發生的趣味故事串連起來，讓讀者有如從不同角度去觀賞一座著名雕像。俏皮的言語加上逗趣的情節，使得本書讀起來格外趣味盎然。作者筆調誇張有趣，不時調侃敘述者，小讀者容易認同，覺得非一口氣讀完不可，幽默的對白更讓小讀者忍不住會心一笑。

作者在國小服務多年，類似書中片段的故事俯拾即是，但他懂得篩選，挑了精彩有趣的部分。作者藉學生的角度，間接刻畫陳老師，卻給讀者一個十分生動的典型人物。對照曾會長，更是突顯了現代家長的無理與無知，因為他實際上是目前台灣許多家長的化身，只是無知無理程度不一樣而已，更嚴重的是，家長竟然比學生更不講理。故事裡的曾會長，既無理又無知，是部分現代急躁家長的化身，然而，作者也更清楚的寫出他在教學生涯中得到的了解：事實上，絕大多數的家長是支持並了解老師苦心的。作者在文末安排的另一個高潮「支持者發起另一邊簽名，反派家長紛紛因反悔而刪掉簽名」，讓人鼓掌叫好，相信也給所有「堅守工作崗位的好老師」打了一針有效的強心針！

——《我的老師虎姑婆》，小兵，2003年11月

樂趣為先

——簡介《草莓心事》

書　　名：《草莓心事》
作　　者：林佑儒
出版公司：小兵
出版日期：2003 年 11 月 20 日

什麼樣的作品最適合國小生閱讀？通常的標準答案常以適讀年齡為主。當然，適讀年齡涉及文字應用、故事內涵等。不同年級不同標準，但總是要比虛擬程度高些，對小讀者才有好處。在資訊爆炸的年代裡，孩童都過份早熟，絕不能以從前的標準來敷衍應付了事。

有人喜歡搬出「提供資訊、增進了解、獲得資訊」這三大功能來評估文本的價值，這未免嚴肅些、學術些。我們仔細研究這三種功能的排序，就不難發現「樂趣」，二字是兒童文學作品最為重要的，因為作品缺少樂趣，小讀者不願閱讀，又如何增進了解和獲得資訊呢？因此，如果以國小高年級學生做為訴求對象，「樂趣」，還是得排第一，才能吸引他們深入閱讀。《草莓心事》這本作品便是個最好的例子，充分掌握了樂趣的本質，然後樂趣中又不忘帶些教導的意味，但絕非說教。

由於社會的過度開放以及媒體的競爭發展，「未來主人翁」便成為早早成熟的小大人，尤其兩性關係最為顯著。十一二歲便懂得談感情問題，而且用情之深常在大人意料之外。值得安慰的是，絕大多數的小大人的感情故事，還是謹守禮法，不涉及肉體層次。陽光少年少女的感情故事固然讓我們訝異，我們還是不得不佩服他們的想法、作法。故事中的柴巧玫對朱哲謙的動心動情，從單戀轉而明朗化，故事安排頗為合理，再加上俏皮的對白，使得這本故事的可讀性提高不少。

為了串連感情這種心靈上的轉化與食物之間的關連性，作者特地在全書十七節裡介紹了十七種吃草莓的方法，這真虧了作者的「苦思熟慮」。每一種吃法都是十分有趣，小讀者可以學習嘗試，雖然吃後的感覺不一定會與作者的說法一致（「甜」的感覺例外），但至少還達到了趣味的效果，使得讀者在閱讀時，難免會預測下一個吃草莓的妙法。當然，我們也可以說，這有點是上了作者的當，中了作者的計，但高高興興，又何嘗不好？

聰明的小讀者在閱讀時，可能會發現這本書相當「女性主義」。柴巧玫的故事由柴巧玫本人來敘述，加上母親、妹妹以及「情敵」，章菁菁、劉羽鳳的互動，朱哲謙、牛奶糖等小男生成為配角的配角，而且不時出現一些議論男生的俏皮話語，更加添了作者「女性本位」角度。柴巧玫的父親是個消失的角色，老師的角色更是不重要。作者不一定是刻意安排，但一路敘述下來，卻難免讓成人讀者有這種感覺。這也可說是作者無心插柳的一種結果。

或許有讀者會認為故事的結局太美化了。「妹有意，郎有情」，會不會有鼓勵國小學生提早談戀愛的嫌疑？這種看法未免太嚴重些。如果我們深入思考，會發現全書的情節不是柴巧玫和朱哲謙兩人的故事，而是作者在多年教書之餘，長期觀察不少少男少女的感情互動的結果，然後透過柴朱二人的組合，使得故事更具完整性，但絕無鼓勵國小生早早陷入感情苦海之意。何況作者強調的依然不脫少男少女的純純之愛，而且在結尾之處故意留下一堆空白，讓有心填補或叛離的小讀者去深思一番，給予故事不同的結局，合乎讀者參與的期待。

在社會充滿暴力、虛偽的今天，刻畫社會陰暗面的故事是反映現實社會的一種方式，但絕非全部的方式。作者試圖從光明面著手，證明她是個對未來青少年深具信心的人。正反兩面來描繪人性都是不可或缺的。作者取正面而捨負面，相信更能激起更多的共鳴。

——《草莓心事》，小兵，2003年11月

都市叢林的倖存經驗

——《真相》裡的真相

書　　名：《真相》
（*The Other Side of Truth*）
作　　者：貝佛莉・奈杜
（Beverley Naidoo）
譯　　者：海星
出版公司：東方
出版日期：2003年1月20日

一

二次世界大戰後，許多非洲國家紛紛脫離英法荷等國的統治，獨立建國。但長久接受殖民統治，突然獲得自由，準備不足，倉促立國的國家開始進入內戰時期，出現了許多獨裁者，老百姓生活並未獲得實質改善，所謂「民主」往往變成只是口號。部分有志之士公然在國內外批評軍事統治者或獨裁者，釀成更多的悲慘事件。《真相》（*The Other Side of Truth*）中的爸爸是個直言坦率的新聞記者，毫不保留的在服務的報紙上批評「銅扣子」統治者，結果付出媽媽的生命作為代價，只得先把紗黛和孚密姊弟先偷渡到英國，再設法離開奈及利亞。

八年級的莎黛目睹媽媽慘遭槍殺，帶著五年級的弟弟孚密，跟專做偷渡工作的婦人到達水泥叢林的灰色倫敦，卻被棄在機場，開始一段可怕的冒險歷程。由於擔心爸爸安全，姊弟倆不能表白身分，不能說實話（這跟媽媽一向教導的相反）。在寄養家庭裡，受到收養者兒子凱文的嘲諷與刁難。開始上學後，雖然結交了好友瑪莉安，卻被班上兩個惡女多娜和瑪夏不斷羞辱與欺負。她們不讓她交作文作業，因為她的英文程度顯然比他們高。兩人又逼她去偷竊，在身心上均十分疲憊的狀況下，她終於向瑪莉安說了實話，沒想到瑪莉安早就知道她所做的事情，因為她自己也曾有類似經驗。學校裡同儕的欺壓排擠動作讓人讀起來觸目驚心。同是同樣膚色的人，在白人世界中求生存，還要互相迫害，這種心態令人不解。

二

作者貝佛莉・奈杜（Beverley Naidoo）以主角紗黛為敘述者。她筆下描繪的是政治迫害事件所造成的冒險與僥倖的故事，與從前以怒海、荒島或蠻荒地帶為主要空間的冒險故事不同。《真相》動用了飛機、火車、汽車等現代交通工具，主角面臨的冒險是如何與同儕抗衡和設法救出被困在獄中的父親。故事以悲劇開始，但紗黛姊弟的冒險追尋旅程並沒有以悲劇收場。作者巧妙的在故事結尾處安排了戲劇性的轉折。紗黛找到「七點新聞主播」，以電子媒介的力量救出父親，使得讀者在情節緊湊且毫無冷場的敘述中，獲得閱讀的快感，同時為紗黛的成功與幸運歡呼。故事強調的是，只要主角憑藉堅強的意志和不凡的智慧，便能擺脫威脅生命安全的絕境。

故事在作者精心構思下，行文清爽通暢。她採用了插敘法，敘述紗黛在倫敦生活中遭遇的種種困難時，不時插入母親和父親在家鄉生活中的言語勸誡與經驗傳承。讀者稍微用心，不會覺得閱讀不易，反而因插敘的運用得當，使得故事的背景資料更為完善。雖然是篇虛構的故事，但情節中卻包含了三個真實人物：因抗議家鄉被污染、剝削而被處以絞刑的奈及利亞作家肯恩．沙羅威瓦；獨裁者奈及利亞阿巴恰將軍和索馬利亞的殘暴總統巴爾。這幾個真實人物的融入，使得故事更接近以真實人物為背景的歷史小說。讀者透過這本作品，可以想像或揣摩出其他一些非洲國家人民的悲慘遭遇。

三

作者同時擅用現代民主國家行政、司法和立法之外的第四種力量——新聞媒體——來協助解決主角紗黛的難題。父親擔任的批評角色是公正敢言的新聞記者身分。他犀利的文筆逼使暴虐的統治者遽下毒手，準備動手幹掉他，沒想到因此更引起國際間的惡評。他在獄中絕食，促成新聞界的大肆報導和抨擊，逼使英國政府最後不得不釋放他，並允許他們一家人以難民身份留在英國。然而，運用新聞媒體最徹底的是紗黛。她使出絕招，親自在電視台外面苦候「七點新聞主播」，讓他找出「真相」，充分發揮現代電子媒介的影響力，把真相告知全世界。當同情與抗議的聲音從四面八方傳來時，紗黛父親獲得釋放，變成是遲早的事。

作者身受種族隔離之苦，曾寫過南非三百萬黑人被迫遷移至貧瘠且過度擁擠的「家園」的故事《火之煉》（*The Chain of Fire*）一書，因此本作品的重心在於促進並激勵孩子能在成長的過程中，擺脫種族主義和不公正的心態。書名《真相》在於強調：人在緊急情狀下，有時不說實話是不得已的；但即使在不說實話時，揭露真相依然是最後的目標。因此，書中的爸爸說：「即使是孩子，也該反對惡勢力，否則惡勢力會越來越囂張！」死去的媽媽生前也一再告誡紗黛要說實話，因此她偷瑪莉安家的打火機，覺得十分羞愧，但她最後還是說了實話，得到瑪莉安的諒解。

這本倖存故事背景安排在主角擁有部分自由行動的倫敦中，間接提昇了主角的自主能力。所以滿懷孺慕之情的紗黛，在飽嚐連串的感情苦楚的煎熬和折磨後，由於堅毅的個性和斷然的決定，終於使得自己和弟弟能與父親團聚，在異國呼吸自由的空氣，過著另一種免受欺辱和脅迫的生活。

——《國語日報》「星期天書房」，2003年11月2日

小鎮風波
——簡介《瘋婆子》

書　　名：《瘋婆子》
（*Crazy Lady*）
作　　者：珍・萊絲莉・康禮
（Jane Leslie Conly）
譯　　者：胡芳慈
出版公司：東方
出版日期：2003 年 11 月 1 日

一

如果每個人都能親自選擇一位守護天使來協助自己成長的話，《瘋婆子》（*Crazy Lady*）主角維農心目中的最佳人選必定是媽媽。但永不嫌棄他的母親卻突然中風過世，使他頓失依賴，茫然一陣子。他曾期盼父親伸出援手，扮演母親的角色，然而父親忙於一家生計，無暇仔細照顧到每個孩子。妻子的過世，讓他失去了與子女溝通的主要橋樑，獨自撫養五個孩子成為他唯一活下去的理由。

維農面臨留級的危機，求助無門，幾乎放棄時，幸好貴人安妮出現，用力拉了他一把，培養他的信心與毅力，助他安然渡過成長的困惑。安妮的教育方式是功課與品德並重。她知道維農無力支付家教費用，她也不可能跟他要錢，但她教他懂得報恩。她要維農去幫助瘋婆子梅格森整理園子，種植花草。他勉強接受下來，卻逐漸發現梅格森是他有能力協助的對象。他把從安妮那裡得來的助力轉注到他們母子的身上。他找尋到助人的快樂，更相信自己的能力。

從安妮身上，維農知道生命中的每件事並非不是黑便是白。他學會不只要觀看一個人的外表，也需觀看他的內心，馬洛小姐是個好例子。她年輕貌美，但四處打聽梅格森的酗酒情形，一直要把羅納德從他母親身旁帶走。我們不能責備馬洛小姐，因為她的所作所為全是她的分內工作。她想讓羅納德過更好的日子，只是手段激烈些，讓維農反感。

二

父親雖稱不上是維農的守護天使，但他對兒子的影響絕不亞於安妮。維農兩次晚上睡不著，到廚房去找吃的，都巧遇父親。過世的媽媽是父子兩人交談的主題。第一次先談媽媽，接著談梅格森，父親講了許多梅格森與自己家互動的事，讓孩子對瘋婆子有進一步的瞭解。維農深知孩子多的壓力，忍不住問父親會不會嫌孩子多，沒想到答案卻是：「……我們都不知道什麼對我們比較好。但你們每一個都那麼與眾不同，有點像是一個不斷變化的驚奇袋，而且越變越好。」這些話使得維農更瞭解父親隱藏的愛意和對生命的肯定，對父親也有更進一步的認識。

第二次兩人深夜在廚房碰頭，爸爸仍然坐在餐桌旁聽老歌。先談家務和梅克森母子，然後再度觸及媽媽過世的這件令兩人遺憾的事。起初兩人有輕微的爭執，但懷念的心卻是一致的，父子終於緊緊地擁抱在一起。維農說：「就算她不能講話，我也要她在這裡。我會照顧她。」爸爸也是，但後悔太遲才知道太太過勞。後來，他又強調：「我們必須幫助彼此得到我們想要的。」他要維農教他閱讀，因為：「你有耐心，而且你知道不能立刻理解一件事是什麼感覺。」父親的話對維農而言，無疑的是給他打了強心針，讓維農更具信心。因此，故事將結束時，維農變得激動，緊追載著羅納德遠去的車子，不肯放棄，摔倒在地上打滾，撞上牆，說不出話時，他覺得有一隻手在他身上撫摸著，熟悉的氣味中傳出爸爸的聲音：「我在這裡。」

三

無可否認的，父親和安妮在維農成長中扮演了十分重要的角色，然而梅格森的行動改變了他對生命的看法。梅格森與雜貨店老闆據理力爭，維農認同，順便幫了忙，因此梅格森把安妮介紹給他，扭轉了他的一生。維農也因此對梅格森母子認識日深。他發覺她必須獨自撫養患有智能不足的兒子，只能常以酗酒方式來麻醉自己，逃避現實生活困境。他發覺她並非真的發瘋，後悔曾一度跟隨狐群狗黨嘲弄羅格森。明瞭真相後，他盡力幫助他們，甚至負責義賣餐會，讓羅納德有錢買鞋子，參加特殊奧運。

我們不難了解，維農起初對羅納德的態度是憐憫多於同情。他深知智商低、學習能力差的人的痛苦。因此，他一直想幫羅納德的忙。面對羅納德，他沒有高高在上，蔑視羅納德。微妙的是，他最後把羅納德當成真正的好友，不想讓他離去，竟死命追趕載羅納德遠走的車子，造成骨頭折斷。

在民風純樸的小鎮上，對多數鄉民來說，生活陳悶煩躁、壓抑性重，一舉一動都在他人眼下，全無隱私可言。義賣餐會讓他們有渲洩情緒的機會，眾聲喧嘩似的餐會幾乎變成嘉年華會。維農在旁協助他人之餘，細心觀察別人的一舉一動，做為自己生活的參考。最後，他發現人不能承擔或控制任何其他人的行為，但可以約束自己的。他知道父親永遠在那兒等著他。他同時還發覺，勝利和悲劇常常手牽著手並行。

四

作者珍．萊絲莉．康禮（Jane Leslie Conly）有如藏身在維農生活的城鎮的一角裡，藉栩栩如生的筆觸，塑造了小鎮生活的真實面。她同時描繪維農一家人緊緊繫在一起，彼此互相扶持。作者細心舖陳整篇故事，融入同儕壓力、酗酒以及人們對殘障的看法。故事處處是歡樂和悲傷，維農也從自己深陷好人與壞人間的拔河戰中，深切體認成長的欣喜和艱辛。維農確實邁出了生命的窘境，但那些舉步維艱的青少年，沒有逃逸的機會，可能會繼續沈淪。

——《瘋婆子》，東方，2003年12月

有聲與無聲的結合

——推介《蝴蝶》有聲書

書　　名：《蝴蝶》(*Le Papillon*)
（CD＋故事書）
文　　字：艾瑞克・希瑪
（Eric Simard）
插　　圖：艾賀威・唐格瑞樂
（Tauquerelle）
翻　　譯：李良玉
配　　音：趙自強、李若梅、
張子樟、黃淳郁
出版公司：聯經
出版日期：2004年1月5日

電視昂然揚首問世時，有識之士頗為印刷媒介（包括報紙、雜誌和書）擔心，唯恐有一日電子媒體會完全取代缺少聲光色的平面媒體。半個多世紀下來，我們訝然發覺，所有的傳播媒體因其屬性的不同，反而能共存，但不可否認的，我們已進入圖像時代，漫畫、動畫和繪本的盛行，便是最好的說明。

看過《蝴蝶》這部洋溢溫情、溫馨感人的影片，我們會想起《新天堂樂園》、《中央車站》等類似的好片子，然而我們也會同時的自問，為什麼自己拍不出這樣的好片子？

《蝴蝶》的劇情並不複雜，一個沒有父親的八歲女孩纏住一位獨居的老先生，讓他不得不屈服於她的童言童語，帶著她上山去找罕見的稀有蝴蝶伊莎貝拉。女孩麗莎人小鬼大，充分展現八歲孩子的好奇與純真，使得年齡大得可以當她祖父的朱利亞，只得在她的稚情與活潑中屈服，帶她同行。一路走來，麗莎的言行逐漸溶化了朱利亞原本冰凍的心。他表現了長者的風範，將有關蝴蝶的知識以生動的語言告知麗莎，而麗莎的天真童言也使得朱利亞禁閉多年的心微微張開。一老一少的互動傳遞著人世間永恆的溫情。

兩人從陌生、相識，進而成為旅伴，互相嘲諷、調侃、作弄、扶持後，終於接納對方。麗莎經由「在家——離家——返家」的儀式，終於完成另一種成長過程。朱利亞長年封閉的心溶解在麗莎那張天真臉龐和甜言蜜語的「挑逗」和「誘惑」中，他終於敞開心胸，把路上見聞的一切自然生態，十分詳盡的解釋給麗莎聽。藉醜醜的毛毛蟲變成美麗蝴蝶的蛻變過程，朱利亞告訴她，人們只注意到蝴蝶的美貌，而忽略了它的內涵；從蝴蝶短暫的生命，他詮釋了成長的不易、生命的意義、死亡的無奈；他在麗莎面前嚴厲批判非法偷獵者，使麗莎明瞭了大自然一切生命與人類共存的作用，同時宣揚了環保的重要。這樣的一部好片子，確實值得我們帶著全家去欣賞，再細細咀嚼它要傳達的深遠意義。為人父母攜帶子女去觀賞這類片子，其實也是另一種「親子閱讀」。

以畫面取勝的繪本是眾所公認的「親子閱讀」的最佳兒童讀物。十歲不到的稚子依偎在父母親身邊，隨著書頁的翻閱，仔細聆聽與自己生命關係最密切的人的講解，是人間一幅多麼令人艷羨的畫面。藉由讀本的協助，父母親毫不費力將某些處事方式、人生哲理傳達給子女。然而，這類親子閱讀也有它的侷限，如果父母親太忙，可能講解只有一次，小朋友在學習過程喜愛的「重複性」就不易達成，有時候便可由有聲書來代替。《蝴蝶》這本有聲書，便是朝著這個構想而設計的。

這本有聲書仿造原來就隨電影發行的法文版有聲書，畫面不變，聲音全部改為中文，類似當前流行的影視名人為優秀動畫配音的模式。前言、結語和書中的敘述由專家擔任，麗莎與朱利亞的對白由兩個全無配音經驗的人「獻聲」，再加上雨聲、風聲的特效，非常悅耳的電影原聲帶，形成一本可以讓孩子重複聆聽的有聲書。當孩子一邊翻閱讀本，一邊聽著身邊 CD 錄放機傳來的旁白、對白，也是一種不錯的學習方式，雖不能完全取代父母親自朗誦、唱作俱佳的親子共讀，至少這樣的有聲書也不失為一種教養孩子的良好輔助工具。今天事事強調多元多樣，有聲書也加入了多元多樣的學習工具行列，靜待為人父母去細心挑選，《蝴蝶》這本有聲書也是如此，即使它不能完全取代原有聲色俱佳的影片。

——《國語日報》「星期天書房」，2004 年 2 月 8 日

和番記

——《美國老爸，台灣媽》中的文化調適

書　　名：《美國老爸，台灣媽》
作　　者：趙映雪
出版公司：東方
出版日期：2004 年 2 月 10 日

一

一個只有高職夜間部學歷的普通台灣女孩，因為家中重男輕女，讓她覺得毫無地位可言，毅然嫁給了只認識三個月，「長得最醜的一個外國人」，雖然她還不是很了解他。這就是梁寶玲的故事，一個近乎現代傳奇的故事，只是這位在這場異國婚姻中的女孩，贏得的不是虛榮浮華，也絕非心酸與不幸。梁寶玲憑自己的堅忍和毅力，終於獲得她應該得到的——尊重。

二

故事透過女主角與男主角麥華平的女兒梁唯勤來敘述。兩人婚前的種種完全必須仰賴補述或作者的旁白。作者是個有經驗的寫作人，她不想講求形式，只是平舖直述的說了一個現代女孩和番的故事。結尾是皆大歡喜，不太美麗的公主經過一番辛苦工作後，終於得與野獸般的王子白頭偕老。

故事重點應該是不同文化的調適。兩個完全陌生的異族男女，認識三個月，就要成為夫妻，中間的磨擦當然無法避免。但不論是小型磨擦或爭論，都與雙方的文化差異有關。梁寶玲在自己家中看多了重男輕女的戲碼，因此無法理解她和麥華平住在婆家需要自己當管家助手交換房租，也看不慣麥華平父母對女兒、女婿的偏心態度，但她又不得不接受麥華平家的文化（也就是父母愛怎樣處理家產，孩子無權干涉的基本態度）。麥華平更直接點出：「我們是大人了，不需要父母疼，我們需要的是父母的尊重。」梁寶玲一直到發現自己的親情需要用錢買，才整個死了心，不再對父母有任何期待。

女主角是個單純認命的女子，「嫁雞隨雞」觀念牢記心頭。因此，不管是在新店山上羊圈旁的工寮中「回歸大自然」，過著近乎現代原始人的生活，或者回聖地牙哥幫人照顧小孩、做便當、種菜，甚至後來遠至田納西州一個只有三十個人的小村裡，她埋怨歸埋怨，還是盡了為人妻、為人母的義務，協助丈夫支撐家庭。我們當然也應慶幸她碰到一個嚮往大自然、心地善良單純的美國書呆子。不然，一個語言不流利、父母不愛的台灣弱女子，在異國的遭遇實在難以想像。

不同文化的融合免不了要經過衝突、妥協與認同三個階段。這本書的男女主角同樣經過這些階段。麥華平的個性與求學目的（學中文）促使他一下子就融入台灣社會，連豬血酸菜湯都百吃不厭。但他也有他的堅持，他只要父母的尊重，不期待父母的施捨。他嚮往大自然生活，養牛、養豬、養雞都可以。他堅持用美國方式教孩子用「錢」的觀念：「我不要我的孩子拿著我辛苦一個字一個字翻譯賺來的錢拿去買名牌、去跟人家比來比去。」

對於梁寶玲來說，嫁給外國人是種賭注，一生幸福的賭注。與麥華平才認識三個月，他的家人更是語言不通、生活習慣不一樣的陌生人，她面對的衝突更大，但台灣女人的刻苦耐勞精神讓她克服了一切。她隨著不太會賺錢的丈夫過苦日子，面對公婆的偏心，她只有容忍，但也懂得調適，所以在離開聖地牙哥之前，寫了三大頁的信，宣洩她的憤怒與不滿，寄給了公婆，讓兩位老人家「瞠目結舌了一個禮拜」，終於了解她的苦處。等他們在小村裡安定下來，公婆來渡假，兩人每晚輪流洗碗，「好像就很自然」，這時麥華平才說出：「恭喜妳真正成了美國老婆、美國媳婦。」

三

作者行文流暢，以趣味性的筆法敘述了一個現代和番記。書中的女主角梁寶玲十分幸運，她的辛苦努力有了好的結果，不必再有任何的「寶玲怨」(與「昭君怨」成為對比)。近半世紀，有多少台灣女子嫁給美國人，我們無法去了解究竟有多少人過著美好的生活，因為每一個人對幸福的詮釋是不盡相同的，但不同文化差異的調適卻是十分相近的。異國婚姻在所謂「地球村」的今天，已經算不上什麼大事，然而，中間大小不一的種種障礙，必須一一跨過，才能有比較理想的結果。

另一個可以從這篇作品獲得的感受是：究竟華人在美國社會裡的形象改變了多少。可以肯定的是：傅滿洲、陳查理的年代已經遠去，華人不再是電視電影中的廚師、洗衣工和喜劇中的僕役。譚恩美筆下的《喜福會》和《灶君娘娘》中的華人也只是五六十年代的美國華人。來自二十世紀八、九十年代的華人新移民，應該大大不同於早期的移民。種族融合包括異族婚姻，不同文化的差異依舊免不了衝突、妥協和認同。《美國老爸，台灣媽》給我們一個美好的故事，同時也讓讀者更進一步了解人與人相處之不易，尤其面對異族，更需要時間與容忍。儘管「沙拉」說法取代了「熔爐」，但異族要學會去調適、認同，自然永遠是移民必修的一門重課。

——《國語日報》「兒童文學」，2004年2月15日

苦兒的啓蒙之旅

——簡介《鉛十字架的祕密》

書　　名：《鉛十字架的祕密》
（*Crispin: The Cross of Lead*）
作　　者：艾非（Avi）
譯　　者：謝其濬
出版公司：小天下
出版日期：2004 年 1 月 14 日

一個手無寸鐵、一貧如洗的孤兒，在十四世紀階級觀念濃烈的英格蘭封建社會裡，要如何卑微求生呢？《鉛十字架的祕密》（*Crispin: The Cross of Lead*）中的主角克里斯賓是個沒有身分的小文盲；沉默寡言、憂鬱一生的母親愛絲塔剛剛下葬。在一個暴力頻傳、沒有公理正義、貧富懸殊的社會裡，克里斯賓只得憑藉幼稚的智慧掙扎活著。教堂裡的昆尼神父還來不及告知克里斯賓的真正身分，就遇害了；在狠毒總管約翰・艾可利夫的惡言渲染下，克里斯賓一下子又成為人人可誅而後快的「狼頭」，十三歲的佃農小子就此展開了他的生命啟蒙之旅。

這本書的情節設計和傳統的苦兒故事沒有兩樣。主角克里斯賓不斷的陷入困境，但總是能化險為夷。在他的生命中最陰暗的時刻，「貴人」出現了，肥壯、瘋狂但有趣的雜耍藝人「熊哥」，在他尋找自由與發現自我的生命探索中，扮演了極為關鍵性的角色。熊哥有點類似童話或奇幻故事中的智慧老人，在邁向危機重重、不知未來的旅途中，熊哥一直把人生道理和自由理念灌輸給克里斯賓，而克里斯賓在熊哥的刻意薰陶下，活得愈來愈有自信。最後，克里斯賓擺脫了僕人和學徒的身分，大膽冒險進入苦牢，捨命救出熊哥，回報他的救命之恩，成為熊哥平起平坐的朋友。

成人讀者對於書中可以預測的情節，應該相當熟悉。故事一開始，馬上可以猜出，克里斯賓身上的鉛十字架必定是證明身分的重要飾品，甚至可進一步推測出，他是采邑領主福尼發公爵的私生子，所以惡人總管才要下毒手追殺他，但克里斯賓最後一定能順利完成啟蒙之旅。只是克里斯賓突然由弱轉強，具備神力擊敗總管，救出熊哥，並且願意放棄一切，只求能與好友自由離去，倒是出乎一般讀者意料之外。這也許是作者的伏筆，準備再寫本續集，但故事的結局已經足夠讓十歲左右的小讀者鼓掌歡呼了。

作者艾非（Avi）是撰寫冒險故事的高手。這本書與他的另一本傑作《一名女水手的自白》（*The True Confessions of Charlotte Doyle*）一樣，曲折多變的情節讓小讀者目不轉睛、手不釋卷，陶醉在閱讀的喜悅中。小讀者也許不能了解推動這篇作品的每一個政治陰謀的細微差異之處，但應該會察覺到一股改變之風正吹襲著那個封建腐敗社會的每個角落。表面上，這是一本包含許多神祕情節的冒險歷史小說，充分表現作者企圖表達的人性善惡，但值得注意的是，透過書中熊哥闡釋，克里斯賓逐漸了解「自由」的真義，同時下定追求自由的決心。「人生而平等」，就成為作者特別要宣揚、最可取的主題了。

——《國語日報》「星期天書房」，2004年2月29日

月臺裡外的奇幻世界

——簡介《13號月臺的秘密》

書　　名：《13號月臺的秘密》（*The Secret of Platform 13*）
作　　者：艾娃・伊寶森（Eva Ibbotson）
譯　　者：海星
出版公司：東方
出版日期：2004年3月31日

一

兒童究竟喜歡哪種讀物？這個問題恐怕精研讀者反應理論的專家學者也無法給予一個肯定的答案。《哈利・波特》（*Harry Potter*）和《魔戒》（*The Lord of the Rings*）的暢銷熱賣多少驗證了一種說法：兒童偏愛鬼怪、巫師和女巫的主題。作者藉這些久盛不衰的主題可以寫出精采動人的作品，因為這類故事往往蘊含著冒險、懸疑的有趣過程。高潮迭起，使得小讀者愛不釋手，總希望一口氣讀完，為喜愛的主角有了美滿的結局而歡呼，同時也為其中惡徒得到嚴懲而鼓掌。黑白分明、善惡立判的故事對於兒童還是具有相當的吸引力，艾娃・依寶森（Eva Ibbotson）的《13號月臺的秘密》（*The Secret of Platform 13*）便是這種類型的精采故事。

說到月臺，讀者馬上聯想到《哈利・波特》的9又3/4月臺，懷疑13號月臺是否是該月臺的轉化？實際上，這本書出版於一九九四年，而《哈利・波特》直到一九九七年才問世，前者是後者不折不扣的想像來源。另一個不同之處是，這本書中的鬼怪、巫師和女巫都被刻畫成有趣、幻術不高的生物。從作者塑造的全新且刺激的世界中，讀者自然可體會出作者的黑色幽默與惡作劇。除了各式各樣的強大怪物外，作者安排的四位救援隊成員就是一種幽默的來源：老邁耳背的巫師、熱愛農作物的大地仙女、必須隱形的獨眼巨人、再加上一個滿嘴藍牙的小魔女鵝兒。國王雖急於救回王子，但是又要求救援隊成員不可向王子施法術，因此，這個類似「桃花源」的另一個世界的醜陋哈皮鳥的不滿與抗議是十分合情合理的。

二

在倫敦的國王十字車站的第13號月臺下面的「高普」，每隔九年才打開一次，每次九天。這種時間的限制加深了達成任務的急迫性。讀者看到四個救援隊成員的搶救動作，既好笑又同情。作者生動誇張的奇幻描寫處處充滿俏皮幽默的語句，頗有羅德達爾（Roald Dahl）之風，但不具尖酸刻薄之話語。救援隊的能力有其極限，經常脫線，但也因救援的不順利，才使得故事更加有趣。譬如說，透過許多鬼怪的協助，終於在艾希托爾大飯店找到朱圖太太母子。詳細計畫後，他們想出利用大蛋糕中跳出的舞女，趁機搶走他們心目中的王子雷蒙。計畫雖然周詳，卻冒出愛聽音樂的霧獸，破壞了一切，幾乎使真王子班喪了命。

讀者依據書中的描述，應可猜出王子身分的錯置。二分法的敘述，小讀者當然不能接受胖孩子雷蒙是善心國王和王后被竊走的孩子。細讀之下，班的刻畫才有王子的教養與風度。故事陷入如何將班救出困境，實際上是作者展現寫作功夫的最佳時機。她也沒讓我們失望，借用布朗嬤嬤臨終前的一封信，班終於了解自己真正的身分，故事結束時，班與國王和王后擁抱在一起，也就使得讀者心滿意足了。

小魔女鵝兒其實是全書最重要的角色。整個故事靠她來串連，最後促成王室全家團聚也得歸功於她。她雖是小魔女，卻不使壞，年紀小小就懂得力爭屬於自己可做的工作。她的喜怒哀樂跟一般正常女孩沒有兩樣。結尾處她那種既等待又怕受傷害的心情描寫，十分精采。她自認自己不可怕、不特別，「連一根多的腳趾都沒有……」把正常社會中的正常視為反常，可看得出作者對假設存在於真實人類周遭的另一個世界怪誕生物的調侃。

三

這本作品可歸類為「探索旅程」（quest journey），但旅程的規劃與大家耳熟能詳的名著有些差距。不論《愛麗絲漫遊奇境》(*Alice's Adventures in Wonderland*)、《綠野仙蹤》(*The Wonderful Wizard of Oz*)或《小飛俠》(*Peter Pan*),都把重點放在一位孩童從真實世界進入另一個世界,一個所有奇特事件都會發生的理想國(never-never land)裡。《13號月臺的秘密》的探索旅程剛好相反,小王子班從奇幻世界到真實世界倫敦走了一趟。兩個世界對比之下,小王子班和援救隊成員還是選擇回到奇幻世界。這未嘗不是一種對現實世界的嘲諷。

作者塑造鬼怪、巫師和巫婆的一流特殊能力在本書展露無遺。情節之安排不得不讓《愛麗絲漫遊奇境》的作者路易斯・卡洛爾(Lewis Carroll)哈哈大笑,同時也會使得《許願精靈》等書的作者意・奈士比特(E. Nesbit)掩嘴暗笑。趨近黑色幽默的敘述加上奇幻情節使得故事可讀性大增。在專心闡釋奇幻世界的所有怪誕現象時,又隨時融入想調侃的當代事件和現實人物(例如波斯灣戰爭、阿諾・史瓦辛格和柴契爾夫人),讓與親子共讀的父母露出會心的微笑。

借用暗門來作為通往另一個世界的想法並不突出,但讀者更期待的是作者對類似桃花源的這個特殊的島的刻畫。故事開始時,作者著墨不少,使得讀者誤以為她會花不少篇幅來描寫另一個世界,但等到救援隊一離開該島,整個故事空間便完全轉換至倫敦,多少讓讀者有點失望。倫敦的現實時空並非不可取,只是說得多了些,奇幻味道便變淡了。這是這本書比較可惜的地方。但整體說來,這本書是一冊可以激盪想像力和創造力的好書。

——《國語日報》「兒童文學」,2004年3月14日

炮彈聲中的琴聲

——簡介《歐先生的大提琴》

書　　名：《歐先生的大提琴》
（*the Cello of Mr.O*）
作　　者：珍妮・卡特
（Jane Cutler）
譯　　者：楊茂秀
出版公司：維京
出版日期：2004年4月1日

這是一篇在戰火中音樂發揮撫慰人心作用的感人故事。

男人都參戰去了，陷入圍城困境的婦孺老少病弱，食物不足，缺水缺電，生活過得十分辛苦。週三配給卡車的出現，成為人們唯一相聚交談的場合，點燃了他們心中些微的希望。

說這故事的小女孩不滿大人之間的紛爭，她「無時無刻不憤怒」，但也只能苦中作樂，設法自我調適。她和其他孩子有時在走廊上奔跑、吵鬧，作弄不甚合群的鄰居大提琴家歐先生。從父親口中，她知道，他曾有過輝煌的往日，身邊擁有一把「最好的大提琴」。它的每一個部分都是來自不同的國家，「需要全世界共同合作」才做出的。

有一類兒童文學作品敘述開始時，故事中的孩子角色對成人常有某種誤會，然後隨著故事的發展而逐漸化解。這篇故事裡的女孩認為歐先生孤傲、不合群。等到配給車慘遭炸燬，人們心中更加沉重時，歐先生卻在隔週週三的每日下午出現在廣場上，用大提琴演奏巴哈的音樂，給大家帶來勇氣和力量，女孩於是對歐先生有了敬意。

歐先生以自己的平靜和勇氣安撫了鄰居。大提琴演奏巴哈的音樂時，「繁複的音樂、沉穩有力的節拍」使得周遭的人們「不那麼憤怒、不那麼害怕」。他在炮彈的威脅中，依然公開演奏，展現了勇氣、智慧和驕傲，同時也使自己的音樂生涯再創高峰。等大提琴毀於炮彈聲後，他又取出口琴，繼續吹琴，顯示大無畏的人如何在戰亂中為眾人挺身而出的英勇氣度。讀者閱讀時，腦海裡不時浮現歐先生專注陶醉的模樣。舉手投足，揮灑自如。加上大提琴造型優雅、丰姿綽約的曲線，流露出人琴合一的高貴迷人的氣質。

作者藉故事中小女孩的敘述，以詩意般的文字刻畫出遭受戰火蹂躪的人們的生活。歐先生勇氣和力量的展現也令人信服。或許部分讀者不太能接受書中一些說教般的抽象話語和冗詞（如「這音樂為我們帶來的東西，就像配給車帶來的一樣重要」、「誰還會來餵我們的精神糧食呢？」）但在戰火中成長的孩子易於早熟，卻是無法否認的。整篇文字深具特殊韻味，但繪者也功不可沒。他細心揣摩作者極欲傳達的意涵。柔和明亮色調的水彩插畫，成功的捕捉了圍城中人們的情緒和生活細節。

儘管作者淡化故事背景，但相信讀者還是會把這篇作品和一九九二年發生的一段往事聯想在一起。當年在波士尼亞（Bosnia），二十二位平民喪命於一場迫擊炮攻擊中。大提琴家史麥洛維克（Vedran Smailovic）便在塞拉耶佛（Sarajevo）街頭上，連續彈奏了二十二天之久。或許作者是取材於這位英勇演奏家的故事，因為書中的時空和角色很明顯的具有一種現代歐洲的風味（或許是巴爾幹半島吧），然而鋪陳的是全人類共同的感受。這是本書最值得稱讚的地方。

至於這本書適合何種年齡層閱讀並不是很重要。如果堅持用朗讀方式，對象不妨設定為四、五歲至八、九歲。但這似乎狹隘了些，因為就故事的主題內涵和深層意義來說，任何年齡的人都可從這本繪本得到一些啟示和鼓勵。

——《歐先生的大提琴》，台灣麥克，2004年4月

巧克力的另一種滋味
——簡介《苦澀巧克力》

書　　名：《苦澀巧克力》
（*Bitterschokolade*）
作　　者：米莉亞·裴斯勒
（Mirjam Pressler）
譯　　者：李紫蓉
出版公司：東方
出版日期：2004年5月24日

一

無可諱言，衝突與變化可創造青少年的智慧，然而這二者卻是他們成長過程中必須面對的特別痛苦和窘困的情境。青少年時期的掙扎舉世皆然。尋找自我、發展自治、面對衝突、建立親密關係和抵禦同儕壓力是終生的工作，但在青少年階段特別顯得嚴重。在這個階段裡，他們的生活空間（學校、家庭和社會）約束了他們的言行，是種助力，但大多數人都認為是種壓力。雖是壓力，也得面對，並嘗試去化解為助力。《苦澀巧克力》（*Bitterschokolade*）中的十五歲女孩艾芳就是個典型的例子。

二

故事一開始，艾芳在上數學課。為了逃避老師叫她上台，她低頭做一些奇怪的小動作：動動尺、鉛筆，找橡皮擦。上體育課負責分隊時，她彎身調整鞋帶，躲開他人憐憫的眼光，最後才被分到。在淋浴間沖洗，她選擇最裡頭角落裡的那間，磨到最後才離開。這些都在描繪艾芳是個缺少自信的女孩。朋友躲著她，讓她有嚴重的失落感。她自我評估，發現最主要的理由是自己太胖。個子不高，體重卻高達六十七公斤。

艾芳知道自己太胖，也想克制自己亂吃高卡路里食物的習慣。她在家裡大吃特吃，放學後感到肚子餓，就馬上購物填肚。家中床頭櫃抽屜裡擺滿了巧克力。「溫柔的苦味，溫柔的痛苦，痛苦的苦味」。她似乎只有靠吃來麻醉自己。她也相信鄰居史密霍伯說的話：「世界上沒有什麼痛苦是不能用一點甜東西把它撫平的。」

她試著節食，但受不了餓的感覺，又是暴飲暴食一番。幾次站在鏡子（家中浴室的和服裝店的）前省視自己的模樣，總是覺得自己只有一張臉還不錯。過度關心自己的外表，間接斷絕了與他人的互動，甚至家人亦是如此。遇到同年的朱契時，她藉由試驗、探問和種種選擇的承諾，終於發現「我是誰？」這個複雜問題的答案。

三

艾芳巧遇家中有八個孩子的朱契，是她命運的轉捩點。青春初期十分普遍的身分混淆和模糊都陸續發生在她身上。這樣的年輕人沒有一套核心價值或自我肯定感，生活沒有目標，既痛苦又冷漠是必然的。這些都是艾芳必須經歷的過程。她認識朱契，非常珍惜，極想維護這段感情。約會夜歸，被父親責罵，甚至挨了耳光。她母親伸不出援手，只能旁觀，說幾句話。艾方也擔心自己將來跟媽媽一模一樣。幸好父親讓步，艾芳才打消出走念頭。當然讀者也會懷疑，艾芳出走後，又能到哪兒去？狹隘的生活空間使艾芳藉孤獨、幻滅和疏離表達了她的身分混淆。

艾芳和朱契的這段戀情，讓她同情母親的遭遇，也激勵自己不要掉入跟她母親同樣的困境。她跟弟弟伯多的互動也不算良好。每週到爺爺奶奶家吃頓飯，變成一種酷刑。她不喜歡三姑六婆型的鄰婦史密霍伯的嘮叨，但一句「不要什麼事都委曲求全」又讓她十分窩心，懂得極力去爭取自己的權益。但她不想陷入跟朱契姊姊同樣的困境，十六歲就不得不結婚。自己的家人雖然不盡己意，但也不至於讓自己急著要離家。因此，朱契的暫時離去，使艾芳忙於追求感情歸宿的想法有了冷卻的機會。畢竟十五歲就急忙決定一生，未免太草率了些。

四

對兒童、青少年和成人來說，與同儕發展社交競爭是種連續的健康調適。個人一再遭受同儕排斥和挑釁，往往是人際關係出了狀況。人人都知道，同儕對青少年深具影響力。青少年離開家庭，與朋友和相識者的接觸便日趨熱絡。同儕的互動提供了發展相互關係的機會、增進道德發展、加強認知技巧和獲得身分認同，這方面艾芳並不成功，因為她非常在意自己的體形，受人歡迎絕不可能，一直到自己的班要被拆班，她加入討論，才發覺自己並不是旁觀者。她提議寫陳情書，更深獲同學的讚許，終於了解自己過去是長期陷在死胡同裡。

她教同桌的范西絲卡數學，慢慢恢復自信心。她要求媽媽改變食物，想讓自己瘦下來。故事接近尾聲時，她和范西絲卡到服飾店買牛仔褲，好友的一句話：「這世界上本來就有胖的人也有瘦的人啊。」喚醒了她。站在鏡前，她發現「有某件看不見的事情發生了。」她在剎那間轉化成真正的艾芳，不再自卑、孤單。她說：「我看起來就像夏天一樣。」她的生命終於展現新的一頁。

五

米莉亞．裴斯勒（Mirjam Pressler）的這本作品獲得一九八〇奧登伯格青少年青少年圖畫獎。問世將近四分之一世紀，但它所提出的青少年問題仍然不變，不論是家庭、學校或社會，對青少年的衝擊還是沿襲某種模型，也就是任何年代的青少年要面對的難題都深具普遍性和恆久性。作者細膩的刻畫了一個十五歲女孩的生活片段，但代表的卻是無數青少年的苦悶心情。這部作品真正觸及了青少年心中的某些痛處。生命的巧克力不全然是甜蜜的，苦澀的部分也得嚐嚐看，才能了解生命的真義。

——《苦澀巧克力》，東方，2004年5月

從對比中尋找自我

——《裝罐季節》的意蘊

書　　名：《裝罐季節》
（*The Canning Season*）
作　　者：波莉・何華絲
（Polly Horvath）
譯　　者：趙永芬
出版公司：小魯
出版日期：2004 年 5 月 31 日

一

文學作品為了凸顯角色，常在敘述過程中，借用對比突出角色之相異性（圓形與扁平的說法為其中之一種）。隨著故事的進展，對比的角色免不了有衝突的現象，但衝突之後，則是角色之間的妥協或自我調適，使得故事有了圓滿的結局。這種敘述模式可以驗證於不少青少年小說，波莉・何華絲（Polly Horvath）的《裝罐季節》（*The Canning Season*）就是最好的說明。

故事主角瑞琪十三歲前的生活毫無趣味可言。活在庸俗的母親杭莉葉陰影底下，根本不敢想像未來。等她被送到表姨母那兒，面對大海和森林，心胸豁然開朗，開始有自己的看法，也知道如何去生活。

杭莉葉根本沒有當富人的命，卻一心一意想成為狩獵俱樂部的成員。她不懂如何照顧瑞琪，甚至可以說她根本不具備當母親的條件。把女兒送走後，也很少聯絡，自己忙著與所謂的「世界男子有氧舞蹈冠軍」哈奇大談戀愛。她的外向、開放，恰恰與女兒的畏縮、膽怯成為強烈的對比。

第二個對比趣味性較高。緹絲與潘潘是對九十一歲高齡的雙胞胎，個性差異卻蠻多的。緹絲小巧精瘦多愁，潘潘圓胖樂觀。緹絲曾經嘗試輕敲婚姻大門，潘潘卻暗戀李察森大夫。潘潘一向尊重緹絲的意見，但熱愛田園生活，整日在園子裡走動。兩人共同點是喜愛生活在偏遠的田野中，近乎原始的生活，不想與科技世界來往，家中只有能接聽不能外打的電話。電視、電腦全無。

二

緹絲與潘潘的對比間接突出了瑞琪與哈波的個性。二老二小相差了七十多歲。二老的慈祥與寬容帶領二小走出生命的困境，懂得如何去尋找自我，開創未來。因此，我們不妨說，這本作品是環繞著這四位失去母愛的老小，嘗試解開生命之繭。緹絲與潘潘以說故事的方式，不停地對著瑞琪與哈波，敘述當年母親的自殺經過，使得兩人發覺世間還有其他人比她們更不幸，也因此對自己被生母遺棄，比較能夠容忍，不帶恨意。

哈波是個講求實際的人，有話直說，常常說出一些令在場的人無法下台的話。在緹絲心目中，她極討人厭，卻又無法割捨。她的來來去去固然給緹絲和潘潘兩位老人家添加了不少麻煩，但無可否認的，她給這個原本死氣沈沈的家帶來新的生命氣息。哈波比較趨近於現代生活，所以她無法忍受沒有電腦、沒有信用卡的生活。她的直言，使得瑞琪有機會動手術除去肩上「那個東西」。她愛好園藝，認真負責，手法細膩，內行又精確。潘潘有此同好，不勝喜悅，當然傾囊相授。最後她在土地裡找到生命的脈動，長大成為蚯蚓專家、有機園藝的害蟲專家，是必然的。

對照哈波，瑞琪就顯得過度內向與保守。她在姨母家找到自我，也找到養活自己的方法。養蜂、製造藍莓醬、乾酪等農場上的工作，使她覺察到自己的潛力。在心滿意足的同時，她不想外出念大學，寧願在森林中過一種隱居式的生活。她對婚姻也不敢期待。理查・費爾丁的出現有些白馬王子的意味。他趕到瑞琪自願囚禁的城堡（森林中的孤屋），但結果並未帶瑞琪遠走，反而留下來共築美夢。童話般的結局填補了瑞琪一向頗為空虛的心。當然，費爾丁替代李察森大夫的位置，不計報酬，負責當地的所有醫療工作，也是一種童話式皆大歡喜的寫法。

三

瑞琪的尋找自我過程是漸進的。她來到玫瑰幽谷後，得到緹絲姊妹的無限關注，這是她一向欠缺的。從關注中，她逐漸去體認自己、肯定自我。她不想去跟哈波一比高下，但哈波的一言一行，對她來說，卻是助力。她甚至還從母親男友哈奇的一句話得到某種鼓勵。哈奇說：「盡力做最好的你。」聽到這句話的每個人自有不同的想法，但瑞琪最為受用，也確實努力去做最好的。

也許有人會質疑瑞琪最後的抉擇，但我們也可以用她母親對她說過的話來解釋。杭莉葉曾在電話中提到，在緬因州過夏天，聽起來好像一本小說，還順口吟出名詩人弗洛斯特（Robert Frost）名詩〈雪夜林畔小駐〉（'Stopping By Woods on a Snowy Evening'）中的起首兩句：「想來我認識這座森林，林主的莊宅就在鄰村。」杭莉葉或許是隨口吟出，然而瑞琪聽起來，必定另有一番深刻的感受。即使她一時不解，但她下定決心以森林為家，尋覓理想家園，還是證明這兩句話影響了她的思考與決定。

作者細心安排，以全知觀點敘述當中每個角色的言行轉移，讓讀者不知不覺溶入故事。對比手法凸顯了故事裡人事物的優缺點。情節收放自如，充分掌握每個細節。部分情節雖屬怪誕，對白不乏黑色幽默，讀者如果細口咀嚼，必定會覺得這道大菜格外香甜辛辣。

——《全國新書資訊月刊》，2004 年 5 月

何處是歸程

——《戰火下的小花》的深層意義

書　　名：《戰火下的小花》
（*The Breadwinner*）
作　　者：黛博拉·艾理斯
（Deborah Ellis）
譯　　者：鄒嘉容
出版公司：東方
出版日期：2004年6月30日

一

在高唱「女性至上」的二十世紀末，實在難以想像這世界上仍有部分地區的女性受到嚴重的性別歧視，過著類似中古時期禁宮般的壓抑生活。雖然整個世界已進入所謂的「地球村」，應該更開放、更自由、更民主，但事實上許多地區並非如此。《戰火下的小花》（*The Breadwinner*）記錄了一些令人異常訝異的真人悲慘事件，是一篇十分寫實，近似報導文學的作品。它告訴讀者，地球上還有許多女性未獲得真正的自由，依然在傳統、政治與宗教的壓力下，過著極為痛苦的生活。

故事背景是世紀交接之際的阿富汗喀布爾市。當時的塔利班政權下令要每個婦女都留在家中，女孩子不准上學。她們沒有男性陪同，也不准外出。主角帕瓦娜只有十一歲，雙親都上過大學，所以家中孩子都有受教育的機會。塔利班掌權後，父母一起失業，帕瓦納只得陪著單腿的父親在市場上代人讀信寫信。一日，原是學者的父親被兩位士兵強行帶走，帕瓦娜伴隨母親前往監獄要求釋放父親，慘遭毒打，母親傷心欲絕。年長的姐姐不宜拋頭在外，年少的弟妹也幫不上忙，帕瓦娜只得被迫剪髮，扮成男孩，開始為一家三餐奮鬥。不論購物、賺錢都得由她出馬。

帕瓦娜以男孩出現，視野和思想驟然變得無比寬廣與開放。她可以四處走動，替代父親為人讀信寫信，一人賺錢養活全家。遇上扮成茶僮的女同學蕭希亞後，為了想賺取更多的錢，兩人竟然到墓園挖骨頭出售。辛苦了兩週，終於買了販售煙和口香糖的箱子，卻不知情闖入眾人目睹砍斷小偷手臂的運動場。生活壓力與現實震撼強迫帕瓦娜快速脫離原先應是夢幻般美好的青少年階段。

二

在這段逼著自己成長的日子裡，帕瓦娜親身體驗了幾件難以忘懷的事。媽媽忙著替她剪髮更裝，然後又讓她穿上因誤觸地雷身亡的哥哥荷山的衣服時，想起荷山，幾乎哭了。嘴裡雖不停稱讚帕瓦娜為家人提水、購物，卻不敢直視著她。睡覺時，帕瓦娜甚至還聽到媽媽說：「快睡覺吧！我的兒子。」思子之情，躍然紙上。

另一樁事也讓帕瓦納想了好久。一位不識字的塔利班到市場上要她幫他讀讀別人寫給他已過世的太太的一封信。信讀完，「他的手顫抖著將信塞回信封。她看見他流了一滴淚，淚水一路順著臉龐滑向他的鬍子。」帕瓦娜不解：「她只見過塔利班打女人和逮捕她的父親。難道，他們也跟別的人類一樣，也會感到傷心難過？」這則生命中的插曲加上她媽媽對荷山的懷念，凸顯的是共通的人性。

同學蕭希亞的不幸遭遇與激進想法，同樣深深觸動帕瓦娜天真無邪的心。她先是發現蕭希亞家聽起來比她家似乎更慘。帕瓦娜聽到蕭希亞正在存錢，準備離開家鄉到巴黎去，因為繼續待下去，一定會死。她不覺得訝異，只是將心比心。她發現自己沒有條件離家而去。等蕭希亞知道爺爺開始幫她物色丈夫，以協助改善家境，便決心走上天涯不歸路：「要是我留下來結婚，我這一輩子就完了。要是我離開，說不定還有機會。」這些話都給帕瓦娜帶來不同程度的衝擊，使她不但不停質疑當代女性應該扮演何種角色，更深一層懷疑女性生命的價值。

三

這篇作品是作者黛博拉・艾理斯（Deborah Ellis）在一處阿富汗難民營當義工時，曾親自與營內婦女和女孩面談過，細心剪裁後的真實故事。故事開始時，帕瓦娜與父親出現在市場上；將近結尾處，母親與姐姐弟妹遠走馬薩，因為姐姐努莉亞要到該地結婚，脫離塔利班的控制，父親卻及時獲釋返家，父女重逢，彌補了帕瓦娜的失落感。首尾呼應，結構尚稱完整。然而，從馬薩逃離至格布爾的女孩荷默卻告訴帕瓦娜，塔利班已經到了馬薩。整個故事就在蕭希亞和媽媽好友薇拉太太離去後，匆促結束，難免讓讀者失望，只得等待續集，讓帕瓦娜繼續步上尋親路途。至於蕭希亞的巴黎夢幻之旅，那是第三集的事了。

作者藉由這本作品探討了現代阿富汗婦女和女孩生活中遭受到的種種殘酷待遇。她以巧筆刻畫一位勇敢的女孩如何在亂世中勇敢扛起家計而毫不氣餒。全書不乏悲慘之情，但同時也提供了希望。這樣的故事當可觸動青少年讀者的憐憫心，增進他們對當代其他國家與他們同樣年齡的青少年的了解，甚至願意伸出援手。但這可能只是表面上的感觸而已。如果要更進一步明瞭這本書的深層意義，我們可能得先設法解決政治與宗教狂熱結合後帶來的災難問題。這篇故事更可讓讀者得到另一個引人深思的結論：讓孩子接受良好教育是協助他們脫離生活困境的最佳方法。任何人都不會、也不應否認，識字除了能增強孩子的謀生能力外，還可以協助他們充分發揮思考力、想像力和創造力。

——《國語日報》「星期天書房」，2004 年 6 月 13 日

墨色幽默

——《吸墨鬼系列》的顛覆寫法

書　　名：《吸墨鬼系列》之一
　　　　　《吸墨鬼城》
作　　者：艾力克．尚瓦桑
　　　　　（Eric Sanvoisin）
譯　　者：曹慧
出版公司：遠流
出版日期：2004 年 7 月 1 日

西方的專家學者談到兒童文學作品的功能時，總是離不開「提供樂趣」、「增進了解」和「獲得資訊」這三項，而且永遠強調樂趣最為重要。把這三項功能印證在兒童讀物上，幾乎百分之九十九都是正確的，但不要忘記，還有百分之一是部分正確，部分存疑，排列順序也有變化。細讀《吸墨鬼系列》之後，讀者會發現其閱讀功能必須重組為「提供資訊」、「增進了解」和「獲得樂趣」。換句話說，讀者必須先前對西方吸血鬼故事和許多經典童話略有涉獵，才能了解作者的幽默手法與內涵，也才能真正獲得樂趣。

讀這套四冊小書，千萬不要正襟危坐。如果大小讀者還是以固有的閱讀方式來翻閱的話，那可就上當了。作者是個怪異的人，喜愛用吸管吸食讀者來信中的墨，他當然也歡迎讀者用吸管吸取這一系列書中的墨，成為他的吸墨兄弟。因此，讀者閱讀時，最好放鬆四肢，放空腦袋，歪著讀，顛倒著讀，才會讀出滋味，才會吸進營養的墨味。不要忘記，書中的「吸墨鬼」德古書原來是吸血鬼。他說：「七十二年前，我得了肝病，到現在都還沒好。從此以後，字墨就成了我唯一可以消化的食物……」原來字墨還有保肝功能，如果人人都來吸墨（閱讀），肝功能不好的人減少了，脂肪肝的人也不多了，得肝腫大、肝癌的機率不高了，以後那些胃腸科名醫只好喝西北風了。

書中不時看到吸血、墓園、棺材等字眼，頗具恐怖性。然而，讀者一開始翻閱，才曉得這些恐怖名詞只不過用來嚇嚇那些沒學好「語意學」的人。我們的吸血鬼德古書早已改邪歸正，開始吃素（吸墨）。雖然老毛病不改，喜歡咬人（不一定是脖子，手臂也可以），把吸墨這種新的「惡習」傳染給人。但在這充滿圖像的世界裡，為子女拒絕閱讀而憂心忡忡的父母和老師，還恨不得自己的兒女、學生都被德古書咬上一口，從此熱中閱讀呢！

作者對經典童話十分熟悉，難怪他偏愛引經據典，大掉書袋。這一系列涉及的經典作品就包含了〈三隻小豬〉、〈小拇指〉、〈阿里巴巴與四十大盜〉、〈灰姑娘〉、〈睡美人〉、〈愛麗絲漫遊奇境〉、〈白雪公主〉、〈藍鬍子〉、〈糖果屋〉和〈小紅帽〉等，其中以〈小紅帽〉的顛覆寫法最令人讚嘆、最令人歡笑。小吸墨鬼和小情人卡蜜拉正齊力用吸管吸取〈小紅帽〉精華時，反而被吸管吸進去了。原來書中的大野狼和小紅帽決定從書中出走，呼吸外面空氣，小吸墨鬼和卡蜜拉就因此取代了他們的角色。如果按照原來故事的安排，小紅帽會被大野狼吃掉，因此卡蜜拉嚇死了，小吸墨鬼有了狼性，鼻中聞到鮮肉的香味，幾乎失控。好不容易走到外婆家，外婆堅持順著故事情節「演出」，要大野狼把她和小紅帽給吃了，卻又冒出一句：「歐弟小乖乖，快住手！否則你會後悔莫及喔！」接著，原書中大野狼躺在床上，小紅帽逐一問：幹嘛你的耳朵、眼睛、手臂、嘴巴這麼大的挑逗過程，卻變成大野狼反問外婆的手臂、長腿、大耳朵、紅眼睛、大牙齒，這時小吸墨鬼才知道外婆是德古書喬扮的，來破除了魔法，好讓兩小恢復「鬼」樣。這時，作者透過德古書，才講出這一系列書的重點：「貪吃的吸墨鬼被吸進書這種事，實在常常發生。所以，如果不想被關在書頁裡，就得熟悉一本書，然後抓住故事的重點，再對情節稍作修改才行。」德古書果然是羅蘭·巴特的忠實信徒，作者不死也難。

現在大小讀者面對的難題是：想學習小吸墨鬼開始吸墨練功，究竟是應該先讀完前面提到的那些經典作品，再來「細吸」（細讀）這一系列書呢？還是先「吸光」這一系列書的字、句、段和章節，再回頭去細讀經典？其實都沒關係，甚至被吸進吸管裡，成為書中人物也無妨，因為「書蟲」已快成為需要保護的稀有動物。雖然圖書館內眾人不停翻閱的書，上面的細菌僅次於人人喜愛的鈔票，但不用擔心，許多圖書館年年都會封館消毒殺菌，用力吸食，保證頭腦清醒，四肢也不至於萎縮。

——《國語日報》「兒童文學」，2004年6月21日

從人性出發

——如何閱讀《影響世界的人》系列套書

書　　名：《影響世界的人》
（共 12 冊）
作　　者：李民安等
出版公司：三民
出版日期：2004 年 5 月 30 日

傳記是屬於知識性的文類，有其特殊的功能。唯有透過傳記，我們可以看到個人生活的獨特性和真實面，也同時見識到所有人們面對的各種不同情緒和難題。然而，優秀的傳記並非純粹的主觀吹噓、無限誇大傳主的非凡成就與超人毅力，使得讀者感到自卑微小。給青少年觀賞的傳記更應該比較客觀，保持傳主個人優點與缺點的平衡，展現傳主與讀者分享類似的情感。讀者希望能發現傳主同樣有畏懼之事、不安全感；面對誘惑和虛榮時，同樣無法抗拒。這樣的傳記，讀者才會認同。

人生苦短，沒有一個人能追隨某位仰慕者的一生，複製自己的生活。藉由傳記，我們進入傳主的生活圈，感受其偉大之處，但不一定要仿傚，因為限於能力、時間和空間，我們無法與傳主比美，何況現當代的傳記主人翁並非清一色的遠近皆知的非凡人物。現當代小說作品中的主人翁從君王將相轉成凡夫俗子，作家刻意為小人物立傳，主因在於我們熟悉這些小人物，他們的言行可激起我們的認同。傳記主角的變遷亦是如此。小人物的一生一樣有值得欽佩學習的地方，只要是優秀的傳記便能引發大眾的共鳴。

好的傳記中的傳主必須具備某些值得讀者仰慕與學習的特質，因此，過去的傳記作者常常選擇偉人型的人物作為撰述的對象，政治人物、成功實業家、戰場英雄、發明家、科學家等最容易變成傳主，而且筆調近乎神化而欠缺人性。近年來，長久被忽略的那些未經傳頌的少數團體、婦女、身心障礙者也得到青睞，成為優秀傳記中的另一類英雄。如果我們相信人人都擁有「十五分鐘的名聲」，則偉人型與凡人型的傳記是可以並存的，各有各的值得學習的人格特徵。聰明的讀者自會有一段評斷標準。

《影響世界的人》系列套書是一套傾向於描繪偉人功績的集合型傳記。誠如主編所言：「在這個沒有英雄也沒有主角的年代，希望小朋友從閱讀中激勵出各自不同的興趣，而各展所長。」這套書的主要目的不在於盲目的崇拜，而在於選擇的認同。沒有一位讀者因為受了某位傳主事蹟的啟示，而不顧自己的能力，拼命去仿傚，想完成不可能達成的任務。

因為有這一層的體認，十二位傳主雖都是功成名就的偉人（包括哲學家亞里士多德、教育家孔子、宗教家釋迦牟尼、穆罕默德、耶穌；科學家貝爾、居禮夫人、孟德爾、愛因斯坦、牛頓；探險家馬可波羅和人道主義者許懷哲），但書寫的筆法並非一味的歌功頌德，而是從人性面切入，刻畫傳主的七情六慾，較合乎人性的一面。傳記本身的文化差異往往有時會變成一種閱讀障礙。每個偉人生存的空間常常有其獨特的文化習俗。一般青少年對異國習俗，不僅陌生，有時甚至畏懼而排斥。唯有透過恆久普遍的共通的人性敘述，讀者才肯解除防備之心，學習融入傳主的世界，從中取得閱讀樂趣與某些啟示。

一般傳記多以平舖直述的方式來書寫，這也許是撰寫者避免捏造嫌疑的最佳表達方式，但常常易於變成流水賬式的寫法，缺少文學性。為了避免這種毛病，這十二位傳主的一生經過作者的仔細過濾、篩選，多以小說形式來敘述，使他們偉大的一生透過文學的筆法，栩栩如生地呈現在青少年讀者面前。這種嘗試值得稱許與鼓勵。畢竟具備傑出人物、精彩情節的故事，一向是讀者的最愛。多采多姿的世界因為這些偉人的貢獻而變得繽紛四現，但沒有後起者的領悟與仿傚，所謂的豐功偉業也只不過是過眼雲煙。

——《民生報》「少年兒童」，2004 年 7 月 4 日

綠拇指的魅力

——簡介《綠拇指男孩》

書　　名：《綠拇指男孩》
（*Tistou of the Green Thumbs*）
作　　者：莫里斯．圖翁
譯　　者：甄大台
出版公司：東方
出版日期：2004年6月30日

一

一位擅長以陰暗嘲諷筆調刻畫眾生相的成人作家，想替小讀者寫本故事，他會維持原先的筆調，寫本問題小說，來揭發成人世界給孩子帶來的種種困擾，或者來個一百八十度的反轉，以一種關懷憐憫的筆觸出發，給孩子帶來一些希望？我們讀到王爾德（Oscar Wilde）的九篇童話時，再回頭看他譏諷嘲弄成人社會的作品，幾乎不相信這兩類作品是同一位作者寫成的。同樣的，我們讀到《綠拇指男孩》（*Tistou of the Green Thumbs*）時，也不相信作者莫里斯圖翁

（Mourice Druon）曾寫過一系列充滿諷刺意味的歷史小說。

作者從一開始就打算以說書人的方式來敘述他的故事。他可以夾敘夾論，一而推展故事，一而批評成人的奇特想法，例如成人給孩子命名的想法，成人的種種成見，自以為是的想法。作者故意忽略敘述者的重要，不時跳出來調侃成人世界的古怪想法和做事方式。在調侃中，讀者不難發現成人往往忘記當年他是個孩子時的想法。還是認為孩子是自己的一部分財產，可以隨意處置，要捏要親都可以。

二

弟嘟出生在一個富裕家庭，英俊的父親加上漂亮的母親，又享有他人不及的財富。因此，弟嘟根本不知何為醜惡，何為貧苦。家中的每件東西都是閃閃發亮，都是以「九」論計。雖然弟嘟還說不上「不知民間疾苦」，但相差也不遠了。

隨著弟嘟的成長，父母關心他的教育，母親在三 R（讀、寫和算術）上面著力，只是方式有些奇特難解，等到弟嘟八歲時，終於要正式上學了。沒想到一心向學的弟嘟卻抵擋不住睡神的甜言蜜語。他一上課便打瞌睡，怎樣努力都沒用處，學校只好把弟嘟交還給他父母。

既然跟別人不一樣，只好另行打算。弟嘟先學種花，沒想到竟讓他種出心得來，同時也發現自己擁有特異功能。他有綠拇指，可以點「物」成「花」，得到園丁翹鬍子先生的鼓舞，準備行走江湖，展露他的潛藏天份。隨著父親心腹杜納狄斯先生學習，讓弟嘟覺得人為的紀律並不能解決監獄裡犯人的問題。一場很恐怖的夢給他帶來「改變」的動機。他以監獄做他綠拇指功力的第一個實驗場，果然一鳴驚人，整座監獄變成花之堡、奇幻宮，花兒和樹莖取代了鐵條、鐵刺，改變了犯人的氣質。緊接著貧民窟的煥然一新、生病女孩的復原、米爾寶市變成花都都是必然的結果。

等花兒蓋滿了所有米爾寶的公共建築物時，整座城市陷入混亂，因為這一來，所有所謂的紀律都被破壞了。經過弟嘟父親的解析，市議會終於通過把米爾寶改成花都米爾寶。然而，隨著綠拇指魔力的施展，弟嘟竟然有了愛國愛民的想法：「我認為世界應該可以比現在更好。」漂亮的母親生氣了，弟嘟卻說連小馬小健也贊成他的想法，父親連忙叫人帶他去動物園。弟嘟發覺動物園不是圖畫書上所畫的那樣，管理員也不喜歡所照顧的動物園，他便在每個籠子前的地面上按拇指，結果是可想而知，動物園變成全世界最漂亮的。

阻止「去吧」和「滾吧」之間的戰爭是故事的高潮。兩軍為了爭奪沙漠中的石油而開打，開兵器工廠的父親大發戰爭財。弟嘟繼續在每種武器上施法，父親的工廠也因此幾乎破產。弟嘟承認是他做的，迫使一些大人放棄成見。工廠變成花廠。

弟嘟的綠拇指神功面臨挑戰。翹鬍子園丁的過世對他是種重大打擊。他在老園丁墓上施功，徒勞而返。小馬告訴他：「只有死亡是花所無法阻擋的壞事。」他蓋了高達百米以上的梯子，還是喚不回老園丁。弟嘟只好緣梯上爬，消失在看不見的世界裡。小馬也施法，用全黃色的花寫成「弟嘟是天使！」

三

如果仔細深究，不難發現這篇故事企圖在趣味濃烈的敘述之餘，展示它的深層意義。首先，它強調世間諸物均無法抗拒大自然的力量，我們可以化抗拒為利用。但在自然回歸的死神面前，我們依然束手無策，不得不屈服。自然成就了弟嘟，也同時召回弟嘟，小讀者讀完後，不會為弟嘟哭泣，因為他的消失是回歸大自然，而且未來世界的生活極可能遠超過現實生活。其次，以花兒取代槍砲，當然是象徵自然之物如何與人造機器對抗，沒有所謂的贏家或輸家。在開發世界逐漸為科技掌控，沉迷於科技萬能而忽視了大自然時，這種玫瑰與槍砲之間的摩擦，難免會使我們設想，大自然何時會反撲。以大自然的花兒來化解人世間的種種紛爭，不僅傳出回歸大自然的呼喚，而且還深具環保意識。第三，弟嘟發現自己擁有綠拇指，並無炫耀之圖。展露其魔力時，也是以漸進方式進行。從小處使力，出自善意，破除世人的後天制約（如監獄、醫院、動物園），喚起小女孩生之慾望，與死神拔河，進而解構市容、消弭戰爭，把綠姆指的功能發會到極致。

作者以詼諧語話講述了一個趣味盎然的童話式故事。豐富的花草知識不時出現在敘述中，促使讀者腦海裡一直浮現不同美景。文中帶畫，實現的是人間有溫情、有愛。然而，成人閱讀這本作品時必須時時注意自己以為已經做到的，與真正做到的之間，有相當的差距；同樣的，成人期望孩子喜歡的，跟孩子真正喜歡的之間，其實也存在著不小的差距。

——《綠拇指男孩》，東方，2004 年 6 月

愛在死亡陰影下
——閱讀《帕瓦娜的旅程》

書　　名：《帕瓦娜的旅程》
（*Parvana's Journey*）
作　　者：黛博拉．艾理斯
（Deborah Ellis）
譯　　者：鄒嘉容
出版公司：東方
出版日期：2005 年 5 月

一

一位舉目無親的十二歲女孩，在一個歧視女性的戰亂國家裡如何活下去？《帕瓦娜的旅程》（*Parvana's Journey*）是《戰火下的小花》（*The Breadwinner*）的續集。全書的重心放在父親過世後，這位求生意志堅強的小女孩如何克服種種困難，在烽火四起的國度裡，一邊尋親一邊助人的感人故事。

尋親的故事並不少見。苦兒面對種種挑戰，絕對是無法避免的，因為讀者想知道苦兒生活如何苦法。這類故事的基本模式是，苦兒必須面對幾乎是一己之力無法克服的可怕挑戰，但終能達成不可能達成的任務。帕瓦娜故事之所以感人，也就是她藉驚人的毅力，常能擺脫幾乎無法解決之困境，並且書中處處洋溢著愛。

把這本作品定位為成長小說並不為過，因為全書描繪了帕瓦娜艱苦成長過程的坎坷、見聞、喜悅、苦惱、困惑和得失等。對帕瓦娜來說，母親帶著姐姐和弟妹的離去和父親的驟然過世，令她對家人的愛橫遭撕裂。她的尋親故事其實等於尋找「愛」，對常人的愛。因此，她把自己的愛推及到小嬰兒哈珊、缺腿少年阿希夫和不怕地雷的莉亞身上。這種大我的愛最後幫她找回思念已久的家人，雖然生活在難民營裡，但擁有家人的愛已經令她心滿意足了，因為她可以重新出發。在愛的支撐下，她可以盡情揮灑她的才華。

二

在帕瓦娜這段成長的不凡過程中，戰爭引發的死亡隨時伴隨著愛的尋覓。也因為活在死亡的陰影下，帕瓦娜更懂得時時珍惜得來不易的永恆之愛。一個活在茫茫曠野，踽踽獨行的十三歲女孩，懼怕孤獨，她需要有談話（甚至爭吵）的對象，所以她不辭辛勞帶著哈珊、阿希夫和莉亞同行。在飢餓與炮火的雙重威脅下，她提早見識了戰爭的可怕和成人世界的陰暗面，但她依舊堅持她對人類的愛的無比信念。

生活在流離失所的國土上，死神隨時在召喚著。手無寸鐵的小老百姓求助無門，炸彈夜夜轟炸，地雷處處皆是。孩子不太懂得殺戮的意義，所以阿希夫質疑亞歷山大之擁有奇珍異寶，不是英雄，而是小偷；莉亞在祖母死後，忍不住問著：「她從來都不認識把東西（炸彈）放到飛機上的人啊！他們怎麼會知道她，而且要殺她？」等莉亞觸雷身亡，帕瓦娜的母親大聲吶喊著：「這個世界到底要死多少阿富汗的小孩才滿意？」死神隨時伺候一旁，取人性命，卻也更拉近人與人之間的距離。帕瓦娜因此找到親人，雖然有點突然，還算合理。

三

作者筆調平易近人，文字行雲流水，韻味淡遠。整篇故事透過帕瓦娜來敘述，她的尋親過程便成為全書的主軸。作者刻意突顯帕瓦娜驚人的求生意志和愛人之心，所以在艱困的旅途中，帕瓦娜雖一再挨餓、身處困境，還是救了哈珊、阿希夫和莉亞。莉亞在故事尾聲處不幸觸雷身亡，但帕瓦娜的確盡了力。事實上，每位讀者都清楚，這段旅程只不過是帕瓦娜成長中的一段，以後她在難民營的種種遭遇，又是另外一段成長故事。

作者的角色性格描繪頗為出色。帕瓦娜的刻畫延續了她在《戰火下的小花》裡的模樣。雖身陷危險之中，總能設法脫困。她毅力驚人，敢與死神對抗，絕不輕易放棄。阿希夫的描繪也十分成功，尤其是在每次面對要與帕瓦娜分離的時刻，總要說些自相矛盾的話，來讓自己下臺，好留下來與帕瓦娜一起生活的過程，最為精采。阿希夫保住了面子，帕瓦娜也順水推舟，讓他找到下台階。

作者艾麗絲在全文敘述中，安排了帕瓦娜寫給遠走巴黎的好友蕭希亞的十三封信。這種書寫方式並非創舉，但確實具有新意。作者一方面借用這些信來補敘述之不足，一方面闡明帕瓦娜對好友的思念，並同時能暫且擺脫眼前的困境。這位不知去向與生死的好友成為帕瓦娜空虛孤獨心靈的一種安慰。對幻想中的烏托邦—翡翠谷—的描繪，更充分展現了帕瓦娜對未來的嚮往，代表了那些慘遭戰火蹂躪人們的無奈與空無，也質疑人們發動戰爭的真正意義。

書中四個孩童經歷了飢餓、轟炸與絕望的考驗，終於到達一處難民營，給他們帶來一絲絲的希望，但莉亞的慘死卻又添加了故事的悲慘面。作者經由精簡動人的文字，舖陳了在塔利班統治下的阿富汗的一幅幅生動景色，使得孩子們的這段艱辛旅程更費力氣，但過程十分可信。帕瓦娜的故事只是當今整個世界許多落在戰爭惡夢威脅下的人們營營求生的片段。作者告訴我們，阿富汗人民在患難之中仍有一線曙光：男女孩童都有機會接受教育了。只是我們依舊懷疑，還要經過多少歲月，這個國家的女性才能得到應有的待遇、遠離戰火，真正擁有翡翠谷那樣美好的生活。

——《帕瓦娜的旅程》，東方，2004年12月

少男少女的故事

——我讀《仲夏淡水線》

書　　名：《仲夏淡水線》
作　　者：侯維玲
出版公司：幼獅
出版日期：2004年6月30日

一

在強調文學性及藝術性的成人文學裡，「愛情小說」（love romance）一向被邊緣化，被歸類為大眾文學，文評家也極少去碰觸。但不論其地位與價值不為所謂的正統經典文學所接納，這類作品始終存在，對一般讀者仍然具有相當程度的影響力，不但不應忽視，還應正視才對。類似這類情形也發生在青少年文學上，雖然至今這類作品不是很多。

愛情故事洋溢著青春活力，是生命中春天的故事，青澀但易於入口，往往來得快，去得也快，總要到了中年才會重新翻閱生命中曾經燦爛的一頁，不論是陶醉或是懊悔，總是無法拭去的。這段期間的考驗或難題更難忘懷，也嘗試著去克服，然後能以圓滿結局收尾，符合這類小說的基本模式：「男孩巧遇女孩，男孩失去女孩，男孩贏得女孩。」

然而，青少年文學中的愛情小說模式稍有不同，故事中的敘述者往往是女主角。她巧遇男孩，失去男孩，然後贏得男孩，或者留下一段刻骨銘心的美好回憶。另一種不同之處是，青春愛戀的火花儘管四射，卻很少像《羅密歐與茱麗葉》那般涉及死亡，以悲劇收場。因此，現當代屬於少男少女的愛情小說傳達的訊息不會很嚴肅，因為這類的作品的力量在於「許願」（wish-fufillment）的過程，例如醜小鴨般的女孩在男孩愛的喃喃戀語裡，終於化為天鵝。

撰寫愛情小說的作者最需具備的也許是塑造可信角色的能力。少男少女的角色若不是像鄰居女孩那般的清純可愛，少年讀者在閱讀時，根本就產生不了共鳴，遑論認同或洞察、淨化的作用。另外，優秀的愛情小說除了詳述一對異性的配對過程外，還應該提供一些有趣的背景、情節等，例如趣味性高的歷史細節、社會事件的簡介，然後從中瞥見人性之複雜面，或任何可在品味甚高的書中或電影裡找得到的見解、觀念等。

二

如果從上面這些「條件」來引介侯維玲的《仲夏淡水線》，倒是件頗具趣味盎然的事。從一二節緩慢昏暗的淡水線普通車廂變成目前快速明亮的捷運當然是段足以傳頌的歲月故事。作者熟練地運用天生的巧思，把捷運的每座新車站化為不同的段落，串連數段輕重不一的青春戀情。不成熟且沒有結果的戀情背後的社會變遷，輕輕觸動了周遭人們共同的記憶。

步入中年的敘述者福美坐在舒適光鮮的捷運車廂裡，四面游動著不同群落的衣著入時、色彩繽紛的一張張青春面孔，頓時，「福美感到自己的黯淡」。在吵雜喧鬧的情境中，福美不得不承認自己青春不再，但難免在腦海中倒放著曾屬於自己美好青春年華的帶子。在生命裡的春天，她有過一段不成熟但充滿喜悅的戀情。她知道自己是醜小鴨，企盼心目中的白馬王子徐茗棋伸出手來，讓自己變成天鵝。兩人有過一段短暫接觸，也在淡水老街踱著輕快的腳步同行，但終究只是過去的美好記憶。淡水捷運之旅掀開了她的記憶盒子，眼前不停晃動的少男少女，更加深使她對於青春早逝的感嘆。

重溫舊夢的福美在淡水捷運線上，目睹聽聞幻想不同時段的春天故事，腦海深處的記憶盒子輕輕掀起，發散著自己至今依然擦拭不去的戀曲奇味。面對新生代的一群少男少女，在充滿色香味的空間裡，她領會到幻覺之美。這段旅程舖陳的不僅是她的青春記憶之旅，還溶入了不少關於年少愛情的奇幻異想，穿插了欠缺緣分、愛神也插不上手的往日悲情。一趟融合現實與過去的幻想旅程，讓福美不得不哀嘆青春的短暫、歲月的無情。

三

作者寫作多年，文字運用成熟，但不致於令人覺得過度雕琢。不論眼前諸景的描繪，心理轉化的刻畫，都甜而不膩。她頗能了解當代少男少女的衣著、言語，拿捏得當。淡水線是她記憶中的永恆路線，每個路段、每段記憶都是她曾經擁有諸多記憶的綴連串接。我們不需去追究在文中她投射了多少自己的塵封往事，因為我們也有過類似的記憶，只是未曾動筆書寫過。

藉遊記式的筆觸，作者幫我們重溫青春記事。夏日童話般的戀情雖已遠去，但讓人一再細細咀嚼的畫面卻於記憶深處總是不時浮現。閱讀時，眼前文字的跳動，讓讀者溶入一個被色香味圍繞的情境，暫時擺脫身邊煩瑣之事。「輕薄短小」的回憶難免帶來些微遺憾，但依然有美好的一面，值得再三回味。

——《仲夏淡水線》，幼獅，2004年9月

高飛的浴火鳳凰

——試析《風中玫瑰》

書　　名：《風中玫瑰》
（*Esperanza Rising*）
作　　者：潘・慕諾茲・里安
（Pam Munoz Ryan）
譯　　者：鄒嘉容
出版公司：東方
出版日期：2004年9月30日

一

一位「無法想像住在一個不是玫瑰農場的地方，也無法想像沒有眾多的僕人，或者沒有那麼多寵愛她的人環繞在她四周」的女孩是人人羨慕的對象。然而，幸運之神卻捨她而去。在她十三歲生日的前夕，父親慘遭伏擊身亡，艾絲佩芮拉頓時從天上的雲端掉落到地獄裡。《風中玫瑰》（*Esperanza Rising*）描寫的是這位勇敢女孩在家庭發生重大變故之後，如何掙脫外在有形與內在無形的鎖鍊，邁向生命探索之路。

艾絲佩芮拉原本生活在過度保護的高牆溫室裡，完全不知外在世界的黑暗與悲慘。父親被殺，她一向依賴的高牆倒塌了，溫室不見了，被迫面對殘酷的現實，包括路易士叔叔以各種不甚光明的手段，逼迫媽媽改嫁，焚燒房屋等等。母女只得逃離家鄉，遠走天涯，尋找另一個生活空間。在下一個生日到來之前的短短一年，她經歷了不同程度的啟蒙與成長過程。她從排斥、思考、妥協到接受、認同，並實際採取行動，徹底改變自己的身分、視野。

在她的生命探索歷程中，照顧嬰兒、洗尿布與掃地工作只不過是嚴酷考驗的開始而已。母親生病入院後，她為了支付昂貴的醫藥費，不顧自己的體能，加入成人的工作行列，親眼目睹到更多殘忍的外在現實，其中又以階級觀念的橫行和種族歧視的瀰漫最為嚴重。

二

艾絲佩芮拉出身於富家，階級觀念相當濃厚。青梅竹馬的米格爾是管家的兒子。隨著年齡的增長，兩人之間的身分距離越來越深越遠。她曾經對米格爾說過，兩人各在一條永難跨越的深河兩岸。等到了美國加州的移民營，她的身分已毫無誇耀的空間，還得依賴米格爾家人的協助，兩人此時已經站在同一岸邊，望著白人優先的另一岸，種種歧視的殘酷事實令她思考往日的不是。

當地白人不肯聘米格爾擔任機械師；儘管墨西哥女孩優秀，卻也無法當選五月皇后；墨西哥人住的營區沒有廁所和熱水；每個星期六早上清潔池水，墨西哥人只能選在星期五的下午游泳，這些都是階級觀念與種族歧視在作祟。低微的工資加上艱苦的工作曾一度讓艾絲佩芮拉懷疑自己的選擇，但米格爾強調，至少他還有機會成為一個不一樣的人。雖然經歷種種歧視與酷驗，米格爾依舊牢記她爸爸曾講過的那句話：「再等一等，果實就會掉到你手中。」讓她毫無辯駁的餘地。

火車上遇到的窮婦人卡門所說的話，對於艾絲佩芮拉也深具震撼作用。她說：「我很窮，可是我也很富有。我有孩子，有個小玫瑰園，有信仰，還有許多對先我而逝的人的回憶，還有什麼好奢求的？」下了火車，只有卡門給女乞丐一枚硬幣和一些玉米餅，難怪米格爾會說：「有錢人往往只會照顧有錢人，窮人卻會照顧那些比他們更窮的人。」周遭發生的一切不斷衝擊著她原有的思維，她不得不自我調整。等母親出院，米格爾接回外婆，她終於張開雙手，擁抱眼前新的世界，也接納了米格爾的感情。兩人趴在地面上，細聽大地的心跳。她有如浴火鳳凰，再度高飛。

三

全書以女主角艾絲佩芮拉為敘述重心。作者細膩刻畫了一個富家女如何在他鄉掙扎求生的經過。她的蛻變驗證了她的探索經歷。不要忘記她的名字在西班牙語中，正是「希望」二字。作者為外婆立傳，依據季節的韻律細心編織故事，每一章節以收穫的水果命名。讀者可以從加州塵暴，警察鎮壓和勞工罷工的栩栩如生的描繪中，明瞭女主角的移民心態的轉化，從一個嬌養、自視甚高的富家女變成慷慨、自覺的少女。抒情的筆調充分傳達了女主角在近代移民史上的心酸歷程。

另外兩個角色也不可忽略。艾絲佩芮拉的母親與外婆對她的成長影響甚大。母親角色的刻畫在生病之前頗為生動，她從一個被丈夫愛的保護之下的小婦人變成一個維護自尊、以理性教導女兒的成熟婦人。可惜的是，生病之後，她變成不重要，或許是作者刻意突顯女主角探索多元社會的重要性。相對的，在所有長者當中，扮演艾絲佩芮拉的智慧長者是外婆愛貝莉塔。這位熱愛人生、處事冷靜的慈善老人，雖然出場不多，但每逢外孫女遭遇困境時，總能以歲月累積的智慧言語來化解。「沒有不帶刺的玫瑰花」「不要害怕重頭開始」等及時的智慧話語都給女主角帶來面對人生的信心。

種族膚色之爭是號稱大熔爐的美國的永恆之痛。膚色成為符碼，所謂的多元文化根本就不可能存在。新的「沙拉」說法雖然突顯了「各有特色，互相尊重」的期待，但新大陸的各族群還必須再學習，才能逃脫彼此的歧視與爭鬥。艾絲佩芮拉的故事鋪陳了移民血淚史的片段。唯有人人認為膚色、語言與文化的差異並非人與人之間的障礙，互相扶持的多元文化新社會才有希望形成。作者透過主角對階級觀念的自我覺醒和種族歧視的親身體驗，以簡潔明快的節奏吟唱了她對未來多元文化社會的期許。人人能敞開心胸，以公正無私的態度接納不同膚色的人，「離開舊家，就是新家的開始」的嚮往才有落實的機會。

——《風中玫瑰》，東方，2004年10月

帶孩子進入文字世界

——簡介《法蘭茲系列》

書　　名：《法蘭茲系列》
（*Franz*）
作　　者：克莉絲蒂娜·涅斯林格
（Christine Nöstlinger）
繪　　者：艾爾哈德·狄特
譯　　者：張筱雲
出版公司：東方
出版日期：2004 年 6 月 1 日

一

知識爆炸的年代固然給成人帶來無限的壓力，但成人在承受壓力的同時，又不知不覺將壓力加在下一代身上。為人父母每日急急忙忙把孩子往才藝班送，希望下一代不要輸在起步點上，從不去思考自己孩子是否有足夠的抗壓力，只是一味跟著時髦走。幼小的孩童沒有反抗餘地，跟著父母團團轉，說不定錯認生活本應如此慌亂。正常的童年消逝了，再過一段時間，又恍然發現，童年早已死亡。

父母關心子女成長是天經地義的事，但沒有考慮子女的興趣與能力，揠苗助長的強迫成長沒有也罷！但又有多少父母會靜下心來，好好思考子女教育問題？課業與才藝只不過是學習的一部分。人人都知道，孩子的學習的空間無限廣大。正常的學習不是只有技藝的操作，還應該包括學習如何為人處世。做事原則與某些基本觀念都是大人必須堅持的。如果成人早已忘記他們的童年生活、他們的幻想與純潔，強迫孩子去遵循大人的思考及行事方式，可想而知，未來的社會到處都是自私自利的小大人。這不是我們期盼的下一代。

二

如果要把正確觀念灌輸給孩童，提早培養好的閱讀習慣不失為一種理想方法。藉閱讀而進入他人世界，從中學習各種美德，也是大人教養孩子不應忽略的。只是在充滿影像的世界裡，我們又如何去引導孩子進入閱讀世界？漫畫、動畫給孩子帶來瞬間的快感，但並非學習的全部。隨著年齡的增長，他們必須回到以文字掛帥的抽象語言世界。因此，即使在幼兒時期，也應該讓他們開始體認文字的美妙魔力。繪本是種助力，父母可藉朗讀方式把孩子帶入圖文並茂的世界。有心的家長也不妨多花些時間一起進入「悅」讀世界，找些適讀的教材，一起領略親子閱讀的喜悅。

仔細觀察目前國內的出版情形，我們發現，市面上兒童書的出版重心偏向兩極。一為給低幼兒的圖畫書，字很少，圖的比例較重，重視從圖中給予幼兒美感的刺激；一為中高年級的文字書，中間十分缺乏給中低年級的書籍，造成一斷層。由於家長多半認為孩子學會注音符號、一些文字後，就該加強閱讀能力，所以把選書的主力放在文字的多寡。這固然是普遍的消費者心理，但對中低年級的孩子來說，他們從圖畫書跨到厚重的文字書有其難度，他們需要文字較少、內容較淺顯，讀來有趣的書，讓他們更能跨越此門檻。

三

曾獲Nordrhein-Westfalen邦教育署童書獎的《法蘭茲系列》是一套既輕鬆又有趣的叢書。這套叢書目前共有六本：《法蘭茲的故事》、《法蘭茲和狗》、《法蘭茲和電視》、《法蘭茲的戀愛故事》、《法蘭茲做功課》、《法蘭茲踢足球》。這個系列是「獻給第一次閱讀文字書的孩子」，特別適合中低年級的小朋友閱讀。每一本的文字量不多，各由幾段短短的趣味故事所串連，配合俏皮的圖繪、全本彩色印刷，十分適合正要跨出圖畫書，邁向拓展閱讀視野、學習汲取文字魅力的孩子們。

六冊全以六歲法蘭茲的生活為主，談的都是普遍的、恆久的童年故事，父母花些心思，便能輕易把孩子帶入。法蘭茲就像隔壁的小男孩一般，發生在他身上的種種也非常可能發生在我們孩子身上。性別問題、做功課、看電視、踢足球、養狗和異性感情觸動，哪一樣不是人人都曾碰到過的？雖然是外國小孩的故事，但其中的共通性都會讓我們會心一笑。實際上，法蘭茲的生活和困擾，都是這個年齡的孩子常有的事，希望會被同伴認同、希望好朋友不會被別人搶走了；他偶爾貪玩，但沒有惡意……。我們希望孩子們看了這個系列，也像法蘭茲一樣，遇到困難勇敢面對，用高EQ的態度解決問題，過得健康又快樂。更從笑料不斷的小故事中，培養閱讀的習慣，進而學習寫作的方法。

也許這套叢書其中的某些文字對小一、小二的孩童有些難度，但父母不要忘記自己的責任，挺身而出，以朗讀的方式，帶他們進入法蘭茲的世界，與法蘭茲一起歡樂、一起煩惱，試想：孩子緊靠在你身邊（當然是坐在起居室的沙發上或書房裡的書桌邊，電視、收音機已經關掉），在柔和的燈光下，緩緩翻開每一頁，你細聲朗讀，孩子聆聽著，一面看著精美的插圖，好一幅溫馨的畫面！不妨試試看！

——《國語日報》「星期天書房」，2004年10月17日

▲《法蘭茲系列》書影

跑道上的徘徊

——試析《跑道》

書　　名：《跑道》
作　　者：陳肇宜
出版公司：小兵
出版日期：2004 年 8 月 1 日

一

本土少年小說中，不論短篇或中篇，涉及運動的作品一向不多。早期的「洪健全兒童文學創作獎」得獎作品中，陳亞南的《綠色的雲》中曾論及馬拉松比賽，陳肇宜的《跑道》是唯一以運動項目為主軸的作品。後來，李潼也曾寫了幾篇短篇和一本專論紅葉少棒的中篇。書寫運動的作品不多，主要還是與少年小說發展空間有關。儘管近年來台灣的運動風氣頗盛，台灣小說作品涉及運動的依然極少，成人作品亦是如此。陳肇宜在得獎二十多年後，重新修稿，讓《跑道》另換跑道，自有一番新意。

二

運動小說吸引讀者之處，不外是藉力的表現，展示人的不屈不撓，雖面對困境，挫折連連，但絕不服輸，絕不放棄，其中勵志作用最大。部分作品難免涉及社會陰暗面，例如成人藉運動比賽展開政治角逐或鬥爭、行賄等等，都是負面的刻畫。但作品經過檢驗人性此一關卡，運動項目之挑戰作用得以發揮無遺，正面作用遠遠超過負面，還是值得肯定，值得推薦給青少年閱讀的。

運動競賽項目可概略分為球類、田徑、游泳、拳擊等。球類比賽注重團體合作，但個人因為技藝出眾，照樣可以成為球迷偶像。球類比賽中，球員免不了與其他參賽者有肉體上的碰撞，如籃球、橄欖球、曲棍球、足球等；排球、乒乓球和網球，因隔網交鋒，身體絕少接觸。田徑賽和游泳多以凸顯選手的個人技巧為主，各自表現，只有接力賽，才必須和隊友合力接棒。《跑道》中的李政彬擅長百米、跳遠，絕屬個人表現的項目，不論練習或比賽，常常踽踽獨行屬於自己的跑道裡，寂寞心情只有參賽者才能深刻體會。不理想的生活環境再加上自卑感的作祟，政彬雖努力嘗試突破自己的跑跳瓶頸，但總覺得白費力氣，挫折不斷，難免變得意志消沉。

作者構想了李政彬這樣一個力爭上游，卻歷遭挫折，不知如何突破困境的乖小孩角色，要把故事寫好，總得設計一些足以說服讀者的合理情節。伯樂與智慧長者的出現便不可或缺了。首先是楊老師發現政彬的潛能，矯正了他的跳遠方式，讓他跳越過五公尺。然而，篇幅較多的是放在他巧遇智慧型選手王運生的經過。政彬的「晚間晚跑」策略導致了他與王運生的認識，也從這位樂於助人的王大哥那兒學了不少人生知識，包括對勝負結果的欣然接受態度、如何克服自己體型上的缺陷等等，讓他從認同、洞察、移情到頓悟，終於能破繭而出，在鎮運上勇奪三面金牌，達到他人生中的第一個高峰期。

三

運動小說不容易寫，因為作者除了具備一般小說家的必備條件外，還得擁有豐富的體育專門知識。這方面作者確實沒讓讀者失望。他藉楊老師和王運生這兩位代言人，把他對短跑、跳遠方面的專業知識依次展現，使故事情節的安排顯得更順暢、更合理。

楊老師建議政彬改用左腳起跳、助跑將步幅加大、但不要過長，量十九步起跳，助跑路線不要偏左等，都是行家的一針見血的觀察結果，百公尺的精、氣、力、神合一的境界的追求更是一般運動員極需追求的境界。

相對的，王運生是個高中生，年齡與政彬接近，兩人距離更小。王運生說什麼話，政彬都聽得進去，因為他以實際親身體驗取代了楊老師的比較理論化的說法，使政彬收穫更大，例如：「……那一條條白粉畫成的跑道不就是我們人生的縮影嗎？在每一場比賽裡，每個選手都平等的分配到一條屬於自己的跑道，只待槍聲響起，人人都有機會爭取勝利，唯一的限制是不能偷跑，更不能佔用別人的跑道。……只要我們在自己的跑道上，遵守比賽規則，並全力以赴的跑到終點，都可算是勝利者。」

這類話雖然有些冗長，又顯得老氣橫秋，但卻能直接觸及政彬的心性，使他改變了對勝負的態度，因為參賽者如果不過度關心勝負問題，反而容易另創佳績，這也就是作者在本書中刻意突顯的主題之一。

四

國內少年小說的發表與出版空間非常有限，陳肇宜雖有創作才華，但作品不多，幾乎只能仰賴徵文比賽才能出人頭地。這篇舊作同樣是得獎作品，作者願意重寫，然後以嶄新面目與讀者見面，是種勇氣。儘管故事說教成分不低，但勵志內涵早已掩蓋了說教。未來，這類小說應該還有發展的空間。

——《跑道》，小兵，2004 年 8 月

在衝突中成長
——《黑珍珠》的寓意

書　　名：《黑珍珠》
（*The Black Pearl*）
作　　者：司卡特．歐德爾
（Scott O'dell）
譯　　者：吳孟恬
出版公司：小魯
出版日期：2005 年 5 月

在衝突中反映人物性格

好的小說常常展現種種不同程度的衝突。有了衝突，故事情節更加精彩緊湊，角色性格更容易突顯，也更能吸引讀者溶入。冒險神祕的故事更需要借助衝突，來反映人在危急緊張之時的心態轉化。司卡特．歐德爾（Scott O'dell）的《黑珍珠》（*The Black Pearl*），便是最好的驗證。

衝突可略分為：人與人、人與社會、人與自然、人與自我和人與神等五種。一般少年小說至多包含一至三種衝突。細讀《黑珍珠》後，發現這本作品竟然包括了上述的五種衝突。雖然大小不一，但故事的展開、高潮的布局與結束完全仰賴衝突。

這本書主角兼敘述者雷蒙與父親之間的互動，並不包含「衝突」因子。做父親的望子成龍心切，企盼兒子能早早接班，使「沙拉查父子珍珠行」成為名揚四海的商號。雷蒙非常爭氣，在其父親細心調教下，成為最頂尖的珍珠商。然而，雷蒙更希望有機會參與出海行列，一睹宏偉的大海，領略征服大海的滋味。他父親不願意兒子與他同時出海，主要是擔心家中兩位男人同時喪生於海中。但孩子總有一天會要求獨立行事，父親終於答應帶雷蒙出海，而後來雷蒙私自與老男人（印第安人魯宋）去採珠，惹起更大的風波，也是必然會發生的。

人與自然對立又相依的矛盾

整本書的重心安置於雷蒙與塞維爾佬之間的衝突，雷蒙父親、母親和印第安人只是配角，他們的重要性甚至比不上大魔怪。塞維爾佬是受雷蒙父親僱用的最好採珠人，但態度與言語同樣傲慢狂妄，又好吹牛，早與雷蒙有了芥蒂，只是沒有表面化而已。雷蒙聽了父親的勸告，暫時避開與塞維爾佬之間的衝突。等雷蒙採回黑珍珠，父親與珍珠商價格談不攏，便獻給聖母瑪麗亞，期待得到她的保佑，但適得其反。父親出海遇難，雷蒙心中有股莫名的畏懼，從聖母瑪麗亞手中取回珍珠，準備還給大魔怪，被塞維爾佬識破，打算強行奪取，兩人在海上的角力過程塑造了衝突的最高潮。全書後半段幾乎都在刻畫他們兩人之間的矛盾與衝突。

雷蒙家鄉的人以採珠為業，當然是對大自然的一種索取。雷蒙取得黑珍珠，在印第安人看來，是種過度的索取，心生畏懼，一再告誡雷蒙，把珍珠歸還給大魔怪，因為他認為，採取黑珍珠一事等於破壞了人與自然的平衡，大自然當然會反撲。這種想法既神祕又略帶迷信，但往後事情的演變，卻又令人不得不信服，冥冥之中，有股力量在運作、在制衡。

尋寶故事的基本模型恒久不變。寶物為非分之財，沒有福份的人無法強求，即使僥倖躲過守護寶物的怪獸的襲擊，勉強取得寶物，終究無法長期擁有，因為隨著而來的一連串不幸，迫使寶物得主被迫放棄或主動鬆手，物歸原主。雷蒙本有這種想法，但塞維爾的出現使他改變了態度。跋扈偏執的塞維爾力拼大魔怪，同時消失在海面上的情景，讓人想起《白鯨記》裡的亞哈船長。最後，雷蒙把原本要歸還給大魔怪的珍珠，重新放回瑪麗亞手上。這份愛的禮物讓雷蒙體認到他已正式成為男人。

歷經衝突　領略成長滋味

由於全書以探索與尋獲黑珍珠前後事件為主，有關海洋方面的描繪便佔了不少篇幅。作者擅長撰寫歷史小說，但在本書裡，展露的卻是另一種描繪手法。無論採珠人的生活、海上因氣候變化而產生的不同景色，人與大魔怪的周旋抗爭，主角的內心轉化的敘述，都有相當適切恰當的刻畫，充分展現海洋文學的宏大與神祕。例如老男人駕著獨木舟帶雷蒙出海，進入礁區：「起初我（雷蒙）以為是因為礁湖被這片荒蕪的山丘所封閉，加上被一層色薄霧覆蓋著，還有這片黑色的沙灘，再加上安靜。」簡單的幾句話便讓讀者覺得自己似乎正在礁湖上緩緩地浮動著。雖然部分情節借用了史坦貝克（Steinbeck）的《珍珠》（*The Pearl*），甚至連沙拉查父子與珍珠商的交易經過情節也與該書十分相似，但作者擅用懸疑來鋪陳故事的演進，卻讓人不得不佩服。

這本書另有一層道德寓意。致命的貪婪之心充分彰顯在許多角色身上，而貪婪的結果與報應大都是大同小異的。渴望財富的人常常得付出龐大的代價，甚至付出生命。大魔怪是真是假並不重要，因為牠是種自然制衡力量，防止人的貪婪之念無限放大，而主角雷蒙就在喪失父親，經歷種種不同程度的衝突後，終於領略了成長的滋味。「只取生活所需，敬畏大自然。」或許會成為他終生奉行不渝的準則。

——《國語日報》「兒童文學」，2004年10月24日

「巫術化」的羅曼史
——淺論《小女巫薇荷特》

書　　名：《小女巫薇荷特》
（*Verte*）
作　　者：瑪莉·德布萊珊
（Marie Desplechin）
譯　　者：武忠森
出版公司：允晨文化
出版日期：2005 年 1 月 12 日

一

翻開女巫史，我們赫然發現，女巫形象一向是負面多於正面。且不提中古世紀的那段獵殺女巫史，童話裡的女巫如果不是充滿肉慾式的淫蕩，就是憑藉無邊法力，專門迫害兒童和少女的惡行惡狀的老太婆。以羅德·達爾作品中的女巫為例，幾乎全是一群打扮光鮮亮麗，骨子裡卻是滿腦邪惡念頭，無時無刻不在想著將全世界的小孩撲殺殆盡的可怕婦人。然而，《小女巫薇荷特》（*Verte*）的作者卻來個顛覆式的寫法。借用書中女巫外婆安娜斯塔特的話，讓我們了解，女巫除了擁有魔法外，「和一般人一樣，有和藹可親的，當然也有死腦筋的。」女兒于荷蘇就是安娜斯塔特所說的「死腦筋」，她們母女之間的口水角力自然也延伸到于荷蘇與女兒薇荷特身上。

身為女巫，于荷蘇對於女兒薇荷特的期待不輸凡人父母。她期盼女兒成為一位出類拔萃、與眾不同的小女巫。薇荷特不但受不了這種壓力，而且不敢苟同傳統對女巫的刻板形象。看到母親一副令人不敢恭維的女性特質，沒有男人愛的悲慘模樣，進而想到自己是否會成為母親的翻版，不得不覺得悲傷淒涼。她雖無法逃避身為女巫的命定，但一直排斥，跟母親相當疏離，盡量劃清界線。

老中小三個女巫各有打算，但對於魔法的使用，作者並沒有故弄玄虛。安娜斯塔波特和于荷蘇不時賣弄小魔法，以自己法力為榮。安娜斯塔波特甚至準備把自己一生精心整理的魔法書傳承給互動相當良好的孫女。但薇荷特興趣缺缺，書中值得一看的除了可以移山倒海的藍色雲霧之外，小女巫只對於如何「找回爸爸」的巫術在意。如此一來，魔法作用便淡化掉了，完全被親情和薇荷特和同學舒飛之間的小倆口情竇初開的情意所取代了。

二

薇荷特雖身為小女巫，嚮往的卻是平凡生活，不時展露她對女巫命運的不滿與抗拒。這股非凡勇氣對凡人男孩舒飛形成一股說不出的吸引力。薇荷特的坦白自然對舒飛是種特殊的誘惑力，畢竟他也想進入薇荷特女巫世家的奇異世界一探究竟。于荷蘇施法擋住了薇荷特與父親傑哈之間的交流，但最後卻被凡人「膽小鬼」舒飛破了法術，重新為從未見面的父女搭上線，建構新的人際網路。

女巫嫁給凡人，一樣可以成為人人艷羨的仙侶，安娜斯塔波特和丈夫就是一個例子，可惜丈夫早早離開人間，只得獨居。最令女兒于荷蘇感冒的是，女巫母親竟然信奉上帝，便以現代女性的獨立自主來凸顯大女人主義，鄙視老一輩的感情觀。她無所不能，當然不願丈夫插手撫養女兒，只是我們不能了解她對傑哈後來擔任足球教練，嘴裡冒出的「哎喲！」究竟是代表什麼？

薇荷特這位第三代女巫陷入復古憶舊情結，期待的生活與凡人沒有兩樣：父母俱在，家庭和樂的普通家庭，這完全違背母親的期許。因此，她找到父親，再次擁有父愛時，禁不住運用魔法施放燦爛煙火，激起母親與祖母的手癢，三代競技一番，象徵了三代人的和解和交融。我們可以想像，作者大概想點出，家家雖有本難唸的經，期待的是擁有完整美滿的家。「魔法」自然就成了「改變」的關鍵和助興的工具。

三

作者藉多重敘述法，讓女巫世家的三代人與男孩舒飛各有敘述的空間。各自表態、各說各話的結果，使得小讀者要學會拼貼，才能串聯整篇故事。同時，還可隨意填補或偏離作者故意留下的空白。全篇文字俏皮逗趣，幽默風趣的對白，使得讀者一路讀下來，不時露出會心的微笑，並且等待可以略知的快樂結局。

女巫故事這般書寫，當然找不到壞人。實際上，擁有不同程度的神奇魔力的三代女巫，各有各的苦惱，生活也算不上平順，但不可否認的，她們的獨立性格加上引以自豪的「魔力」，不論年紀，都是精力充沛、活力十足，多少可以看出作者的用意：利用趣味性頗高的情節與高潮，展現現代女巫人性化的一面，並賦予有個性、有活力的形象。於是，清新素雅的新女巫形象便得以建立，書寫空間自然擴大了。

——《小女巫薇荷特》，允晨文化，2004年11月

愛的故事

——《16歲爸爸》的震撼

書　　名：《16歲爸爸》
（*The First Part Last*）
作　　者：安潔拉・強森
（Angela Johnson）
譯　　者：鄒嘉容
出版公司：東方
出版日期：2004年11月10日

一

十六歲當爸爸？許多人不願相信。目前有多少超過三十歲適婚年齡的男女，不但不肯結婚，即使結了婚，也只想當頂客族，沒有孩子的牽掛、勞累，日子過得多麼愜意。何況現在避孕術發達，除非有心養孩子，絕對不可能隨便懷孕。即使懷了孕，也可以人工流產。如果不得已生下來，因為環境因素，無法自己扶養，也可讓人收養。安潔拉・強森（Angela Johnson）《16歲爸爸》（*The First Part Last*）中的小爸爸卻勇敢的堅持自己一人扶養剛出生的小女兒，這樣的故事展開方式，自然可以吸引好奇的讀者繼續翻閱下去。結局不方便事先透露，但可以保證，這是一本絕不會讓讀者失望的好書，因為它道盡了單親小爸爸的悲歡離合。

剖析一本好書，可由多種角度切入。細讀這本小書，或許有不少成人讀者會責備主角巴比的遲鈍。讓孩子生下來，沒人照顧，結果課業親情雙輸，怎麼算都不合算。讀到巴比照顧小羽毛的辛苦，或許有讀者會在心中罵著：活該！自作自受，怨不得別人。當然，這種指責並非十分公平。過度開放的社會往往會造成人的放肆與荒誕。青少年對於性的好奇未得適度抒放，性知識不足，自然懷孕率隨之提昇。孩子無知，但為人父母者有認真告知或告誡嗎？甚至我們也可懷疑巴比父母答應讓孩子生下來的心態，因為已離婚的夫妻倆絕少伸出援手，幫巴比照料他們的孫女小羽毛。

巴比因為奈亞產後出了狀況，只好一人照顧女兒，心力交瘁。有關他如何為小羽毛的事四處奔波，父母旁觀，朋友與師長的熱嘲冷諷，讀者自然可視之貪吃禁果的懲罰。然而，他的努力與無力其實已完成大部分的贖罪，不應再以有色眼光苛責他。一個十六歲的高中生就當了父親，往後的日子那麼長，自責的力量已經夠他受了，我們不應雪上加霜，反而應以同情眼光來正視這件事，因為這種事極可能會發生在你我身旁。

衛道之士對於巴比的困境自有另一種看法。依他們看來，巴比的不幸遭遇是過度放縱自我的結果，當然會自食惡果，並警告自己不要再重蹈覆轍。讀者細讀此書，或許會有怵目驚心的感受，從而知道凡事節制，不可違反一般禮俗，釀成不可收拾的結局。實際上，期待以這本書的故事內容來糾正不正常性行為，其效果令人存疑，因為生活放蕩的青少年不太可能接觸此書。值得安慰的是，乖孩子看了這本書，更會堅持自我節制的態度。所以，這本書在加強原先態度方面，還是有其功效的。

二

巴比是書中主角，全書全以巴比觀點來敘述。書中透露的盡是當今美國大都會青少年的生活實況，精采有餘，但不值得效法。不論巴比的言談或動作，都能充分展現巴比的孤獨感。巴比何嘗不願棄絕自身的過去，力求洗心革面，脫胎換骨。但小羽毛的出生，間接告知他的青少年時代提前結束。他必須學習如何撫養下一代，來減輕他對奈亞的植物人狀態的罪惡感。

作者細心描繪單親父親如何照顧剛出生的女兒，筆調簡潔確實，充滿詩意般的感情：「……當小羽毛半夜不睡了，我就把她放到我的肚皮上，呼吸著她的氣息……她甜甜的嬰兒味……混合了嬰兒洗髮精、奶粉和老媽的香水味.....」巴比全神貫注於小羽毛上，既喜悅又惶恐，一個年齡還可以與女兒一起看小兒科的小男孩，一下子宣告他逛大街的日子已經結束了，實在是再殘酷也不過了。

巴比正像每個初為人父母的男女一樣，一面手忙腳亂的照顧剛出生的小孩，一面學習著，而且照顧的方式也不太可能是完全正確的。看他整天抱著小羽毛，媽媽忍不住說他：

「把她放下來，巴比！否則她會以為全世界就只有你這張臉。等到她六歲了，還沒一個人睡得夠久，一定會膽小如鼠……」巴比不懂，但似乎也只有這樣子才能減輕他的不安與罪惡感。他自己養育小羽毛來證明他不再是個無憂無慮、沮喪任性的小男孩，當然就會成為一個負責的男人。這樣的蛻變過程非常痛苦，但巴比堅持著。

作者用「現在」和「之前」互相交叉進行敘述，讓巴比在現實世界裡辛苦照顧小羽毛，又回溯孩子出生前他與奈亞的交往經過。她以強而有力的言語和敏銳的洞察力，深入探究一位小男孩如何努力去了解什麼是正確的，然後勇敢承擔下來，不論代價為何。如此一來，這位男孩對青少年懷孕的全部感受便得以完整無缺的展露出來，同時間接點出單身年輕母親的處境。或許讀者會邊讀邊訝異小羽毛的母親奈亞怎沒出現幫忙照料。作者一直到最後才點出奈亞生產時得了「永久性的植物性昏迷」，使得故事的戲劇性更強，但還不至於淪為通俗劇。

這篇關於十六歲爸爸的感人故事，悲喜交加的情節讀來輕快，讀後心情沉重。它只是個小小故事，不是重要非凡的故事，但相信沒有一個細讀這篇作品的人，心生後悔，因為與其說它是一本深具教育和啟發作用的小小故事，還不如稱讚它彰顯了數千年來人們彼此仰賴的愛和容忍的偉大力量。

——《16 歲爸爸》，東方，2004 年 11 月

料理師父的能耐

——淺析《超魅力壽司男》

書　　名：《超魅力壽司男》
作　　者：鄭宗弦
出版公司：小兵
出版日期：2004 年 11 月

一

回顧本土少年小說作品的主題，不難發現不少作品聚焦於校園各種現象的書寫，尤其偏重教室內外活動、講桌與課桌之間的樂趣面與胡鬧面，常讓讀者翻閱時，不時露出微笑或忍不住哈哈大笑。但在閱讀後，卻像是突然得了失憶症一般，想不起剛才讀了什麼。這種情形有點類似看了周星馳或金凱瑞的胡鬧電影後的感受。作品根本談不上寬廣、宏偉，令人惋惜。

如果深入思考，我們往往會發現，一本令人一再回味的作品，不僅其主題能緊扣時代脈動，而且其內涵也能顧及藝術性。過度矯情或濫情均不宜，但其中之拿捏相當不易。作品外延與內涵的展現，自然與作者的學養、生活經驗、創作理念和對時代的關懷有關。作者當然也可以以自己超人的想像力去盡力奔馳，揮灑一番，但不能犧牲故事的合理性。我們曾讀過有關刻劃殘障之士的作品，發現在書寫他們如何與現實環境搏鬥時，往往過度誇張，而喪失其真實性。這種現象似乎已成為本土作品的一種通病。

「過度誇張」是目前許多校園小說的共同弊病，一時恐難去除，一方面是因為這類作品仍有市場，另一方面是由於作者要投讀者之所好，書寫容易也就習以為常、樂此不疲，卻不知濫寫此類作品容易耗損天生的才情、浪費自己的藝術生命。

二

以上述觀察來檢視鄭宗弦的新作《超魅力壽司男》，可以探討的空間相當大。作者是得獎高手，作品有一定的水準，書寫校園故事是牛刀小試。翻閱整本新作，發覺作者仍然擁有一貫的優點，例如書寫流利、情節緊湊、高潮迭起等，都一一出現在此新作裡，同時又契合互文性的要求。這本新作書名難免讓人想到電視偶像劇《吐司男之吻》；細讀內容，又不免想到作者舊作《第一百面金牌》，但作者不想讓讀者臆測為「故事新編」或「舊瓶新酒」，因此行文相當謹慎，使得這本作品可以激起訴求對象的回響。

首先，這本新作的佈局相當用心，雖然它顧及了當前國中生的心態（例如「愛情針與健康針」的討論，「烏龍玫瑰花束」的錯送等），但作者避免了內容的通俗化，這自然與作者的用字遣詞技巧有關。隨著故事的推演，作者緩緩突顯主角李國華的不凡能力與才氣，讓他班上地位的建立合理化，同時也確立了林子良一夥人的卡通化。兩者相對之下，自有其趣味性。李國華擅長壽司的製作及詩詞之書寫，與其說突出了主角的才氣，還不如說作者藉此展現了自己的觀察力與創造力。

故事結尾處的戲劇性轉化並未逃脫高明讀者的猜測，然而弱勢家庭的難題並沒有獲得徹底解決。作者不需要在作品裡寫出解決難題的妙方，突顯問題就夠了。他懂得藉問題之展露，來鋪陳書中李國華與林子良之對比。作者沒有把兩人寫成善惡分明、黑白立判，就是他的高明之處。李國華雖處困境，但從不埋怨訴苦，只是面帶憂鬱，都是可以理解的。相對的，不是讀書料的林子良，好面子、不肯認輸，但在應該退讓時，還是調適了自己，維持自己的一貫作風。林子良有心學習李國華優點的敘述還算合情合理。除了這兩人，其餘的角色倒是太扁平了。

三

讀少年小說，可以用「提供樂趣、增進了解、獲得知識」這三種尺度來衡量作品的價值。《超魅力壽司男》在「提供樂趣」方面的貢獻最大，閱讀這本書確實同時也讓讀者增進了對弱勢族群的了解，雖然不算深入。在「獲得知識」方面，這本作品給予的較少，製作壽司的知識並非人人必備，畢竟三餐也不能全靠壽司解決。這本書在提供樂趣之餘，還適度做到一部分「增進了解」和「獲得知識」的作用，作者已經盡了力，我們不忍心再苛責。

有些作者常哀嘆可以寫作的材料太少。其實這只是一種藉口。任何世間的人事物都可以仰賴作者超人一等的創造力和想像力，寫成感人的作品，校園故事亦是如此。有了原料，做出來的菜的好壞，完全要看掌廚者（亦即作家）的能耐去表現。《超魅力壽司男》是個特殊的材料，作者確實花了一番功夫去蒐集相關材料，寫出來的作品雖有些卡通化，但可以接受。作者可以發揮的空間依然十分廣闊，有待繼續開拓。

——《超魅力壽司男》，小兵，2004年11月

互文解構式的書寫

——淺析《奧利佛與小推的奇妙之旅》

書　　名：《奧利佛與小推的奇妙之旅》（*Die Wunderliche Reise von Oliver und Twist*）
作　　者：安東妮雅·米夏利茲（Antonia Michaelis）
譯　　者：劉興華
出版公司：允晨文化
出版日期：2004 年 11 月 10 日

一

讀者可約略分為兩類：普通讀者和理想讀者。一般人都歸類為普通讀者，因為他們跟以文學為專業的專家學者不同。他們只是為了自己高興而讀書，從不想向別人傳道解惑，也不想引導別人的看法。理想讀者則是對文本的理解達到完善的程度，並對文本中每一個細節變化都能欣賞。這兩類讀者往往會影響創作的態度，青少年文學作品也或多或少受到某種程度的影響。

以普通讀者為主要訴求對象的作家，可以超脫的想像力構思一篇（本）全無過去作品痕跡的佳作，但「原創性」依然會受到作者過去閱讀經驗的左右，要全無他人作品影響的痕跡相當不易，寫作時不知不覺之中常會陷入「互文性」的有意識的「借用」或征用和無意識的引用，增加讀者閱讀時的難度，強迫普通讀者趨近於理想讀者。換句話說，有些作者在自己作品常喜歡引用他人作品中部分用語或架構，使得讀者對其他作品也必須有所涉獵，才能深刻體會文本想表達的意涵。《奧利佛與小推的奇妙之旅》（*Die Wunderliche Reise von Oliver und Twist*）一書中的主角、配角、時空等，都會讓一般讀者困惑一陣子。

二

如果讀者完全沒有閱讀經驗，打開這本書，會覺得這是一頭會說話的小獵犬巧遇孤兒奧利佛，一起穿越英國的故事。在這段奇妙的冒險旅途上，小推告訴奧利佛，說牠和英國文學史上的大小說家狄更斯（Charles Dickens, 1812-70）共同寫書。瘋狂作家柯林斯（Wilkie Collins, 1824-89）企圖綁架不成，迫使他們逃亡。神秘白衣女子路途上不時出現。然而，這種敘述卻讓稍有文學知識的讀者，覺得閱讀不易。

Oliver Twist 是狄更斯名著《孤雛淚》（*Oliver Twist*）的主角，但這本書的作者卻把人名一分為二：一是與狄更斯同時存在的孤兒奧利佛，一是幫他寫書的小獵犬小推。作者同時藉不同空間帶出同一時期的英國作家。這些出現在作者臨時搭設舞台上的人，包括《劫後英雄傳》（*Ivanhoe*）的作者史卡特（Walter Scott, 1771~1832）、《愛麗絲漫遊奇境》（*Alice's Adventures in Wonderland*）的卡洛爾（Lewis Carroll, 1832-98）、大詩人拜倫（George Gordon Byron,1788-1824）、狄更斯好友約翰·佛斯特（John Forster）等。甚至連英格蘭國王羅伯特·布魯斯（Robert Bruce, 1274-1329）、政治家克倫威爾（Oliver Cromwell, 1599-1658）也被帶上一筆。

被小獵犬小推認為有綁架嫌疑的柯林斯在書中的舉止更是讓人不解。柯林斯為狄更斯後輩，兩人友誼深厚，還有姻親關係。後來雖漸行漸遠，但柯林斯的兩本代表作《白衣女子》（*The Woman in White*）和《月光石》（*Moonstone*）還是刊登在狄更斯的雜誌《家庭文摘》上。書中的白衣女子「安」卻是奧利佛小時分散的姊姊，跟蹤在後的柯林斯屢屢失敗，終於鬆手。小推及時趕到，救了因江郎才盡即將服毒自殺的狄更斯。擅長畫畫的安又成為狄更斯雜誌的插圖畫者。奧利佛有了上學的機會。柯林斯也因另一隻長毛牧羊犬的出現，寫了上述的兩本書。

三

如果我們避開這些有意識或無意識的借用、引用，甚至誤用，這本作品的故事性還是值得一讀。孤兒與會說話的小獵犬之間的對話，充滿對當時社會的嘲諷。二者在廣大的英國國土的穿越經過，冒險性高，又頗具趣味。不論教堂、古堡、洞窟或森林的描繪也相當逼真。尤其男孩與小獵犬之間的互動更是吸引小讀者的重要賣點。

全書分十一節，前十節的楷書部分均以敘述狄更斯失去愛犬後的生活變化為主。前後時間不到一個月，然而空間卻一再更換，間接說明狄更斯的慌亂不定。作者藉狄更斯心情轉化與小獵犬小推和孤兒奧利佛的逃亡，雙線進行敘述，讓讀者對照閱讀。其中兩節是狄更斯寫給好友的信，一封向佛斯特解釋小朵利的結局安排，另一封要求柯林斯在他的報紙上寫篇新的連載小說，殊不知柯林斯這時正追逐著他的愛犬小推。

至於小獵犬是否對狄更斯的寫作有何種貢獻，狄更斯在英法之間的去往紀錄的真實性，都不是本書的重點，因為作者最後也忍不住跳出來點出本書的荒謬之處：「您或許會說：這完全在瞎扯。您確定嗎？當我的狗把這些篇幅說給我聽時，我也這樣對牠說。」

這類互文解構式的寫法也同樣出現在史穆嘉的漫畫《文生和梵谷》故事裡。大畫家梵谷（Vincent van Gogh, 1853-90）名字中的Vincent竟然變成一隻會畫畫的貓，甚至連林布蘭特（Rembrandt, 1606-69）的畫也是這隻貓的曾祖父代筆的。誇張荒誕，但不失其趣味性。艾力克．尚瓦桑（Eric Sanvoisin）的《吸墨鬼》系列更融合了吸血鬼與經典童話，以全新的風格出現。或許這也是青少年文學的另一種創作方式——藉符號系統的互換，達成無意識作用的三個基本過程：移置、凝縮和轉移。

——《奧利佛與小推的奇妙之旅》，允晨文化，2004年11月

孤女的願望

——簡介《當幸福來臨時》

書　　名：《當幸福來臨時》（*Wenn das Glück kommt, muss man ihm einen Stuhl hinstellen*）
作　　者：米莉亞・裴斯勒（Mirjam Pressler）
譯　　者：李紫蓉
出版公司：東方
出版日期：2005 年 5 月

一

一個擔心自己可能會老死在孤兒院的孤兒，平常要如何打發漫長的日子？《當幸福來臨時》（*Wenn das Glück kommt, muss man ihm einen Stuhl hinstellen*）的作者米莉亞・裴斯勒（Mirjam Pressler）藉書中主角漢琳卡的日常生活，來抒發孤女與惡劣環境搏鬥的感受。全書沒有冷場，故事真實感人。作者又不時在敘述中，加入略帶酸味的警句，襯托孤女的無奈與不幸，心境轉化的描繪十分成功。

「母親」二字對漢琳卡來說是個模糊陌生的名詞。露阿姨是唯一能照顧她的親人，但其生活條件欠佳，一直未能爭得撫養權，只得讓孤女長期住在孤兒院裡，每次存夠了旅費十馬克才能見面。早熟的漢琳卡因為沒有親人的照料，個性偏執，對所有事物都以負面角度觀察。為求自保，她不得不抗爭、說謊、甚至偷竊，以度過蒼白貧瘠的不愉快青少年生活。全書以替母親康復協會的募款工作為主幹，突顯孤女在艱困生活裡點點滴滴心痛的感受。

生活在困苦艱難的環境裡，想要倖存，當然得面對種種高難度的挑戰。提著募款罐出外募款，可以暫時離開孤兒院，到外面世界去親身體會人間冷暖。漢琳卡懂得作假，爭取他人的同情，連肉店的女店員都慷慨地連續兩天捐錢，並送她香腸，使她感動莫名。這事同時也讓她覺察到，外面的世界還是有溫馨的一面。

漢琳卡並不是一個狠角色，在孤兒院裡一直受到排擠欺負。每個孤兒力求自保，彼此關係並非十分密切，只論利害，互動情形也因人而異。碰到霸氣重的同儕，都盡量容忍。漢琳卡需要朋友，一直協助同寢室的雷娜德，處處維護她，最後甚至於忍無可忍，跟另一位室友依利莎白打了一架，變成英雄。募款結束後，她為了得到探望露阿姨的路費，私自從募款罐裡拿了十馬克，但仍然得到募款最多的獎品，一趟城堡之行讓她大開眼界：「我從來不從見過像這樣的事物，也從來不知道世界上有這麼美，這麼廣闊的事物……」

二

作者一向喜歡撰寫青少年問題的故事，《苦澀巧克力》（*Bitterschokolade*）為其代表作之一。她把孤兒院狹小空間對孤兒的影響，刻畫得十分傳神。寢室、飯廳、教室裡的師生互動情形，運用簡潔手法一一勾勒，細膩感人。背景的貼切敘述更加深了主角漢琳卡的落寞與孤獨。她對露阿姨給她的愛一再重複敘述，表露她確實需要母愛的滋潤。在街頭募款時，她看不下這種畫面：「每次看到有母親牽著孩子的手，我就會氣得想掉眼淚。最讓我受不了的，就是孩子站在中間，讓父母各牽著一隻手的那種畫面。」她幾次難過得想殺人。這段描寫非常動人，而且令人心酸。

另一個值得一提的是作者引用其他故事情節，突顯主角嘗試以虛擬世界來克服心理障礙。本身是本書，但書中又融入馬克吐溫（Mark Twain）的《頑童歷險記》（*Adventures of Huckleberry Finn*），讓頑童哈克與漢琳卡有機會對談、並同游密西西比河。在幻想中，漢琳卡認為哈克的處境與她不相上下，哈克祇不過多了個名不符實的父親而已，因此，她想像哈克是可以傾訴苦衷的對象，便虛擬了許多場景，來減輕心理上的不適。她甚至幻想和哈克、黑人吉姆兩人划著木筏，撞上汽船，三個人掉到河裡，上岸後，她把《湯姆叔叔的小木屋》（*Uncle Tom's Cabin* ，即《黑奴籲天錄》）裡的黑人遭遇說給吉姆聽。

在這本書中，這類互文性的書寫方式並不只限於印刷媒介，作者還順便把電影《雙胞胎洛德》也帶入，更加突顯漢琳卡思親之切。她甚至依據電影情節，想像自己有個雙胞胎妹妹。她在找不到人可以抒發心中苦悶的空間裡，只得借助閱讀的書籍或聽聞的電影故事來幻想自我角色的轉換，讓自己暫時擺脫眼前的種種困境。這樣的書寫方式強化了漢琳卡心中的寂寞、疏離與其渴望親情的急切，外表雖故作瀟灑，實際上十分脆弱，禁不起任何打擊。

三

作者擅長心理剖析，書中最精采的部分當然是漢琳卡決定要從募款罐竊取旅費的經過。漢琳卡並非大奸大惡，但不相信人性本善。然而，偷竊畢竟是件壞事，所以她一邊動手，一邊要壓抑良心的掙扎。拿到了錢，要把募款罐恢復原狀、卻變成一件苦不堪言的差事，主要是因為自己心虛。後來雖然勉強作成，還是被鄔老師發覺了。但鄔老師並沒在點收時說破，只是後來在城堡之行才開口問漢琳卡。漢琳卡以她要看看錢有多滿的說法來搪塞，她知道鄔老師不會相信，但不再追究，更讓她不安。寬容反而能加速悔改。

再如同性戀動作之敘述、城堡之行景色的描繪，都可發覺作者撰文的細緻筆法。當然，最值得讀者喝采的還是她能在狹隘細窄的孤兒院空間找到好題材，告訴大家，這社會上有群被忽略的孩子，需要親情的呵護與疼惜，因為這些孩子的未來一切作為的後果，並非單純由他們去承受。實際上，事不論大小，都會影響週遭所有的人。「沒有人是座孤島」

這句話驗證了人與人相濡以沫的需求，同時更強調憐憫與互愛的必要性。這本作品的寓意十分寬廣，雖然感覺上故事並沒有說完，但留些空間讓讀者自行填補也無妨。

——《當幸福來臨時》，東方，2005 年 5 月

視野的開拓

——淺析《剝開橘子以後》

書　　名：《剝開橘子以後》
作　　者：劉美瑤
出版公司：九歌
出版日期：2005年1月1日

自從兩岸開放來往後，不少文學作品觸及了雙方社會的變遷、親情的轉化。兒童文學作品倒是不多見，少年小說作品更少。經常作為討論的作品似乎只有李潼的〈送爺爺回家〉。《剝開橘子以後》雖然嘗試在兩岸的親情關係稍做努力，但細讀之後，這篇作品雖涉及兩岸婚姻，但主要空間還是以台灣為主。這類題材依然有待有識之士開發與書寫。

這本中篇小說之所以適合青少年閱讀是因為它的內容，而不是以主角是否青少年來判定。嚴格說來，敘述者胡敏算不上主角。她擔任旁白者，整個事件全由她雙眼觀察，並加說明，談不上評論。她涉世不深，對於長輩的感情糾葛不甚了解，觀察後的想法也不是十分成熟，雖非童言童語，但她實在無法破解長輩的複雜感情世界。爺爺的續娶給她帶來大震撼，父親謠傳外遇也令她困惑，母親對夫妻感情起了變化所給的答案也不能讓她滿足，因為母親的思考有點類似鴛鴦蝴蝶派作品中角色的想法。畢竟胡敏的感情仍然非常單純，單純的幾乎近乎簡單化。

實際上，爺爺的續娶並沒有涉及違背倫理或婚姻忠貞的問題。逝者已矣，活的人總得繼續活下去，整日沉緬於亡妻往事的追憶並非上策。胡敏爸媽不是不理解，只是繼母來得突然，一時無法接受。生活飲食習慣的落差，雙方誤解只有更深。爺爺在奶奶忌日無法從大陸趕回來，終於引發了親情之爭。爺爺和新奶奶搬走，讓彼此思考此一嚴肅問題，經過沉澱，冷靜下來後，一家人靠胡敏居中牽線，再加上爺爺因病住院，誤會終於化解。

兩岸隔絕五十年，談融合並不是一件簡單的事。感情是人世間最微妙、最複雜、最難處理的事。感情也不能以對錯論斷。許多人一輩子都陷在感情世界無法自拔。作者雖是初次寫中篇小說，但拿捏分寸還是值得讚許。以爺爺續娶一事為主線，剖析家人對此事的感受與反應，並沒有逾越常情。角色的互動描寫也十分理想，不至於流入通俗劇的俗套，頗具說服性。爺爺爸爸脾性相近是必然的，對白的張力得以展現，讀者讀來稍具壓力，因為不知這對父子的正式「戰爭」何時會開始、又如何收場，跟胡敏的想法一致。

這篇作品的野心頗大，想包涵的東西過多。二二八事件、白色恐怖、兩岸紛爭、越戰都沾上邊，雖非主要敘述事項，但多少左右了敘述的流暢與詮釋的清晰。主線要顧及，支線常常不容易寫好。如果把重心放在胡敏爺爺續娶一事，受到越戰毒氣之害的樂樂的故事是否需要，就值得商榷，當然媽媽說童話的部分都可省去。把書寫主力集中，作品會變得更為凝聚，更為緊湊。

作者頗能掌握文字的應用，剪接功夫也不差，情節的安排合理，並未顯得紊亂。該照顧的地方都照顧到了。加上好題材，整篇作品仍有不少優點，初作有此成績，相當不易。「顯示」（showing）和「述說」（telling）也保持了某種程度的平衡。雖然有些敘述空間還涉及教室，但並非主要空間，應用情形良好。視野的拓寬便成為本篇作品的另一優點，不需擔心遭人詬病。

有了好題材，剪接功夫變成十分重要。「有聞必錄」的書寫常常會毀了一篇好作品。如果作者以後的作品在篩選材料能再節制些，捨棄冗言廢語，做到敘述精簡、刻畫精緻，則創作發揮的空間會變得更加寬廣。

——《剝開橘子以後》，九歌，2005 年 1 月

重訪戰地

——試論《在地雷上漫舞》

書　　名：《在地雷上漫舞》
作　　者：姜天陸
出版公司：九歌
出版日期：2005年1月1日

一

多年來，本土少年小說創作題材一向頗為狹隘。由於創作者多半擔任教職，生活單純，視野侷限於自己的工作環境與生活空間。因此，筆下流露的多是師生互動、家庭親情的描繪，而且趨向於正面呈現。這種觀察批評並非說這類題材不適合用來撰寫少年小說，令人擔心的是由於視野不夠開闊，敘事容易成為陳套，同時也限制了創作者的想像空間。

《在地雷上漫舞》作者姜天陸雖擔任教職多年，但作品一向沒受到本身工作的影響，這篇作品亦是如此。當然，以描寫前方戰地為主要背景的作品，從前是個禁忌，根本沒人敢碰。這些年來的民主化結果，百事全無禁忌，這樣的題材也算不了什麼。我們感到有趣的是，戰地生活在作者筆下要如此適度呈現，適合青少年閱讀。作者在這方面沒有令人失望，因為他結合了人與動物，使得故事的開展有意想不到的結果。「戒嚴時期」的小金門自然不缺動人的故事。

二

特殊的時空背景加上孩子與家中黃牛的互動，讓作者有廣闊的揮灑空間。如果我們細心閱讀，會發現故事中的「我」算不上主角，反而黃牛「黃黃」才是主角，因為整個故事重心都圍繞著如何把誤入地雷的黃黃救出來的經過。透過「我」的眼睛與想法，讀者被帶入一個頗為陌生的戰地世界，思考與行為模式和本島城鄉孩子截然不同，但對於善惡的思辯卻沒有兩樣。故事的主軸依然從愛出發——愛人、愛物。

作者對人物性格特色掌握得很好。已經懷孕待產的「黃黃」有牠動物的屬性，陷入地雷區，不知如何脫險，「我」一家人出動，再加上部隊士官長和士兵的協助，還是無法把「黃黃」驅離雷區。大狼犬、小石塊、薰煙都動不了牠。牠曾一度嘗試走回刺鐵絲網邊，卻被大砲射擊演習的砲聲嚇壞了。生下小牛「屁屁」後，還是觸雷死去。小牛吸食「黃黃」的乳水經過，精采動人，完全展露了作者的敘述功力。

作者藉「我」與妹妹與士官長之間的互動，突顯了士官長「面惡心善」的本性。身為軍人，他有所堅持，但他仍然保存人性中善的一面。「解救黃黃」事件觸及了他對往事的追憶，使讀者充分了解每位榮民後面都有說不盡的感人故事。「抗日剿匪」耗掉了他的大半生，無怨無悔，最後動刀取出他在徐蚌會戰中挨的子彈，藏在他腰骨裡的碎片，癱在床上，還有說有笑。軍人本色完全展露在這位士官長身上，令人欽佩。他的光彩掩蓋了書中其他的角色，不論是「我」、妹妹、爸爸或祖父。他的重要性與「黃黃」並列，成為這篇作品的主幹。

作者也沒忘記戰地風光的刻畫。昔日的雷區、海洋或花草，都給予適度的描述，讓讀者自然隨著敘述而融入另一時空。比較令人遺憾的是，作者對於材料的篩選，沒有掌握的很理想。部分冗長的敘述固然可以使讀者心思稍微停頓，再繼續順著情節往下閱讀。但刻意的週邊描繪也可能讓讀者回不來。但瑕不掩瑜，本書文字書寫流暢，帶我們回到過去，在時光隧道裡走一回，相當有意義。

——《在地雷上漫舞》，九歌，2005 年 1 月

仙子陣傳奇

——《野地獵歌》裡的奇蹟

書　　名：《野地獵歌》
（*Summer of the Monkeys*）
作　　者：威爾森．羅斯
（W ilson Rawls）
譯　　者：柯惠琮
出版公司：小魯
出版日期：2005 年 3 月

一

早年孩子熟悉的動物小說，常以家中蓄養的動物為主，例如：馬、狗、或豬，範疇似乎狹隘了些，《野地獵歌》（*Summer of the Monkeys*）作者威爾森．羅斯（W ilson Rawls）的第一本小說《紅色羊齒草的故鄉》（*Where the Red Fern Grows*）也是以兩隻狗為主角。這本作品仍然有隻忠心耿耿的老獵犬羅迪，只是全書光采全被大猩猩「吉寶」搶去。吉寶的故事成為主角小傑成長階段永不磨滅的美好記憶。

在這本溫馨的捕猴傳奇裡，讀者找不到任何壞人，因為作者嚮往的是桃花源般的鄉野生活，記載的是那些樂觀知命的鄉民如何堅持自己的生活信念，嘗試與老天爺達成某種程度的妥協，讓他們快快樂樂的在大地上悠遊過日。透過兒時片段的追憶，作者掌握了純樸鄉民的生存願望，為孩子書寫了一冊足以一再回味的好書。

二

故事「人」物包括了三男三女。主角小傑天生喜愛冒險，但並不叛逆，雖然已經是十四歲。他安分地先把父母交代的事做完，再去做自己想做的事。爸爸的角色不如爺爺重要，因為爺爺是個好出點子的人，一心一意想幫助小傑達成擁有一隻小馬和一隻點二二獵槍。捕捉馬戲班因車禍走失的二十九隻猴子是他建議的，當然要義不容辭挺小傑到底。他教導小傑如何使用網子，呼叫吉寶名字，跟牠做朋友，雖然沒成功，但我們看到了一位慈祥的長者如何用心協助晚輩的慇勤之心。

小傑的媽媽跟一般的媽媽沒兩樣。她處處擔心他的安危，卻又無法阻止他去冒險，煞車的動作不少，但往往產生不了作用。奶奶出場機會少，角色描繪不明顯。最出色的當然是一出生就跛腳的妹妹黛絲。終日歡笑，喜與各種小動物為伍，喜歡扮演小護士，常常跟小傑說些傷人的話。她深信「山老人」的說法，最後達成全家願望實現的「仙子陣」也是她發現的，也因此家中四人有了共同的願望。

三

動物小說的書寫最讓熱愛動物的人的憂心的是，書中情節常有虐待動物的現象。《野地獵歌》的敘述重心雖以小傑如何捕捉二十九隻猴子為主，但完全沒有涉及虐待行為，反而小傑一再被吉寶作弄。作者強調人與動物的互動仍需仰賴「愛」的力量，所以環繞黛絲身邊的小動物，只要小傑一出現，全都閃避不見，因為他愛心不夠。一場暴風雨陷群猴於飢寒交迫中，讓小傑有了發揮人溺己溺的人性，終於使得二十九隻猴子乖乖跟他回到他家，接受照顧，等待馬戲班人員領回。

愛的力量同時也敲醒了小傑對物質的迷思。他拿到賞金時只想到自己想擁有小馬和一隻點二二獵槍。爸爸媽媽尊重他的抉擇，不方便多言。只有爺爺旁敲側擊，以拐彎抹角的方式指出小母馬腳上的血紅傷口，終於讓小傑領悟到他應該把錢拿出來，給妹妹黛絲上醫院把腳治好。爺爺適時地扮演了「智慧老人」的角色，隨時給小傑機會教育，例如帶他上圖書館，要他駕車過河等。在小傑成長過程中，親人的愛給了最大的助力，人性的善表露無遺。這本以正面方式傳遞「人間有愛」的信念，給小讀者帶來不少振奮上進的力量。

四

這是一本相當寫實的作品。作者除了用極大的篇幅去詳述小傑藉親情的力量，以實際愛的動作引領群猴之外，還不時以細膩的筆觸，去描繪農村大地的景色。展現在讀者面前的是他幼時的追憶以及對家鄉的懷念，使得我們在閱讀之後，同樣陷入久久無法自腦海中拭去的懷鄉畫面。

也許有讀者會質疑，既然是寫實作品，為何要加入「山老人」和「仙子陣」的幻想說法，破壞了全書的一致性？身居在窮鄉僻壤裡的樸實鄉民在生活壓力下，擁有某種信念或深信奇蹟的心願是不可或缺的。他們要活得實在，所以小傑一家人，一周有三個晚上在家一起讀聖經。藉聖經上的故事，他們可以化解實際生活中的痛苦與疑問，是他們對某種信念堅持的結果。「出埃及記」中摩西過紅海當然是種奇蹟的說法，但擁有奇蹟的信念不至於有害現實人生，未嘗不是一件美事。畢竟人間世事並非常理都可解釋清楚的。能作夢、有幻想的人是幸福的。我們要同情的是那些因現實生活的逼迫而喪失想像力和創造力的人。

——《國語日報》「兒童文學」，2005年2月27日

現代偶戲的樂趣

——介紹《悟．空來也》

書　　名：《悟．空來也》
圖　　文：卓淑敏
出版公司：長宏藝術工坊
出版日期：2005年1月

兒童文學文類之多，與成人文學不相上下。兒童戲劇是所有文類中較弱的一環，不論師資、演出或研究，均是如此。近年來，由於經濟的快速成長與社會觀念的開放，兒童劇團漸能立足，演出機會雖不多，但仰賴相關單位補助，仍然可以存在。

這些劇團的戲目不外兩種：自行創作或改編自傳統作品。這二者各有千秋，但均需顧及兒童的興趣。「提供樂趣」原本就是兒童文學的最大功能。《悟．空來也》改編自《西遊記》。孫悟空是大人小孩最熟悉的角色，他的機智語言和敏捷動作常會使得閱聽人會心一笑，因此，散佈歡樂也就成為這齣戲的主軸。

故事還是以孫悟空大鬧天宮為主。悟空住在盛產香蕉的花果山，引來了千里眼、順風耳。兩人品嘗了美味的香蕉後，卻依然認為花果山的香蕉比不上天上金蕉園裡的五指金蕉。悟空被兩人一激，便跑去天庭，破壞了五指金蕉。經過八卦爐的煉身和李靖、二郎神的圍捕，悟空最後落入佛祖掌中。

這齣戲並非純粹偶戲，仔細觀賞，會發現它是偶戲與京劇的組合，尤其亮麗的服裝和臉譜，更是它與京劇組合的最佳例證。為了使劇中角色更立體化，便運用不同的偶戲類型：「懸絲偶」與「執頭偶」用來突顯群猴聚集時的猴模猴樣以及戲謔好動的猴性；「杖頭偶」展示天庭香蕉仙子凌波起舞的妙姿；大型的「杖頭偶」則襯托出托塔天王李靖、二郎神、巨靈神和太上老君等天神的威武雄偉氣勢。

天馬天兵部分則趨向於多重意象。京劇中常以簡單的馬鞭象徵馬匹，這齣戲中的天馬是由演員雙手執馬頭「面具」，頭上亦戴著「面具」，並以一塊布結合演員身體的行進律動，馬的生命便靈活的呈現出來。天兵則以布塊結合兵器的形象，藉由演員舞動代表天兵身體的布塊，呈現兵刃相交的景象。

劇場的空間設計是茶館的情境，由店小二擔任呼應工作。觀眾在店小二的熱情吆喝中，進入劇場，有如穿越時空，融入戲中，與戲中的群仙眾神和猴群齊聚一堂。孩子看到的是輕鬆有趣的動作與言語，大小則從聆聽觀賞進入深思，或許因而有所領悟，發現人生原本就是一場空夢。

這是一齣以豐富的偶戲形式展現的現代偶戲。它的服裝設計寫意雅致，音樂設計則是傳統的鑼鼓結合現代樂器，再加上幻象般的舞台空間和燈光設計，意涵深遠，共同創造出一個現代神話國度，適合全家人一齊觀賞。

在鼓勵「親子閱讀」的同時，無獨有偶劇團推出這齣「親子劇場」，當然有其特殊意義。父母與子女的互動在「親子閱讀」方面，可能侷限與一定空間，如家中；而「親子劇場」的空間則為公共場域，子女不但要懂得與父母互動，同時也要學會與其他觀眾應對的良好方式。從自己家中走到另一較為開闊的空間，正是孩子成長時必須經歷的過程。

——《民生報》「少年兒童」，2005 年 1 月 23 日

天生我才必有用

——簡介《小狗的便便》

書　　名：《小狗的便便》
作　　者：權正生
圖　　　：鄭昇玨
譯　　者：張介宗
出版公司：信誼
出版日期：2005年1月

一

文學作品是一種理想的跨越國界的溝通媒介。閱讀優秀的國外作品，我們可以深入了解某一國家的民情風俗、歷史背景等。「增進了解」的功能達成後，我們千萬不可忽略了最基本、最重要的「提供樂趣」功能，而這個孩子最關切的功能必須完全視作品的文學性、藝術性而定，同時還必須揉合人類共通的人性。

在繪本當紅的今天，我們可以讀到許多由名著改編成的繪本。《小狗的便便》原來是韓國著名作家權正生的一篇成名童話，以繪本形式出現，賦予原來作品另一種生命，可以吸引不同程度，不同年齡的讀者。

二

《小狗的便便》內容並不深奧，主旨在於強調「天生我才必有用」，即使是狗狗的大便這樣卑微的東西，仍然有它存在的價值。全書的教育意味相當濃厚。隨著文字敘述的轉折，畫者也調整表達手法。開始時，畫風趨向於抽象，並把小狗的便便擬人化，使它有能力聆聽麻雀、小雞的說法，並與泥塊、蒲公英幼苗對談。到了最後幾頁又轉為寫實，直接由作者說出便便的最後貢獻——身體完全溶解，變成蒲公英幼苗的養分。

這本作品的文字作者與畫者均為韓國人，作品本身或許有如書後的介紹所強調的，隱藏著特殊的意涵：「像小狗便便那樣被人鄙視、令人不屑一顧的東西，其實都是像這樣不惜溶化自身，努力的開出生命的花朵唷！」象徵韓國民族正如「小狗便便」般努力存活下去，韓國大小讀者也許認為這本書確實具有某種激勵的意涵，但相對地，其他國家的讀者沒有類似韓國般的歷史負擔，就不一定會有同樣的感受。他們會從本書的濃烈童趣出發，欣賞封面封底的轉接，喜愛書中蝴蝶頁的安排等。特殊的意涵就得仰賴親子閱讀的功夫了。

三

繪本強調圖文並茂。因此，其他文類如果以繪本形式出現時，文字的精簡是免不了的。文字不減，則圖的部分極可能只擔任插圖功能，而不是與文字同具重要性，結果，圖的補強能力不足，談不上圖文並茂了。圖文各說各話或許與兩位合作者的年齡、生活背景有關。童話作者權正生與畫者鄭昇玨年齡相差二十四歲。權正生曾生活在日本統治下，備嘗亡國滋味，鄭昇玨則是獨立後出生。年齡的差異可能會造成對人事物變遷的落差。

其次，全書的空間變化不大，因為便便不曾移動過，同時畫面也不容易覺察出季節的轉換。另外，書中與便便對談的角色出現順序如果能改成麻雀、小雞，最後才是泥塊，全書力道會更強，層次也更分明。當然，視角不透過大人，而由兒童視角來觀察，可以變得更理想。

這些小瑕疵不會影響到這本書原有的童趣與寓意。就閱讀功能來說，這本深具異國情調、多元文化意味的圖畫書蠻適合親子閱讀的。

——《國語日報》「星期天書房」，2005年2月6日

幻想文學的闡揚與意涵

——重讀《許願精靈》

書　　名：《許願精靈》
（*Five Children and It*）
作　　者：意．奈士比特
（E. Nesbit）
譯　　者：李俊秀
出版公司：東方
出版日期：2001 年 12 月

開春以來，幾部兒童奇幻文學改編的強檔電影紛紛上映。先是由《波特萊爾大遇險》改編、金．凱瑞主演的《波特萊爾的冒險》（*A Series of Unfortunate Events*），接著是《許願精靈》（*Five Children and It*）改編、肯尼斯．布萊納主演的《沙仙—活地魔》。羅德．達爾（Roald Dahl）的《巧克力工廠》（*Charlie and the Chocolate Factory*）和 C.S. Lewis 的《納尼亞魔法王國》（*The Chronicles of Narnia*）也要陸續拍成影片，前者由強尼．戴普主演，後者妮可．基嫚將掛名，興起了一陣幻想電影流行強風。這種現象極可能是受到《哈利波特》（*Harry Porter*）影集賣座的影響，但由於觀賞者並不僅限於兒童，兒童奇幻文學的風行，值得我們細察與討論。

這些兒童幻想作品的作者中，有一位常被忽略掉：意·奈士比特（Edith Nesbit, 1858-1924）。她雖是英國人，用英文書寫，然而其作品在大西洋彼岸美國並沒有十分重大影響力。實際上，她的《許願精靈》是部有一百多年歷史的經典童書，其影響力不可忽視，連《哈利波特》作者羅琳（J.K. Rowling）都承認她深受該作者的影響。

十九世紀末葉、二十世紀初期是英國幻想童書發展極為輝煌的黃金年代，幾位重要作家寫下他們的代表作。在卡洛爾（Lewis Carroll）的《愛麗絲漫遊奇境》（*Alice's Adventures in Wonderland*）（1865）之後，王爾德（Oscar Wilde）的《快樂王子》（*The Happy Prince*）（1888）、吉布林（Rudyard Kipling）的《叢林奇談》（*The Jungle Books*）（1894）、威爾士（H. G. Wells）的《時間機器》（*The Time Machine*）（1895）、波特（Beatrix Potter）的《小兔彼得》（*The Tale of Peter Rabbit*）（1901）、葛拉漢（Kenneth Grahame）的《柳林中的風聲》（*The Wind in the Willows*）（1908）等相繼問世。奈士比特的《許願精靈》則完成於一九○二年。

《許願精靈》是奈士比特最令人喜愛的幻想作品之一。五個孩子在度假期間巧遇沙仙，留給他們美好奇特的童年回憶。他們要沙仙答應完成他們的願望，卻發現每個願望最後都變成災難。由於孩子的小聰明和運氣，總能在最後關鍵時刻（太陽下山）解決每個問題。在這本作品裡，我們發現了奈士比特的寫作風格：旁白風趣幽默，卻不合節拍，但轉折之處又別有創意。作者能深入刻畫這幾位有勇氣的孩子如何面對古怪的困境，顯然對孩子的真正意向了解得一清二楚。

這本書中所描繪的願望與一般的尋寶冒險故事不盡相同。書中強調，眾所垂涎的願望並不如大多數人所想像的那般美好。故事裡所有的魔法冒險都滿載著魅力和興奮感，但同時也傳達了重要的道德教訓，例如美貌和財富都是無常和空幻的，但這種道德意味並非刻意強加。作者實際上想展現的是人們許願時的愚蠢與無知，同時又不忘記加以調侃一番。

追本溯源，也許我們可以推測出，奈士比特相當讚許傳統童話中的殘忍（toughness）。格林童話中的三個選擇不當願望的故事極可能激起奈士比特撰寫《許願精靈》的熱情。故事中孩子的願望，不論是無意中說出或事先深思熟慮過，總是帶來難題。它的寓意非常明顯：得到你想要的並不一定會給你帶來快樂。她的故事特別突顯了借魔法實現的願望常與每日生活衝突。

讀者透過這本娛樂性高、極富想像力的孩子幻想冒險故事，也可揣摩奈士比特對孩子的真正想法。在《魔法與魔法家》（*Magic and the Magician*）這本傳記裡，作者史崔菲德（Noel Streatfeild）指出，奈士比特並不特別喜歡孩子。這點說明了她書中的角色完全合乎人性：聰明、自負、富侵略性、幽默、敏捷、殘忍又憐憫。事實上，孩子是身材較小、體力較差的小大人，經濟得仰賴大人、又無力操控環境。奈士比特就具有這種清晰、不帶情緒，又能徹底透視孩子的寫作天分。

事實上，奈士比特的先生欠缺謀生能力。為了養五個孩子，她認真的寫有關孩子的故事。這方面難免使人臆測書中的沙仙是不是作者的化身，藉沙仙的言語和動作來闡釋她對教養孩子的看法。她能事先料到大多數可能會發生在孩子身上的問題。故事裡的沙仙許願時，特別強調願望只能維持一天。然而，某些願望日落之後依然存在，例如安絲亞給老先生的金幣並沒消失（打了個洞，掛在錶鍊上）。孩子問為什麼會這樣。沙仙冷冷的說：「此一時，彼一時也。」這段彰顯了現實生活中的種種不一致與矛盾，也證明奈士比特深具邏輯感，而邏輯感正是幻想作家不可或缺的天賦。深入探究，讀者會發現沙仙許願效果根本沒在日落之後消失的理由，因為許願的前後矛盾經過就是孩子的自我摸索與自我成長的歷程，其影響力是相當持久的。

這本充滿不同幻想情境的書或許可給我們一點啟示。給孩子閱讀合乎事實、講求實際的書不可缺少，但這並不是給孩子選書的唯一選項，也並非閱讀的全部。當今的現實社會，孩子缺少想像力是一件既殘酷又值得注意的事實。借助閱讀這些名家的幻想作品不知能否會使孩子恢復部分想像力？

——《國語日報》「兒童文學」，2005 年 1 月 30 日

苦兒碰上流浪漢時

——解析《番紅花謀殺案》

書　　名：《番紅花謀殺案》

（*Der Satronmord*）

作　　者：哈拉德．帕利格

（Harald Parigger）

譯　　者：劉興華

出版公司：允晨文化

出版日期：2005 年 4 月

一

有一類少年小說，背景擺在過去歷史的某個特定時間與空間，極少涉及當時的歷史重要人物，即使因故事需要不得不提到，也是三言兩語，簡簡單單就交代過去，這類作品是否要歸類為歷史小說的一種，並不重要，因為作者企圖彰顯的是亙古不變的人性，藉小人物的故事，鋪陳某個年代的社會變遷，時空問題反而模糊掉了。《番紅花謀殺案》（*Der Satronmord*）的作者哈拉德．帕利格（Harald Parigger）是歷史學博士，書中曾以剛出現的紙代替羊皮紙的說法，暗示故事發生的年代，不過作者選擇僅在書中約略提及，並不特別賣弄其專業，畢竟只要他有心，歷史典故俯拾即是。他筆下流露的自有一股飽學氣息，但絲毫不帶匠氣。

書名含「謀殺」二字，讀者必可料到，這是一本情節緊湊的冒險推理小說。故事一開始，場面就相當緊湊，主角「我」（羅倫茲）正與不甚搭調的搭檔好色之徒菲利普·馮·坊河正要逃離險境。等兩人撿回薄命，「我」才開始敘述整個謀殺案的經過。「我」是擔任敘述者的主角，透過他的聰慧思考和靈敏眼光，讀者可深刻感受中古世紀上流社會的陰暗面。

二

這是一本典型的苦兒與流浪漢的故事。「我」只知有母，不知有父，在中世紀，類似這樣的角色似乎不少，《小癩子》就是一例。苦兒「我」碰上一個自己看走眼的流浪漢菲利普。這位不受人尊敬的流浪漢一向缺點多於優點，一路上又不斷騷擾女性，惹了不少麻煩。令人訝異的是，「我」一開始投靠他，就無法擺脫掉，除了當他的奴才外，還得處處幫他解圍，甚至拼命挽救他的性命。廚子米夏建議「我」留下來學廚藝，將來必定能出人頭地，「我」依然決定繼續與菲利普到處流浪，甚至捨棄小戀人瑪麗亞於不顧。喜歡過度揣測的讀者，難免會猜想「我」是不是有「戀父情結」？

在濃烈的封建氣氛下存活，卑微的人處處受制於既得利益者——貴族。這些「食人族」的專橫霸道成為卑微者的沉重負擔，當時的低層階級幾乎被壓抑得喘不過氣來。這也就是為什麼菲利普要諂媚阿諛貴族，甚至自命貴族後代的主因。雖然他的出身不甚光彩，卻懂得裝模作樣，處處展現貴族般的浮誇、虛飾、不切實際。廚子米夏說得好：「他（菲利普）像一頭公羊一樣好色，會吃會喝，只想著自己的舒服，才智可是十分平庸，只會自鳴得意，還是一個膽小鬼。」難怪「我」感嘆的說：「我出色的智力大部分用來解決他的蠢笨帶給我們的麻煩上。」

就角色的刻畫來說，「我」極為成功。他無意中被捲入殺人事件，與菲利普同時被誣陷為殺人兇手。「我」只好扮演「偵探」角色，分析整個命案的來龍去脈。經過一番抽絲剝繭後，結果十分令人震驚。一直慇勤招待他們二人的「天使」約翰．薛夫勒的未亡人竟然是個蛇蠍美人，殺人不眨眼。她不但有殺夫的嫌疑，接著又殺了意圖她的美色的笨商人。故事中的幾個蠢男人被耍得團團轉。在作者筆下，這些人都是扁平角色，間接凸顯了十五歲苦兒的冷靜和聰明。

三

作者借用「我」這個角色，嚴肅批評當時的貧富不均的封建體系，故事中的上流社會的奢侈浪費、貧苦人家的無奈艱苦，成為強烈對比。主僕地位懸殊，卑微者不管如何努力，總是無法擺脫生來俱有的枷鎖，終其一生在苦難中掙扎。「我」並非有什麼雄心大志，只求平安過日。他對於是非的判斷另有一套標準，不能單用善惡二分法去區分。在自述中，「我」不時冒出一些成人化的話語，話中有話，有時難免尖酸刻薄，內容遠超過他年齡的認知範疇。苦命的孩子的確比較早熟，但也早早喪失掉童年的無邪與純潔。

全書節奏感明快，但作者懂得節制。他依據需要，適度的把節奏延長、迂迴或停頓。在敘述主角「我」如何逃脫、如何尋找殺人證據時，呈現的是「快」，使得讀者沉溺其中，不想停下來。等到「我」回到「從前」，補足說明故事的往事時，速度便逐漸放慢。「我」夜奔兩處關鍵處所，進出之間與冒險經過，節奏之快加速了讀者的心跳，不禁為他的安危擔心。等他安全離去後，與大廚米夏或小女孩瑪麗亞對談時，整個節奏便顯得緩慢，讀者也可稍微放下心來，再等待另一個高潮的出現。

讀者細讀之後，當然會領略到這本書中冒險情節帶來的閱讀樂趣。比較仔細的讀者也會對作者的情節安排、角色刻畫大為折服，更加相信優秀的少年小說作家不但是個擅長講故事的高手，而且必須具備相當水準的文化背景，才能寫下百讀不厭的好作品。

——《國語日報》「星期天書房」，2005 年 3 月 20 日

諷刺文字傳達的訊息
——閱讀《夜鶯》的一種角度

書　　名：《夜鶯》
（*The Nightingale*）
作　　者：安徒生
（Hans Christian Andersen）
繪　　者：太田大八
出版公司：信誼
出版日期：2005年3月

一

《夜鶯》（*The Nightingale*）是一篇頗具中國風味的童話。安徒生一輩子從未涉足中國，所以這篇故事的背景純屬虛擬。故事中的年代和場域依然不脫傳統童話的模式，也就是說，作者故意把時空模糊掉。依據這冊繪本中不同角色的穿著，我們約略可猜測出大約是唐朝或魏晉時期，甚至明代也有可能，因為故事提及日本天皇的貢品——機械夜鶯，但不可能是元清。從情節安排、角色對話，讀者可看出，宮中君臣主僕倫理依然十分嚴格明確，濃烈的封建思想絲毫未減。

這篇故事具有強烈的諷刺性是眾人公認的。表面上，安徒生在文中不時對中國封建制度及其習俗的愚昧或邪惡面予以諷刺，但有識之士細讀後，必定會發現這些被嘲諷的愚昧或邪惡現象，實際上是人性映現或累積的結果。安徒生藉此篇童話批評了全體人類，因為人性是普遍恆久的。

二

諷刺的第一個層面是君臣主僕之間的互動。皇帝翻閱來自世界各地的書，才知道國內有隻擅長歌唱的夜鶯，頓然發覺不是自己昏庸就是被屬下矇蔽。尋找夜鶯的過程突現了大臣與侍從的無能。皇帝生了重病，性命可能不保，宮裡的人就忙著去討好新皇帝，難怪皇帝痊癒，侍從嚇了一跳。

其次，皇帝心中想到的永遠是「重罰」與「施恩」。故事接近尾聲時，逃離京城，被認為忘恩負義的真實夜鶯重返宮中，為臥病在床的皇帝歌唱。夜鶯並不企求任何「賞賜」，但從皇帝口中說出的卻是：「你想要什麼？」其中的雅俗不言而喻。

真實夜鶯和人造夜鶯的二重唱是另一層諷刺面。人造夜鶯只要重複上發條，唱多少遍也是同樣的「正確無誤」的聲音和節奏，而「正確無誤」一向最令人覺得乏味。相對的，真實的夜鶯即使每次唱同一首歌曲，聲音和節奏總會有些落差，絕非一成不變的。真實的夜鶯以大自然賦予的生命來為知己者唱出悅耳的歌聲，而金光閃閃的人造夜鶯必須仰賴發條才能發生。發條的斷裂暗示濫用的結果。

三

許多人在閱讀與評析安徒生的作品後，常常質疑這些作品適合兒童閱讀嗎？給兒童閱讀的作品必須具備濃烈的教誡功能嗎？在我們這個適讀年齡日趨模糊的年代裡，《夜鶯》應該是一篇老少咸宜的作品。它具有嘲諷性，但在可以接受的範圍內。十二個侍僕來伺候一隻夜鶯，未免誇張了些，但在封建年代，似乎任何事情都可能發生，人生中本來就有不少荒謬事件，這件事還算不上最嚴重的。成人讀到此段，認為它太誇大些；孩子讀了，說不定認為這段敘述充滿樂趣。在一個多元社會裡，讀者一躍成為閱讀的最主要角色，當然得先擺脫一言堂的思維方式，各有各的閱讀方法，各有各的不同收穫。

——《夜鶯》，台北：信誼，2005年3月

另一種「生命教育」

——簡介《小意達的花兒》

書　　名：《小意達的花兒》
（*Little Ida's Flowers*）
作　　者：安徒生
（Hans Christian Andersen）
繪　　者：世川里美
出版公司：信誼
出版日期：2005年3月

一

幻想虛構是童話的特性之一。缺少幻想虛構，童話就不是童話了。童話之能為老少所喜愛，主要原因在於它能刺激孩子的想像力，引領成年人回到年少時的幻想世界。雖然幻想虛構並非兒童的特權，但成年人在現實生活的壓迫下，幻想力日趨薄弱卻是不爭的事實。如果要重訪青少年時期的無邪純潔，不妨讀些充滿「胡思亂想」的荒誕不經的作品，翻閱一些精彩的童話作品，不失為一種激發想像力的好方法。《小意達的花兒》（*Little Ida's Flowers*）這篇作品也可以用這種擺脫過往閱讀經驗的方式去閱讀。

二

故事一開始，主角小依達和學生之間的對話便帶著讀者進入一個虛幻的世界——群花狂舞的夏日城堡。童話的傳統人物國王與皇后短暫的出現，但他們只是過場配角，真正的主角是各種顏色的花兒。這些花兒透過洋娃娃小蘇菲的參與，一場精彩絕倫的舞會展露在小伊達的眼前。

另一種揣測是小依達進入夢鄉。在美夢中，她見到了小蘇菲如何在舞會中大顯身手，加上掃煙囪娃娃和小蠟人的參與，整個舞會充滿生命活力。小蘇菲成為小伊達的化身，經歷了喜與悲的階段。所有參加舞會的花兒在狂歡後，都免不了生命循環的制約，步入死亡，化為春泥，等隔年的夏天重新發芽、開花。依此過程，生命的意義往上提昇了一層，意境亦較高。故事結束時，另創一格的葬花儀式，別有一番滋味，可讓小讀者一再回味。

三

世間萬物有生必有死。死亡是生命的終結，也是生命歷程的一部分，任何生命無法逃避，也不應逃避。從這個觀點去延伸，我們發覺這篇作品除了提供樂趣之外，還帶有「生命教育」的神聖意義。眾多花兒在狂歡後枯萎死去，象徵了每個生命都有短暫的展露「生命之光」的時刻，但最後仍需回歸塵土，回到大自然的懷抱。

或許安徒生在創作這篇作品時，心中必沒有抱著「生命教育」這項抽象目的。然而，讀者從他不吝對花兒的死去加以美化，可以間接閱讀出人類對短暫生命的憐惜之情與懷念之意。當然，這種讀法只是閱讀這篇作品的一種。多元化的世界中，讀者不一，各有各的閱讀妙方。讀者依據自己的專長和以往的「預存」閱讀方式，自然可以領略到不同的閱讀滋味。

——《國語日報》「星期天書房」，2005 年 4 月 3 日

「美」的襯托與對照

——淺析《拇指姑娘》

書　　名：《拇指姑娘》
（*Thumbelina*）
作　　者：安徒生
（Hans Christian Andersen）
繪　　者：皮亞．克羅拉．拉卡
出版公司：信誼
出版日期：2005年3月

一

由於擬人化的作用，童話故事經常強調動植物原來的屬性。作者有時甚至藉情節的需要，大量融入眾多的擬人化角色，讀者閱讀時，常有進入既陌生卻有些熟悉的另一個世界，故事中的動植物都會成為有趣味的圖鑑角色。《拇指姑娘》（*Thumbelina*）的作者安徒生對於故事的安排，難免讓讀者有這種特殊的感受，尤其把童話轉化成繪本時，圖文並茂的圖象展現，感覺更為強烈。

在這篇故事裡，作者讓蟾蜍、蝴蝶、金龜子、野鼠、鼴鼠、燕子等小動物、小昆蟲輪流上陣，來襯托拇指姑娘在流浪中的遭遇。這些擬人化的角色得到作者充分的照顧，展現了完整的屬性。至於魚兒、鳥兒、花兒，由於是配角，作者只以含糊概括性的文字簡單交代。這種安排可以使得小讀者有如進入這些小動物的世界，故事的進展比較合理流暢，藉此提供閱讀樂趣和增進對周遭世界各種小生命的了解。

二

童話故事的基本功能之一在於強化真善美的觀念，但作者要拿捏得恰到好處，才不致於讓小讀者產生錯覺，認為故事必須黑白分明、善惡立判、美醜對比。《拇指姑娘》是篇美的故事，但其中美醜的對比似乎強烈了些。小讀者在對照生活中的實際狀況時，或許會覺得有某種程度的困擾。

誰也不否認，安徒生的年代是追求美的年代，拇指姑娘形象的高度美化，是種必然的現象。拇指姑娘在她生命的流浪途中，所有碰見的小動物、小昆蟲均無法與她的美貌相提並論。這種美與醜的標準全以人類的審美角度來認定，未免偏頗了些。蟾蜍、野鼠和鼴鼠全被視為「醜陋的」，無法與拇指姑娘匹配。好玩的是，安徒生換其他生物的角度來觀察拇指姑娘，她的美就大打折扣了，難怪金龜子認為唯有自己合乎美的標準，因為拇指姑娘「只有兩隻腳，沒有觸角，太瘦了」。在強調事事多元化的今天，文學對於美醜的書寫可能得重新斟酌。安徒生的美醜角度太過於直接，需要另加詮釋，好給小讀者打開另一扇窗子，不要讓他們只知沉溺於狹隘的美醜對比，完全以自己的標準來觀看這個多元的世界。

三

至於拇指姑娘美的程度，繪本中的文字在精簡後，難免會喪失原文中的一些特殊意涵，例如最後花之精靈向拇指姑娘求婚後，認為「拇指姑娘」是個醜名字，要替她改為「瑪婭」（Maia）。這部分繪本中省略掉。在進行親子閱讀時，教師家長不妨向小讀者解釋一番，說明瑪婭是希臘神話中擎天神亞特拉斯（Atlas）與一仙女所生的七個女兒中最美的那一位，加強孩子對美的辨認。繪本中拇指姑娘的空泛之美依賴另一則神話中的美女來補強，或許可加深小讀者的閱讀樂趣。

——《姆指姑娘》，台北：信誼，2005年3月

背景的鋪陳與人性的折射
——簡介《闖入動物世界——我是怎麼寫作的》

書　　名：《闖入動物世界——我是怎麼寫作的》
作　　者：沈石溪
出版公司：民生報
出版日期：2005年2月

一

文學研究可以專注於文本的細讀（如新批評學者所強調的），可以藉作者的生平背景來強化對文本的認識，也可以從作者生存的年代去體認作品中刻畫的社會變遷。究竟何者為重，見仁見智，沒有標準答案。然而，對讀者來說，對作者的時代背景和實際生活了解越深，則對其作品的了解也會更加深刻。近二三年來，民生報先後幫曹文軒和李潼出了兩本生活實錄和作品評析的專書（《感動》和《呼喚》），使得讀者對這兩位兩岸的少年小說大家的生活與作品有更縝密的了解。這兩本專書的執筆者均為曹李二人的朋友、評論者，觀察角度相當主觀，可能依然不夠透徹，也不夠深入。相對的，沈石溪的《闖入動物世界——我是怎麼寫作的》一書，全由作者親述，談他的創作觀、生活經歷和創作經過，一路娓娓道來，別有一番滋味。

二

許多讀者常把一本書視之為作者的自傳。這種說法並非全錯。作者當然很少在自己書內詳細敘述自己生活的點點滴滴，因為一不小心便容易成為八卦主角。儘管作品並非完全是作者的自傳，部分作品依然難免釋出自己生活實況的部分，但絕非全部。引用自己最熟悉的地方做為故事的背景，卻是必然的，中外名家均是如此。於是，佛克納之於約克納帕塔法、馬克吐溫對密西西比河的念念不忘、魯迅追念家鄉紹興，黃春明尋根於宜蘭、王禎和對花蓮的追憶等，便是最明顯的例子。

作家使用最熟悉的背景極可能是家鄉，也可能是長期居住的地方。對沈石溪來說，西雙版納是帶他走進動物世界的起點。他在這個地方服役，開始寫作。他非常熟悉周遭的動物生活實況，用心觀察之外，再加上他對動物心理生理現象的敏感度，終於讓他在動物小說方面闖出一片天來，在少年小說創作方面，獨樹一幟。書中輯二「有生活就有作品」，作者特別強調「西雙版納是我的文學故鄉」和「有生活就有作品」。作品成為生活的一種詮釋，作者生命力的觸動自然來自於最熟悉的環境了。

三

動物小說的內涵是什麼？如果說動物小說是人性的折射，大概不太有人會反對。細讀沈石溪這本寫作告白的書，我們發覺，作者在寫作的前幾年，也十分同意「人性折射」的說法，但後來他有了新的體會：「人們寫東西一般都是從人的角度去看人，即使一些以動物為主角的作品，也是從人的角度去理解動物。但反過來從動物的角度去觀察體驗人類社會，或許會獲得一些新鮮感覺。」於是，他認真研究動物行為學，從中汲取營養，比較後期的作品的敘述方式有了轉向，不全然以人的角度去理解動物。這是一種突破，雖然理論性不強，但這種嘗試是值得稱許的。

由於作者試圖從動物的角度去觀察與體驗人類社會，他的一些作品寫得血肉紛飛、淋漓盡致，頗有「暴力文學」的味道，讓一些鼓勵孩子閱讀文學作品的父母師長憂心。但如果從現代媒體的污染程度來評析的話，作者的文字暴力比起其他媒體（影像或動畫）的殘暴內容，那就成為小巫見大巫了。何況當代青少年對於暴力的敘述已經具有相當程度的抗體，不需過度擔心。青少年如果肯排除外在的種種干擾，認真閱讀文學作品，在激情的圖象世界中已經算是鳳毛麟角了。

四

沈石溪在雲南邊疆生活十八年，累積厚實的創作素材。他具有敏銳的觀察力，加上不斷鑽研人與動物的行為專書，對人與動物的心理以及生理現象有深入的體會，執筆為文，作品自然真實感人。作者並非天才型的作家，相對的，他應該屬於苦學型。憑藉他的後天觀察與認真學習，終於在動物小說創作方面另創一片天地。他的努力或許會給那些在文學創作門外徘徊的年輕作家一些啟示。

——《文訊》，234 期，2005 年 4 月

輯二 論述

豐盛的饗宴

——第十一屆「九歌現代兒童文學獎」總評

一

哪一種少年小說值得一讀？這是一個相當困擾創作者和研究者的問題。一般說來，好的少年小說應該可以「提供樂趣、增進了解和獲得資訊」。這三者中又以「提供樂趣」最為重要，因為乏味的書，讀者連看都不想看，如何進一步「增進了解」和「獲得資訊」呢？當然，這三者是功能問題，只是評論作品優劣的部分尺度而已。如果一本作品在「語言表達」、「敘述修辭」、「體裁組織」、「情節安排」和「人物塑造」這些小說基本的內在結構不是很理想的話，也就不需要再論及作品的「文學本質」和「社會意識」了。年年舉辦的「九歌現代兒童文學獎」（以少年小說為主）今年邁入了第十一屆，參選的作品共一百零六篇，經初複審後選出二十七篇進入決賽。從得獎的八篇作品中，我可以看出作者如何用心經營，嘗試提升作品的素質。他們雖然不刻意遵循某些創作原理，但隱隱約約依然可以看出他們並沒偏離上述的十項參考評選標準。

二

二十七篇作品各有千秋。來自彼岸的作品不少耽溺於文革舊事。「憶舊」是種不錯的主題，然而只勾勒往事的點滴生活片段，而沒用心將其細緻編織，自然不容易寫成佳作。《花糖紙》（饒雪漫）捨棄了這類重擔，內容比較契合現實階段生活，敘述一位任性、霸氣、刁蠻的女孩的高一生活。人物形象鮮明，情節安排也合理，文中抒發的少女情懷可以感動不少當前就學中的少男少女。

少年小說的基調永遠離不開「啟蒙」與「成長」。這次得獎的作品中有幾篇以成長的得失、坎坷、悲歡、煩惱等為敘述重點。王文華的《年少青春紀事》文字幽默傳神，頗契合現代青少年的心聲。他們在嚴重的課業壓力下，猶能不忘時時自我調侃，化解心中的鬱悶。可惜的是，全書敘述均以鄉鎮的國中生活為重心，無法照顧到都市國中生活的描繪。

比起《年少青春紀事》，《貓女》（劉碧玲）就顯得沉重多了。一個自小缺乏父母之愛的少女，竟然自認為貓，願意變成貓，活在貓的世界裡。她的失神突變終於使得母親徹底悔悟，自我檢討後，再重新回到母親應該扮演的角色。雖然父親角色過分扁平，母親行為也難以完全說服讀者，但故事想強調的「子女成長時，父母不能缺席」常理，已經達成。

島上的漢人很少關注在一旁生活的原住民，少年小說以原住民生活為主的作品一向不多，《泰雅少年巴隆》（馬筱鳳）多少補足部分的遺憾。全書環繞巴隆成長過程，泰雅族各種傳統的融入敘述十分自然，不論是狩獵的始末、知識的傳遞或習俗的描繪，都非常精彩。作者不想偏重於原住民的悲慘生活的追述，而回歸一般族人平凡生活的勾勒，但卻詳盡說明了泰雅人的苦樂。

陸麗雅把《我家是鬼屋》的敘述主軸擺在「童年往事」上。她借追憶從前來鋪陳成長之不易。不論「賽豬公」的描述，幾個重要角色（如「小尼姑」、「轉學生」、「二哥」）的遭遇的片段情節，便足以讓讀者回到從前。暴風雨的肆虐和火災的考驗，更進一步凸顯了一家人生死與共的心態。淡淡的筆調詳實紀錄了童年的悲歡，深深觸動讀者久不知感動為何物的心。

三

《阿凸仔爸，蕃薯仔媽》（正式出版更名為《美國老爸，臺灣媽》，趙映雪）是本屆作品中最具濃厚傳奇色彩的一篇作品。除了詳述異國婚姻（另一類現代「和番」）造成的文化衝擊外，全篇重心在強調自我能力和努力的肯定以及熱愛大自然的體現。故事敘述一位出生在「重男輕女」家庭中的本省女孩，如何結識一位給她帶來信心的美國人。不同種族生活態度的調適造成不同程度的困擾，但同時也增添不少情趣。作者著墨輕重恰到好處。

這次有多篇奇幻作品進入決選，最後卻只有兩篇得獎。《基因猴王》（王樂群）的故事緣自「借胎複製」的理念，探討的是人類科技高度發展的可怕後果。一個附身於猴的人如何在複雜的人的世界活下去？他（牠）被迫回到猴的世界，利用人的智慧奪得猴王寶座，然而在人的追剿之下，「牠」只得跳崖自殺，避開一切身分認定的困擾。敘述最成功、最感人的部分在於主角介於人猴之間的心理掙扎，寫盡了現代人們的自私、冷漠與兇殘。

林佑儒的《圖書館精靈》以細膩手法刻畫了當前部分少女的生活實況。冤死的京玲（精靈）戀棧人間，借「住」圖書館，結交了通靈的蘋凡，竟互換身分，演出另一齣「第六感生死戀」。作者利用多重敘述描繪每個角色內心世界的轉變，以精確俏皮的話語調侃了電腦交友的種種趣事，趣味性十足。雖是「鬼」故事，卻找不到絲毫恐怖的氣氛。相對的，全篇處處呈現朋友之愛與親情之愛，尤其是母愛，更是作者最想宣揚的。

四

「九歌現代兒童文學獎」十一年來培養了不少新秀，作品的形式與技巧年年翻新，給讀者帶來驚喜，今年也不例外。入圍作品篇篇精彩，又具有實驗性，關懷的生命層面既深又廣，值得喝采。然而，作品在取材與敘述方面，還有兩點值得商榷。

首先，熟讀中外名家作品的人可能會發覺，這些入圍作品還有不少仿造前人作品的痕跡，如卡夫卡的〈蛻變〉、李潼的《少年噶瑪蘭》和洪醒夫的〈散戲〉。雖然說太陽底下沒有新鮮事，但不論模仿或借用，總得超越前人，才能顯得突出不凡。這點值得以後參選的作家參考。

在目前影像盛行的年代裡，文字表達深受電視、電影的影響。這種大家共同的感覺一時之間也無法論斷其利弊。這次得獎作品中可明顯看出這種趨向。影像化的結果可能導致具象畫面多於抽象敘述。我們擔心，具象取代抽象時，最後會不會顯示作者想像力的枯竭與創造力的退化。這種現象也可能間接造成作者擅長「講述」（telling）故事，而怯於「顯示」（showing）故事。

以上兩點是這次擔任評審工作的觀察結果，雖然今年得獎作品尚待改進的空間不小，但瑕不掩瑜，這些得獎作品確實值得細讀推敲一番。

——《國語日報》「兒童文學」，2003年6月2日

推廣、教學、創作與研究
——台東大學兒童文學研究所未來發展

一

長久以來，兒童文學一直處於邊陲地帶，兒童文學的學術研究也同樣被視為非主流，一向不受重視。兒童文學研究所成立六年，外界對兒童文學的看法逐漸有了改變，但研究的質與量都有待提升，這是關心兒童文學研究發展的人的共識。

無可諱言，兒童文學研究所博士班的成立，原先的研究劣勢有了轉機，有了改善的空間，但要如何強化？從何處下手？預計成效如何？這些不大不小的問題都值得深思。我們不妨從外在環境與內在結構分開來談，但不分內外，始終不離推廣、教學、創作與研究四個方向。

二

但恩（John Donne）說的好：「人非完全自主自足的孤島。」兒文所也絕非一座孤島，必須與外界維持良好的互動關係，才能使研究工作更為順暢。這方面可略分為下面數點來說明：

㈠熱烈參與國內與兒童文學相關的活動：兒文所雖是國內獨一無二，但其他大學亦有開設兒童文學課程（如國北師台灣文學所）或兒童文學研究室（如靜宜大學外文系）。對於這些學術單位舉辦的相關活動，所內師生均應熱烈參加，在互動之中獲得學習與成長的機會。

㈡與國內兒童文學媒體維持良好的關係：所內同仁的研究與研究生的論文或作品，必須仰賴相關單位的協助，才有刊出與出版的機會，因此本所必須與掌控刊載和出版大權的媒體維持良好的互動，以增進彼此合作的機會。這些媒體包括中時、聯合、民生報、幼獅、小魯、東方、青林、信誼、小兵、遠流、格林、富春、文訊、毛毛蟲基金會等。

㈢與華文世界中的兒童文學工作者繼續交往：這裡所指的華文世界是廣義的，包括大陸、香港、新加坡、馬來西亞等。雖然彼此的文字應用已有明顯的差距，但使用同樣語文，可以切磋的機會依然相當多，不論是文學理論的探討或創作的交流、交換學者的互動，都是值得繼續的工作。

㈣打開另一扇窗子，試著與國外兒童文學學者、作家交流。交流的方式不外邀請對方來講學、演講，或互派交換學者、學生。這方面的工作最大的障礙在於經費不易獲得，尚須加倍努力。

三

兒童文學研究的重要工具為文字。那一種文類都離不開文字。兒童偏愛的漫畫、卡通即使強調以畫面（不論動態或靜態）為主，仍需文字來調和，圖畫故事也強調圖文並茂，純粹以文字為主的青少年小說就更不用多說了。以良好文字來強化研究內涵是兒文所今後的重要工作之一。但廣義來說，文字是基本工具，研究範疇卻可分為推廣、教學、創作與深度研究四方向。研究者可專注其中之一，也可合併二至三者，使學習內容更為充實。

㈠推廣：如果把當代兒童文學稱之為「失落文字的一代」，恐怕沒有人會反對。影像與視覺媒體的五光十色的具像作用早已超越靜態文字的抽象作用。資訊革命帶來的媒體變化根本無法抵擋。兒童文學研究如何以「推廣」出發，以實際作品帶動閱讀風潮，扭轉影像與視覺媒體的可怕影響力，使兒童文學與青少年回頭閱讀文圖並茂的圖畫故事或以文字為主的青少年文學，則加強他們想像力和創造力才有可能。

㈡創作：國內兒童文學的發展仰賴國外之處頗多，除了理論與批評書籍外，國外作品大量引進，是種重要助力，但同時也是阻力。國內出版社引進的作品多為得獎作品，質方面毫無挑剔之處。好作品的大量翻譯刺激了本土作家的創作慾，他們可以從外來作品汲取營養，但不可否認的，也間接限制了他們的創作空間。兒文所的研究生中，不少具有創作潛力，因此，課程設計若能兼顧創作課程，則研究生可互相進行腦力激盪，寫出更好的作品。

㈢教學：研究兒童文學不僅僅是文字敘述的研究，它依然有它實用的一面。如何把研究方向或結果專注於實際的語文教學，也是兒童文學研究者不可忽視的方向。許多研究生畢業後將從事教學工作，研究與教學的結合是非常有意義的，這方面的研究包括兒童文學的教學功能研究。兒童文學作品如何融合於國語文教學、鄉土教學是個重要方向。當前國小英語教學的教材也是英語兒童文學作品可以發揮作用的另一空間。

㈣深度研究：推廣、教學與創作這方面的研究比較傾向碩士階段，博士階段應以深度研究為主，但也可以把前三者深化，成為深度研究的一部分。所謂「博士」應該汲取多種學科精華，成為科際整合的通才。因此，攻讀兒童文學博士，除了必須熟悉兒童文學理論、批評及各種文類文本外，涉獵社會學、教育學、哲學、傳播學，心理學等與兒童發展的相關科目，也是不可或缺的。深度研究使自己更有自信，也間接鞭策兒童文學的研究更有內涵。

以上數點淺見是個人這幾年觀察與思考的結果。這些想法固然不可能一蹴即可，但如果細分階段進行，數年後必定會有所成。

——《民生報》，2003年8月10日

在異同之中展現力道
——第五屆兒童文學牧笛獎童話組得獎作品總評

文學獎的設置目標，除了分享閱讀新作的喜悅，還可帶動並鼓勵創作風氣。「牧笛獎」的宗旨也是如此。每屆的得獎作品總是帶給兒童文學界一些驚喜，然後期待另一次高潮。

第五屆「牧笛獎」童話組的參選作品高達三百一十一件。除了島上的新舊作家熱烈參與，更有來自美、英、加、香港和大陸的作品。經過嚴格的初選、複選，選出二十五篇進入決選，最後選出六篇得獎作品。

好作品令人回味

細讀這幾篇得獎作品，可以發現作者雖然有不同的思維，內容或形式卻有相似的痕跡。六篇作品完全捨棄了傳統人物（如王子、公主、巫婆、巨怪等）的敘述。除了在傳說神話中尋找素材（如〈新差土地公〉、〈神射手小羽〉），也融入對新科技產物的探討（如〈失誤的病毒〉）；在「破舊」（如〈老太陽看不到的小角落〉）之餘，也不忘「故」事「新」編（如〈史瓦洛的飛行日誌〉、〈童年博物館〉）。

好作品總是讓人讀後一再回味。這類作品多少帶有幾分哲理，值得讀者深思。作者藉角色的描繪和情節的安排，傳遞了他極想表達的訊息。

〈史瓦洛的飛行日誌〉在肯定每種生命都有其極限的同時，質疑生命的真義。作者藉洋燕史瓦洛的說法，傳達了學習的部分真諦：耐得住寂寞和孤獨。

〈老太陽看不到的小角落〉中，蹦豆子的出現，打破了老碗櫥原本的生態。小玉米、紅辣椒、蘿蔔頭、小蒜頭拋離了碗櫥的發霉生活，奔向陽光，重新在地裡發芽長葉，衍生新生命。

〈童年博物館〉鋪陳了童年的美好，讓人追溯憶往，並強調孩童成長，必須經歷「失去」的過程。生命不停往前奔馳，童年不再，然而少年時的美好記憶，卻永存於心中深處。

〈新差土地公〉和〈神射手小羽〉這兩篇是從舊傳說中擷取新素材。新差土地公上任，就驚動了秦叔寶、尉遲恭兩位門神，火神祝融、玉帝，才找到最適合自己落腳的地方。作者又借巨鷹腳下的孵蛋，凸顯了土地婆的母愛。〈神射手小羽〉中的小羽年輕氣盛，急躁易怒。經過幾次五百年的石化過程，小羽終於領悟父親心目中的箭道：在該用的時候才用，而不是想用就用。

上述兩篇的作者賦予舊素材新的生命，而〈失誤的病毒〉卻是作者用顛覆的手法，為新科技病毒創造了一個具有人性的「病毒」，間接顯示作者對新科技的疑慮。「病毒傳千里，世界沒安寧」的口號對這個失誤的成品產生不了作用，反而導致它向人性傾斜，因而擔任傳送電子卡的工作。作者用心良苦，在新科技產品功能方面，收錄了相關資料，寫出一篇截然不同的作品。

愛與生命力恆久不變

在簡略探討這六篇作品以後，可以發現，得獎作品不論在形式和內容方面如何別有新意，仍然深具共同的意涵：傳達恆久不變的愛與生命力道。

史瓦洛（〈史瓦洛的飛行日誌〉）不嫌麻煩，細心對兔子瑞比解說飛行的限制，態度認真、老實。史瓦洛身為洋燕領袖，在南飛途中，留下來照顧受凍的燕群，不幸凍死，但無愧於族群。

蹦豆子（〈老太陽看不到的小角落〉）的出現是對傳統約束的抗議，他的力道改變了小玉米、紅辣椒等的死寂生活，嚮往充滿生命力的未來，同時詮釋了生命的另一層作用——傳承。

葛大叔、藍老爹和薪野老師（〈童年博物館〉）傳述了不同程度的愛。葛大叔除了做好環保工作，還參與藍老爹的童年分類和整理工作，使得小朋友能重新「放」一次童年。心情低落的薪野老師，由於過去的學生不斷到山上找他談天，終於了解他的愛心沒有浪費。

土地婆（〈新差土地公〉）不停埋怨土地公的處事方式，但她眼見巨鷹腳下的孵蛋可能會被火燒著時，卻忘了一切煩心之事，奮不顧身，發揮潛藏多年的母愛，抱出孵蛋，同時領會了土地公對眾生之愛。

小羽（〈神射手小羽〉）因犯錯而一再被石化，但他始終無怨言，誠摯的接受父親北天王給他的嚴懲。北天王雖然疼愛這個長不大的六子，但是為了讓他了解正確的為人處世之道，以嚴懲的方式來展現他的愛。

製作最差勁的病毒（〈失誤的病毒〉）協助電郵草稿匣的「0」和「1」，替九十多歲的主人把信發給他的外孫。途中，它還吞食了另一影畫庫裡的憂鬱分子，因此換了新身分，有了好結局。

童話創作新發現

這些作品以新童話自居，不受傳統童話的拘束。不論在創意、敘述或文字方面，都讓評選者眼睛一亮。他們企圖以新的題材、新的表達技巧來展現在童話創作方面的新發現，來掙脫種種束縛。某些方面，他們的確做到了。但每篇作品依然有改進的空間，不論取材或文字，都是如此。好的作家必須隨時充電，懂得讓自己的文字更上一層樓，能充分寫出自己嚮往的好作品，也同時給小讀者帶來趣味和喜悅。

——《國語日報》「牧笛獎特刊」，2003年10月24日

沉醉於圖文世界中
——淺談「和英」的「關懷系列」

一

眾所皆知，繪本是「親子閱讀」與師生互動的最佳媒介。在溫馨祥和的家庭裡，孩子依偎在親人身旁，翻閱著一本本印製精美的繪本，雙眼目不轉睛，接受美麗畫面的訊息，兩耳同時聆聽親人的詮釋。除了畫面上的意涵，藉由話語的激盪，更深入的了解文字與畫面結合而成的特殊內涵。這時候，擔任詮釋的親人，同時便具有讀者與詮釋者兩種身分。在教室中，教師雖面對一群臉上盡是渴望期待表情的學生，擔任的同樣是讀者與詮釋者。比較起來，家中的閱讀行為應屬於「小眾傳播」，傳授者與接受者的關係十分密切。教室的傳播則不同。由於學生的多寡與背景的差異，教師可以在聲調和肢體語言做適度的調整。

不論是親人或教師，他們除了擔任讀者和詮釋者外，同時也還是「守門人」、批評者和意見領袖。他們在細讀講解時，可以先過濾某些話語，做選擇性的朗讀，但仍能維持完整的故事內容。如果他們以批評者出現，或許他們選擇的標準會較高。

繪本的討論空間並不亞於兒童文學的其他文類。它可以同時探討文與圖，可以只探討文本的結構、文字的節奏和韻律重複，也可以只研究視覺元素（包括線條、形狀、紋理、顏色、對比等）和圖畫結構（包括次序感、舒適感、對比、變化、替換、和諧、一致等）。相較之下，圖的討論空間似乎比文字大得多。但如果不論文與圖之比重，把類似相關主題統整為同一系列，一樣可以有不少可詳論細品的。翻閱國內近年來出版的繪本，我們發現「和英」出版社一直以系列作為出書準則。

二

「和英」從一九九九年三月出版第一本書《永遠愛你》開始，五年來已出書八十多冊。這些繪本除了完整呈現原來風貌外，每冊書都另編「和英之友」，將與該書有關的相關資料盡量融入，包括繪本、童書、特殊問題協助處理的機構等，成為一本十分有價值的參考書。讀者按圖索驥，常常會意外找到有價值的資料。「和英之友」也成為和英出版品的特色之一，可見編輯之用心。

和英出版社的圖畫書以外來的得獎作品為主，這是當代主流，誰也擋不住，當然有被殖民化之憂。本土作家參與創作並不多，目前僅限於賴馬、徐素霞和陳致元等人，尚待進一步開展。本土作品不受重視，主要在於質方面不甚理想，難於與外來作品抗爭。和英負責人觀察到這一點，因此，不惜成本，另編補充資料。

什麼樣題材適合創作繪本？孩子在童年時，必須學習許多事物，他們學習快，給他們再多的書也不為過。因此，凡是他們周遭的一切都可作為繪本題材，例如家庭生活、每日的生活經驗、學校故事、朋友、幽默、動物、童話改編、資訊書籍和玩具書。如果把重心放在改編，許多成人名著也可以繪本方式呈現。「和英」也嘗試把佛洛斯特的名詩《雪晚林邊歇馬》和楊喚的《春天在哪兒呀？》、《水果們的晚會》以繪本形式呈現。

在目前已出版的八十多冊繪本中，「和英」編輯採用「系列」方式出書，幾本書變成討論同一主題的系列書籍，讓讀者從不同繪本中，尋出不同的詮釋方式。目前包含了「成長」、「關懷」、「Think」、「Love」、「幼兒幽默圖畫書」和「我們的故事」六個系列，每本都能契合主題，形成連貫性明顯的叢書。

「關懷」系列的議題也多以當前社會的重大問題為主，如暴力、生死、性侵犯、遊民、流浪、狗孤兒收養等等。比照少年小說之分類，可把上述問題之作品歸類為「問題繪本」，但「問題」兩字似乎又太沉重。無可否認的，這些作品給讀者帶來某種程度的樂趣與關懷，但同時也間接教導讀者如何以關懷的心態去面對不同層次的社會問題。讀者不一定有能力去解決這些問題，但不逃避去面對。

三

雖然繪本強調圖文並茂，繪本研究可經由圖與文綜合或分別詮釋，但部分繪本卻屬於「無字」（wordless）作品。

詮釋這類作品時，當然必須完全借助「圖」來詮釋。「關懷」系列有幾本作品是這種類型，詮釋者必須仔細「閱讀」圖面，揣摩作者企圖表達之意涵，以自己逐頁閱讀的過程來加以詮釋。每個詮釋者無法避免「預存立場」的影響。換句話說，詮釋者先前的生活背景和閱讀經驗常常會左右其詮釋角度、理論應用和書寫方式。

儘管有人爭論無字書對於準備進入閱讀世界的小讀者是否有好處，但小讀者喜歡這種書卻是眾所皆知的。這種書使得兒童易於養成書是種喜悅來源的態度，使他們習慣從左至右的閱讀模式，回應圖畫所說的故事，隨著書頁的翻閱，引導他們連續動作的概念。評估這類書時，必須記住這類書是設計來鼓勵一種趨近閱讀態度，而非鼓勵閱讀。

圖文並茂的繪本另有詮釋的空間。圖文若是同一位作家的作品，當然十分理想，因為作者能夠盡情揮灑自己的理念，充分展現自己的造詣。一本繪本是兩位藝術作者的合作時，料想必定給經過一段相當時間的磨合階段，才能充分搭配，展現兩人都滿意（或能接受）的成品。「和英」出版的作品，上述兩種創作方式都有不論作者或繪者都能掌握故事主題，發揮自己的長處，給讀者滿意的文字與畫面，讓他們陶醉在閱讀的喜悅中，從而產生「移情」（empathy）作用。人溺己溺、人同此心、心同此理的關懷作用才能極度呈現。

四

繪本的主要功能還是離不開「提供樂趣、增進了解、獲得資訊」。仔細檢視「和英」這十三冊關懷系列，筆者發現，幾乎每本書都蘊含這三種功能，只是比例不一。「提供樂趣」方面，我們不妨設定在圖書層次、名家繪圖，即使表達的是沉重的故事，其色彩、色度、形狀等，同樣能提供相當多的閱讀樂趣，只是詮釋者要懂得如何去拿捏。例如《家族相簿》，其主題為兒童性侵害，但作者卻以小老鼠來代替兒童，再穿插老鼠的天敵貓，然而，故事的結局展現的卻是身邊親人的性侵害動作比貓更可怕。畫面敘述的鼠貓的屬性，讀者讀到的是人的世界中的可怕層面。畫者給予的畫面充分展示了某種趣味性。

「增進了解」應該是這組關懷系列最關心的功能。《再見，愛瑪奶奶》中的奶奶勇敢面對死亡，她的安祥與從容給後輩一個良好的示範，讓他們了解死亡是無法避免的，但要死得有尊嚴，必須仰賴後輩的協助。《陽光之家》可以協助了解照顧行動不便長者的問題，因為長輩的病倒，必須一個人住在「陽光之家」，導致的不是更進一步的疏離，反而是家中每分子能敞開心胸，以了解的態度接納對方。《小紙箱》和《流浪狗之歌》關懷的對象不分人狗、意義不凡。遊民成為現代都市中的一景，我們無法探知每個遊民的內心世界，但他們需要關懷卻是一致的。流浪狗的形成完全是擔任主人的人所造成的孽，愛則養之，不愛則棄之，愛與不愛沒有絕對的標準，但隨意丟棄寵物的動作卻給我們的生活環境造成不少困擾。

任何一本繪本的功能都不可能是單一的。詮釋者在細讀之後，通常都會找到可以佐證功能的圖與文。《爺爺的牆》

描繪父子倆參訪越戰紀念碑的經過。透過孩子的眼睛，讀者得到下面的訊息：我們之所以悲傷，是因為我們有愛。《開往遠方的列車》告訴讀者，過去的歷史上曾有不少孤兒有同樣的悲痛經驗。他們在列車上等待認養，像貨物般讓人挑選，沒有尊嚴可言。隨著火車的奔馳，沒被選上的孤兒心情之難受，絕非一般常人所能猜想，作品道盡人世間的冷暖。《挖土機年年作響——鄉村變了》由七張大開圖片所組成，沒有文字，紀錄的是一個小鄉村二十年間的變化。鄉村都市化是當代發生在地球上每個角落的共同現象，人如何自我調適也隨著變成一個重要課題。《不是我的錯》更直接挑明「何謂責任？」。孩子在學校與同儕相處，必須懂得去省思「責任」二字，因為世間發生的任何一件事，都跟每個人息息相關，誰也無法逃避。

五

熱愛閱讀的讀者在長期耽溺於書海後，必定會領悟到出版工作的重要性。從一本書就可約略看出一家出版社的選書品味和社會觀點。和英在出版八十幾本繪本後，累積出的厚度凸顯了其出版品的社會責任，值得讀者喝采，因為這些作品觸及了新世界的兒童觀，也斟酌了社會的發展觀。

二十一世紀的兒童觀不再認為兒童是未成熟的大人，而視兒童為一獨立個體，具有求知的能力和思考的頭腦，這些兒童都是世界的公民。在紛亂繁雜、是是非非的當代社會裡，如何使孩子免於偏見和歧視，是出版可以思考的方向。

「和英」在這方面已有了相當可觀的成就。換個角度，從社會的發展來說，繪本也可延伸出更敏銳的觸角，任何議題都可呈現，如同性戀、小媽媽、小爸爸、環保生態等，都有討論的空間。當然，社會需要出現更成熟的讀者，此類出版品才可能有一見天日的機會。

——《民生報》「少年兒童」，2004年12月19日、26日

交會的光芒
——2004年台東大學文學獎得獎作品總評

一

一九八八年設立的「台灣省兒童文學創作獎」隨著精省而結束。四五年來，幾乎很少有機會讀到短篇少年小說的作品，只剩下以中篇作品為徵選主軸的「九歌現代兒童文學獎」，孤孤單單地苦撐著狹隘的創作空間。有志創作短篇少年小說的新舊高手進入冬眠狀態（這樣的冬天似乎比王爾德筆下〈自私的巨人〉的花園裡的冬天還長了些！）由台東大學兒文所主辦的文學獎決定接棒，讓喜愛創作少年小說的人有一展身手的機會。

經過兩個多月的工作期間，初審、複審加上決審，幾位複決審委員終於選出十篇得獎作品。這些得獎者有的是老手，有的是青澀的新人。他們每個人都具備說故事的本領，用力使勁地敘述一段動人感人、闡揚人性的精采故事。

二

早期的少年小說以寫實居多，但動物小說、科幻小說難免融入幻想部分，寫實與幻想的表現手法早已模糊化。固然表現手法會影響作品的藝術性，但尋找最佳手法來呈現獨一無二的故事是作者的重責。原先我們期待這次的參賽作品會有不少幻想作品出現，然而實際比例並不高，結果，十篇得獎作品竟然全是寫實的。

這些作品關懷我們居住的這塊土地。每篇作品都觸及了當前社會的種種問題：單親家庭（〈代班〉)、農村敗落（〈青玉地〉)、家暴及性侵犯〈門〉、輟學〈少年八家將〉、媒體暴力〈驚爆內幕〉。另外親情、友情問題也是作品關注的焦點，如孫女與阿嬤（〈秘密〉)、父女（〈水燈〉)、好友（〈兄弟〉)、親兄弟（〈擁抱蔚藍天〉）和堂兄弟（〈終能如水流隨風低聲吟唱〉）之間的不凡互動與關愛。十篇故事以敏銳細膩的筆法刻畫了當前台灣這片土地上人們的生活實況，展現了充滿生命力的脈動。

〈代班〉意圖凸顯單親家庭的困境。敘述者「我」一直不知媽媽是如何辛苦工作，維持家計。等自己勉強去「代班」後，才知道生活之不易，才願意協助媽媽做完母子生活所仰賴的卑微工作。教育程度不高的媽媽只知道兒子「認真」看書，卻不知他看什麼書；做兒子也不太清楚自己為什麼要唸書。單純的孩子加上簡單的情節，卻自有一番韻味。

島上教育普及，但中輟生為數不少，有誰來關懷他們？〈少年八家將〉藉八家將之廟會活動，討論當前現實社會青少年的一些切身問題，嘗試去尋找某些解決方法。故事相當理想化，行文流暢，情節安排也合理。但細讀後，總覺得不夠圓滿。原來需要中長篇的篇幅才能述說完整的故事，勉強用七千字說完，讓人覺得頭重腳輕。結尾處近乎草率，不夠理想。

寫實作品任務之一在於忠實反映當前社會現實，〈兄弟〉展現的就是想藉黑面琵鷺、白鷺鷥這些需要保護的動物，加上利用網站販賣商品，點明台南地區人們如何在現實生活中浮沉，以求得三餐溫飽。故事不錯，文字運用也不差，但情節的串聯卻顯得牽強，使得全篇有些鬆散，十分可惜。

與〈兄弟〉同樣缺點的是〈擁抱蔚藍天〉。全篇以正面的書寫傳達了人必須面對現實的無奈，然而這種無奈有時一樣可化為另一種力量，來克服眼前的困境。故事簡單，敘述不夠嚴謹，雖然「水藍」和「天空藍」的說法頗有創意，但閱讀《天地一沙鷗》的說法又讓讀者不敢苟同。

〈青玉地〉作者透過小女孩的眼睛，舖陳了台灣農村的衰落。農作物收成欠佳，卻寄望於明牌，一心想發意外財。颱風淹沒瓜田，打爛香瓜，農夫無法與天抗爭，只得祈求神明，週遭的事物都看成明牌。作者並無意嘲笑農夫的愚昧，反而以一種憐憫包容的心態來反映農村實況。

三

無可否認的，親情在這次得獎作品中扮演了相當重要的角色。在〈秘密〉中，青青偶然發現阿嬤的晚年秘密，本能地反抗原先的既定觀念。實際上，她並沒有真正進入阿嬤難解的感情世界。她只是勉強在外圍兜圈子，不停地揣測，並在言行上直接排斥阿嬤。淡淡的言語傳達了老人的寂寞與頑固。

〈水燈〉是十篇作品中唯一說得上帶著奇幻味道的。戀家的父親鬼魂重回家門，竭力要照顧進入叛逆期的女兒，「他」不知自己早已不在人間，也不了解女兒與太太的哀傷。等水燈一放，方知自己已成鬼魂。戀棧凡世，紅塵未了，勾勒出陰陽之間的溝通。

〈終能如水流隨風低聲吟唱〉同樣具有鬼氣。愧疚的「我」不停敘述堂哥因他而冤死的經過，卻深信母親的懷孕，生下小弟，是來替代堂哥的。作者能細心掌握凡夫俗子的生活細節，一一娓娓道來，描繪「我」的贖罪心態，頗為不易。

〈驚爆內幕〉與〈門〉可歸類為問題小說。前者是作者以諷刺口吻嘲弄媒體氾濫成禍的實驗性作品。作者以多重敘述法刻畫現代女孩在媒體下的不幸遭遇。技巧不算十分成熟，敘述略顯生硬。比較可喜的是，全篇羅生門式的敘述，使得真相不易呈現，但批判媒體的濫權卻達成了。

〈門〉談的是當代媒體一再出現的家暴和性騷擾問題。長輩的殘暴妨礙了孩子的正常成長。作者用心設計十八道門，闡明父親的不正常角色。內容被形式遮蓋，明白暴露了現代家庭的一種特異危機。作者拋出了一個不易回答的社會問題，讓讀者去深思。

四

十篇作品雖各有千秋，但主要內容依然不脫青少年之成長與啟蒙經過。由於以寫實為主要筆法，不免讓人覺得大部分作者想像力雖非欠缺，但總感不足，這也就是造成其中多篇匆促結束的主因。從想像力到創造力之間的隔閡，間接設定了許多不利作家的障礙。

傳統的寫實並非不可取。有了好故事，首先要考慮要以何種筆法去說服讀者，緊跟著又得謹慎安排敘述者、時間、現實層面，留多少空間讓讀者去填補或叛離等枝節問題，然後細心描繪，舖陳出一個有效果、有聲有色、有戲劇衝突、精美而有魅力、有內涵、令人一再回味的故事，而不致於限於篇幅，結尾處草草結束，浪費了不錯的材料。

想像力之張翅高飛可以激發創造力。奇幻作品的內容可上天下海，海闊天空般的盡情揮灑一番。可惜的是，這次作品沒有奇幻作品，這也就是讓人覺得作品呈現的想像力相當薄弱的主因。作品又過度聚焦於青少年與長者的互動，青少年變成旁觀者，無法展現青少年的蓬勃朝氣和富於冒險的青春活力，只能藉死亡來展現敘述者對往事的追思。這樣輓歌式的素描只能偶而為之，並非是少年小說的唯一敘述基調，況且關懷的範疇也顯得過度狹窄。

幾乎任何作品都可找出不甚圓滿的地方。本土的少年小說創作仍然在起步中，等待有心創作的人去努力的空間依然十分寬廣。千萬不要看輕自己傲人的想像力。不妨多多接觸經典之作，從中汲取養分，以獨樹一格的方式，好好利用飛揚的想像力，創造自己的風格，為島上的群居生活留下記錄，或擬想構築美好的未來。

——《少年八家將》，《民生報》，2005年3月

兒童文學下鄉去

2003年六月下旬，由我負責籌辦，邀請了林文寶、楊茂秀、杜明城和許建崑四位老師，前往天人菊島——我的故鄉澎湖——講授兒童文學，來參加的國小老師相當多，反應熱烈。回台北後，一直在想自己還能替家鄉做些什麼。八月中旬，自掏腰包買了機票，又帶了四十本自己的導讀作品集《寫實與幻想》再一次回家鄉，再給家鄉有興趣把少年小說帶入課外閱讀的老師上了三節課，效果不錯。

十月中旬，我應宜蘭國民教育輔導團之邀，開始一季的少年小說講座，跟目前在國小擔任語文教學的老師，面對面仔細剖析作品，再研究如何與學生分享閱讀少年小說的喜悅。這些種子老師多半是語教系或中文系畢業，但在校就學期間，接觸現代文學作品不多，涉獵兒童文學作品更少。實際參與教學後，才發覺需要充電，所以發問情形相當熱烈。他們感覺不足，用心去探尋，相信會給小朋友帶來莫大的幫助。

十月下旬，我去高雄演講。先談臺灣兒童文學的演進，詳細介紹各種文類的出版情形，包括本土、大陸以及海外翻譯作品在臺灣的成長情形。然後又談到「從具象到抽象」，圖畫故事的功能、內容和應用問題，同時強調抽象的書寫文字的重要。我把重點放在圖畫故事與少年小說的互補與融合，還有這兩種文類的適讀年齡以及延續閱讀的問題。高雄系列演講也涉及國小英語教學，可見兒童文學與英語教學有結合的空間。

舉上面這三個我親自參與的例子，主要在於說明兒童文學在當前教學上的無限空間及其急迫性。這些年來，國內兒童文學發展蓬勃，也受到相當程度的重視，但推廣工作卻一直沒做好。舉個淺顯的例子來說，「好書大家讀」活動是個絕佳的樣本。主辦單位和協辦單位花了一筆不是很大數字的錢，邀請了不少專家學者參與評選工作，每年把評選出的好書編輯成冊，往相關的單位送。然而，推廣工作只能做到這一步，因為時間、金錢和精力已不容許再耗下去了。新聞局主辦的「中小學優良作品評審」活動也是同樣下場。上游、中游也沒問題，下游就是欠缺一股推動的力量，成效不大也是必然的。甚至連有關兒童文學學術研討會也被譏為「精英分子的拜拜」，因為撰寫論文的人絕少來自基層、參與實際教學的國小教師。

我提出「兒童文學下鄉去」的看法，是希望學有專長的專家學者能放下身段，在推廣工作方面加把勁，成為下游活動的一股強大力量。在大學課堂上講授兒童文學是件快樂的事，但真正影響的力量似乎不大，因為聽課的學生不見得將來會成為教授「兒童文學」的主力。相對的，目前站在基層教學崗位上的教師，才是我們應該更關心的人，因為他們是真正的傳播者，即使是現學現賣，也比不學來得好些。

——《民生報》「少年兒童」，2003年12月28日

回顧與展望

2003年十月，「九歌」出版了十二冊《中華現代文學大系——台灣一九八九～二〇〇三》，分評論、詩、戲劇、散文和小說五類。仔細翻閱，我看到了少年小說高手李潼的一篇成人小說〈相思月娘〉，與兒童文學有關的只有筆者的〈發現台灣人——試論李潼關於花蓮的三本成長小說〉這篇評論文字，心中感慨良多。兒童文學的本土創作如此不堪嗎？或者編者對兒童文學有成見？

兒童文學在台灣是邊緣文學，一直從事兒童文學工作者必定有這種感受。雖然成功大學台灣文學研究所目前正在編輯的《台灣文學辭典》，也把兒童文學列入，但我們可以大膽假設，將來所佔份量必定少之又少。報紙副刊很少刊登給青少年閱讀的作品，除了幾份專業報紙雜誌。最後，一些熱中於兒童文學創作的少數人，只好參加少數兒童文學獎，在夾縫中力爭上游，希望有朝一日能揚眉吐氣。

不論專家學者或家長教師都充分了解兒童閱讀的重要，在書坊或網路中也常看到童書的陳列和廣告，雖然不是很醒目。但童書似乎是階段性讀物，走出童年，也走出童書。這種告別式也未免殘忍了些，因為閱讀是一輩子的事，不可能經過啟蒙階段，邁入青澀成長青春後，就把從前種種的閱讀經驗從腦海中完全擦拭掉。如果真是如此，我們也只好哀嘆我們是「童年的消逝」的一群。這些都是半世紀台灣兒童文學發展中的奇特現象。

「好書大家讀」活動是一群不相信上述現象的傻子的共同志業。走入第十三年，雖然離開行「成年禮」還有些日子，但它畢竟是早慧性的，可以提早邁出家門，出外旅行。十三年來，這位在無數「父母」的呵護下，應該以是人模人樣了，應該可以放心到處漫遊，讓喜愛的家長教師把它介紹給自己的孩子認識，進一步暢談，成為終生好友。

「好書大家讀」選書過程之嚴謹，大家有目共睹，但辛苦選出好書卻推廣不出去，這也許就是兒童文學不受重視的主因。這幾年來，由於讀書會的盛行和種子教師營的成立，整個閱讀環境改善了不少，但距離理想尚遠。或許我們得集思廣益，構想出更好的閱讀策略，但不可忘記推廣閱讀的主要關鍵人物是家長與教師。如果家長和教師都熱愛閱讀，鼓勵孩童閱讀便是一件輕而易舉的事。我們同時也必須記得，社會中尚有一群社經地位不佳的弱勢家庭的孩子，更需要我們伸出援手。

翻閱「好書大家讀」指南，不免感慨本土作品太少。比起譯本、大陸作品，本土作品的量本來就不多，在不多的量中要找出質不錯，當然不容易。本土創作者的空間雖然不是很理想，但如果是品質優良的作品，還是會有人樂意協助出版。優秀作家的創作過程可能是相當寂寞的，但好的作品絕不會被忽略，蓄勢待發，總有出人頭地的時候。

——《民生報》「少年兒童」，2004年2月1日

作者、文本、出版者與讀者
——台灣少年小說現象

本土少年小說的演進

台灣少年小說的發展一向十分緩慢，而且往往被忽略了。在整個台灣文學的成長中，兒童文學一向被視為邊緣文學，少年小說這個文類不受重視，也是理所當然。但弔詭的是，兒童讀物在出版市場上所佔比率一直不低，出版社在爭取外國作品版權方面，甚至比成人作品更為激烈，尤其最近這幾年來，在少年小說和繪本方面最為顯著。出版社熱中重印經典與高價購買版權，主要是考量作品的質與銷路這兩大問題，本土少年小說也因此常常被犧牲了。

回顧本土少年小說的成長過程，我們不難發現，這項文類的歷史幾乎相當於台灣「少年小說獎」的演進史。從一九七四年創辦的「洪建全兒童文學創作獎」（1974～1988）開始萌芽，歷經「東方少年小說獎」（1976～1979）、「台灣省兒童文學創作獎」（1988～2001）、「幼獅青少年文學獎」（1998），到目前碩果僅存的「九歌現代兒童文學獎」（1992～），本土少年小說就在無數譯本和大陸作品的夾縫中苦苦掙扎著。上面提到的這些已成為過去或現存的獎項，給有志從事兒童文學創作的人，提供了不甚寬敞的創作空間。空間有限加上出版情形不樂觀，更使得創作者止步不前。因此，本土少年小說雖成長將近三十年，但作品的方向一直搖擺不定，不論短篇或中篇，說教成分依然不低，部分作品又趨向大眾化，如愛情故事（love romance）、校園趣事，整個質的提昇便顯得十分緩慢。如果我們以較嚴格的標準來檢視作品的質，會訝然發覺，真正值得以其文本作為學術研究的，嚴格地說，至今只有李潼一人的作品，其餘的作品多半只在文本敘述時，概略提及。

相對之下，大陸作家的作品在台灣市場就顯得十分蓬勃。儘管文字使用有落差，背景陌生，情節安排有相異之處，但不少作品深受歡迎，如曹文軒、張之路、沈石溪的作品。曹文軒的文革經驗、張之路的奇幻和沈石溪的動物小說是他們三者之間的重大區隔，但也因此各自展露特色，深獲小讀者喜愛，也成為撰寫論文的好文本，同時也給本土作家帶來不同程度的衝擊。面對競爭，本土作家雖想振作，但受限於出版空間與題材和表達方式，除了參加徵文競賽得獎，作品才有一見天日的機會。這幾年來，部分出版社開始接受本土作品的創作，但比例還是相當低。

譯本的風行

比起十年前，台灣出版的少年小說譯作，不論質或量，都相當可觀。出版社熱中印行的譯本，除了經典作品重印外，主要重心都放在各國大獎的得獎作品。得獎等於質的保證，沒有爭論餘地，但書中的風土民情並非均適合本地讀者閱讀。闡揚人性和提昇藝術性方面是譯本最值得稱讚之處，但如果出版社彼此爭取版權過分激烈，往往會產生不好的副作用。付出的版權費用過多，再加上彼岸的競爭，真是便宜了國外的出版社。一書二賣，何樂而不為？另一種版權之「爭」也是不宜。某家出版社買了一本好書的版權，卻因種種原因一直未出版，這等於間接謀殺了這本好書，因為出版社繼續付款，擁有優先權，其他出版社雖有意出價購買，也只能徒呼奈何。

出版社印製譯本還有另一種考量，希望這些譯本不受適讀年齡的限制。「少年小說」加上「少年」二字，不少出版社視之為重大忌諱，會影響銷路，因此，有介乎青少年與成人之間的作品，出版社使命名為「輕文學」、「酷文學」、「維特書坊」、「Flyer系列」、「大獎小說」、「create」、「大獎特選」、「heroine」、「青春閱讀」、「Mini & Max」等不同模糊的稱呼。除了幾家歷史悠久的出版社外，這些系列作品往往不加注音，以便與小五、小六和國中生為主要訴求對象的注音本有所區隔，而且加上「適合9～99歲大、小朋友閱讀的故事」的廣告詞。但「適讀年齡」往往是個沒有標準說法的概念。現代這些每日面對無數電子媒體和印刷媒體疲勞轟炸的青少年，早已少年老成，不是變成早慧型的，就是早熟型的，人世間的陰暗面早已接觸不少。換句話說，適合當代青少年閱讀的小說，只要是趣味性高，可當同儕溝通話題的作品，他們一定搶著閱讀。當然，小說這樣無聲無色的平面媒體，只要內容精采，再加上其他電子媒體的推波助瀾，閱讀群一定大增。《哈利・波特》（*Harry Potter*）和

《魔戒》（*The Lord of the Rings*）這兩冊系列作品的搶購熱潮，便是最好的說明。在電影和報紙的大力推介下，許多青少年都搶著先睹為快，誰會在意譯文不是很理想，字數過多，字型太小，行距過分密集呢？

只要有需求，少年小說譯本就會存在。不論經典作品重印或新書新譯，都給青少年帶來不同程度的文化衝擊。倡導多元文化在「地球村」空間裡是正確的。但如果由於過分重視外國譯本，而使得本土創作日見萎縮，則這種現象不能算是良好的文化交流。或許出版社必須從許多不同角度去評估得失、盈虧，然後再另做選擇。

寫實與幻想

少年小說可略分為寫實（realism）與幻想（fantasy）兩種。不論寫實或幻想，總是脫離不了以下的這些範圍：成長的坎坷、成長的見聞、成長的喜悅、成長的苦惱、成長的困惑、成長的得失等。作家截取成長過程的片段，編織題材，收縱凝融情思，以不同的悲喜表達手法，把一個典型的青少年成長過程，生靈活現地展現在讀者面前。

寫實與幻想各有不同的手法，遊走於不同的時空，均深具刺激想像力的作用。但實際上，當前中外的重要作品並非只有這兩種表達手法。作家為了融入冒險、懸疑的成分，常常融合寫實與幻想，描寫在現實世界遭遇困難或挫折的青少年，藉某種通道（channel），如書本、鏡子、暗門等，到另外一個時空的奇幻世界一遊，解決現實世界無法解決的問題，例如《說不完的故事》(*The Neverending Story*)、《湯姆的午夜花園》(*Tom' Midnight Garden*)、《神偷》(*Herr Der Diebe*)，《少年噶瑪蘭》等等。這些作品的少年主角穿越於不同時空，經歷現實世界欠缺的罕有刺激與考驗，學習如何自我調適，在奇幻之旅結束後，終能脫胎換骨，變成一位信心十足的孩子。

圖象世界的形塑間接刺激了幻想作品的盛行，青少年讀者耽溺於奇幻世界，可以暫時逃避現實世界的困擾，但這種逃避畢竟是短暫的，他們還是得回歸現實世界，面對挑戰。這也是六十年代後，「問題小說」(problem novels)盛行的主因之一。作家認為，作品不能一味塑造溫室或象牙塔，孩子終究得長大，得勇於面對困境。因此，描繪社會陰暗面的作品便紛紛問世，給成人與青少年某種警惕。問題少年小說的主題主要在於討論飆車、吸毒、嗑藥、幫派、自我認同、心理障礙、未婚懷孕、酗酒、父母離婚、同性戀、族群問題等。這些問題實際上是存在我們現實社會的某些角落裡，作家不應逃避不談。固然，我們不能期望作家在作品裡提出問題的同時，也提出解決的方法。事實上，作家往往沒有能力去解決任何問題，但是作家至少有責任把問題呈現出來，讓每位讀者了解這些是現存的社會現象，大家一起來思考，想出解決的辦法。就問題少年小說而言，國外作品遠勝於本土作品，例如《嗑藥》(*Junk*)、《我是乳酪》(*I Am the Cheese*)等。這些書的作者勇於揭發現實陰暗面，給讀者反思和檢視的機會。

改寫的困擾

兒童文學文類的演進中，少年小說可算是較遲的。不論中外，最早出現的少年小說幾乎都是成人小說的改寫本。負責改寫的人把原來作品的情節簡化，文字變得比較淺顯，故事結局雖非全部以大團圓作為基本模式，也盡量避免悲劇的收場，以免影響小讀者的閱讀心情。

少年小說的改寫本可略分為兩種。一種以成人經典作品的改寫，如《三國演義》、《西遊記》、《基度山恩仇記》、《格列佛遊記》等。另一種則為本身就是兒童讀物的改寫。目前在台灣出現改寫本以後者居多，不但有以純文字出現的少年小說版本，也有以繪本形式出現的名著改寫本，例如格林文化出版的「名著繪本」。

改寫本仍舊有原著的基本骨架，只是情節、文字都簡化了。改寫本有其空間，因為故事性仍然存在，一般小讀者可以從這些改寫本邁入文學大門，培養良好的閱讀習慣，熱愛文學。但我們不能期望翻閱改寫本的小讀者，將來會再細讀原著，除非未來是專攻文學系的。每個人有它的專業追求，不應苛責。只是改寫本還是應該維持相當水準，不能讓小讀者壞了胃口。

在舉國學習英語進入發燒狀態時，少年小說的出版或多或少也受到影響。坊間突然出現不少中英對照，適合青少年閱讀的外國名著。這類書籍以兩種方法處理。一種是不更動原著，直接譯為中文，以便讀者對照閱讀，藉勤讀名著以增強閱讀能力；另一種就算不上一種良好的改寫方式。談改寫，人們常會想到藍姆姐弟（Charles & Mary Lamb）以散文筆法合寫的《莎氏樂府本事》（*Tales from Shakespeare*）。這本書不僅維持了原著精神，在文字方面同樣有突破。國內一家出版社也嘗試改寫名著，但並非仿效藍姆姐弟的做法，請一位熟悉經典名著的外籍飽學之士，先用適當英文敘述，然後再譯成中文。相反地，出版社採取了一種非常奇特的迂迴方式，先由一位國內兒童文學的多產作家，把外國名著改寫成淺顯中文，再找懂得中文的外籍人士譯成英文。這樣的改寫方式實在難以苟同，但這類書的確存在著，甚至其中一二本是由本國人士負責英譯，難免讓人懷疑其中有多少是「中式英文」，讀者卻無法分辨。

少年小說的研究

這幾年來，國內研究所遽增，文學、語言、文化類的研究所增加不少。不少研究生以青少年小說為研究文本，其中又以台東大學兒童文學研究所居多。華文文本多集中在李潼、曹文軒、沈石溪、張之路四位作家的作品上。國外文本研究則成為「眾聲喧嘩」狀態。有的就國內現有譯本為主，以一位作家系列作品為研究範圍；有的設法找出不同作家作品中呈現的共同現象來詮釋，如生死、戰爭、父子關係、母女關係、文化現象等。外文程度較好的研究生，直接以原文文本為撰寫依據。一時之間，少年小說成為熱門貨。這種現象甚至還蔓延到其他相關研究所，如語文研究所、教育研究所、多元文化研究所、鄉土文化研究所、台灣文學研究所。研究生各取所需，找到自己想要的文本，融入專業知識，充分展現「科際整合」的精神。

嚴格說來，研究生應屬於「理想讀者」（ideal or idealized reader）。伊格頓（Terry Eagleton）說：「理想的讀者必須具備所有破解作品的重要專門知識，正確無疑地運用此一知識，並且不受任何干擾限制。」他們也應該是具有足夠的閱讀經驗，能把文學話語的各種特性——從最局部的技巧（比喻等等）到整個體裁等等——全部內在化了的讀者。但實際上，如果我們細讀以青少年小說為文本研究題材的諸篇論文，會發現這些研究生並非個個都是理想的讀者。他們多半是階段性借用少年小說文本，並非少年小說的熱愛者。往往論文寫完後，他們馬上恢復一般普通讀者的身分。這種現象在急功近利的現實環境下，一時不可能扭轉。因此，期盼出現以少年小說為終身研究志業的人，短期內不太容易實現。

專心研究少年小說的教師應是真正的「理想讀者」，但國內做這方面研究的多半是兼差型的，受邀撰稿或準備升等，才可能想到研究少年小說。因此，國內有關少年小說研究專著或譯著都相當少，這當然也涉及發表空間及出版機會。

幾點看法

「洪建全兒童文學創作獎」設立至今剛好三十年。少年小說在作者、出版社和讀者三者的有意或無意的努力下，表面上出現一片美景，但實際上仍有些問題有待克服。從長遠來看，本地作者可發揮的空間權掌控在自己身上。如果作者肯下工夫去汲取收納經典作品的長處，具有宏觀視野，能從往昔史事、眼前社會或未來想像擷取適當題材，化為精緻感人的文字，根本不需擔心出版之事。出版者在熱烈爭取國外大獎版權之餘，不妨回過頭尋覓國內可造之才，培養新秀，為少年小說寫作群注入新血。讀者當然要認真捧場，不論中外作品，都是可以抒解情思或提供樂趣的來源，讓自己成為有見解、有深度的讀者。唯有作者、出版者和讀者的共同努力，少年小說可有希望更加蓬勃發展。

創作者具備了書寫優秀作品的種種條件之後，寫作方向似乎也必須調整。寫實部分可以觸及現實問題，揭露社會陰暗面，寫成感人且深具震撼力的作品，但也無妨學習一些國外作家的寫作心態——單純說故事給孩子聽，不論是寫實或幻想。沉重的使命感固然需要，但作品也可以輕盈的羽翼出發，給孩子說些人世間歡樂的故事。畢竟，「提供樂趣」是擺在「增進了解」和「獲得資訊」之前的最基本、最重要的功能。

少年小說的閱讀不單單是作者和出版者的工作而已。一本好作品出版後，往往必須仰賴教師、家長或圖書館人員的大力推薦，才能萌生影響力。「閱讀運動」的倡導曾經是教育部的主流工作，但「人亡政亡」，換了部長，「閱讀運動」也就逐漸萎縮。在學術研討會或報章雜誌上談論閱讀，成果必然不彰。如果能借用大眾電子媒體的力量，或許這個運動還有起死回生的機會。

倡導閱讀運動是提昇國家競爭力的關鍵性工作之一。給兒童良好的讀物、良好的閱讀環境，讓他們及早養成終身閱讀的習慣是作者、出版者必須加把勁的工作，但這個工作的成效，最後還是決定於家長、師長和圖書館人員的配合程度。換句話說，讀者才是決定閱讀活動成效的關鍵人物。但我們不禁要問：讀者究竟在哪裡？

——《文訊》，222期，2004年4月，頁34～39

台灣少年小說怎麼走

「洪建全兒童文學創作獎」於一九七四年創辦，到今年剛好滿三十年。半甲子的台灣社會變遷（包括民主化、思想開放、經濟高度成長等），使得少年小說蓬勃發展，尤其近十年更是可觀。本土作品雖不是很多，但每年都在穩定增加中。比較令人擔心的是，不甚寬敞的少年小說創作空間正遭受譯本和大陸作品的壓縮。我們不敢想像，會不會未來有一天，本土作品全被外來作品所替代。儘管有這樣的憂慮，台灣少年小說依然會繼續往前邁進，我們期盼的是穩健前行，而非蹣跚獨行。針對當前的發展實況，本文嘗試提出幾個值得觀察與檢視的議題。

本土作家努力的方向

三十年來，在各類不同獎項的激勵下，出現了不少撰寫少年小說的人才，也先後寫出不少作品。但如果以較嚴苛的標準來檢視這些作品，常會覺得他們在手法、內涵方面，一直無法與外國作品一較高下，這也是譯本熱不退的主要原因。本土作家並非才情不夠，而是需要加強基本功夫。首先，必須要有寬廣的視野。世間的人事物都可寫成不朽的作品，但狹隘的視野卻往往謀殺了好的題材。因此，作家必須博覽各領域的書籍，並且大量閱讀世界經典之作，活絡自己的寫作筋骨。天生的才氣加上寬廣的視野，可以寫出幽默有趣又有深度的趣味作品，或寫出充滿想像與期盼的奇幻小說，也可以寫出人人關切的現實問題小說。

要寫出有深度的寫實作品，必須傾聽社會的脈動，關心周遭的變遷。優秀的作家從不擔心找不到好的題材，比較沒把握的是要以何種手法來呈現，才會充分展現作品的外延及內涵意義。青少年成長的坎坷、得失、喜悅、見聞、苦惱等，經過作家仔細的收錄、篩選、取樣、修飾後，都可寫成十分感人的作品。這類作品可以青少年為主角，創作重心以成長蛻變的過程為主；也可以青少年為主要觀察者，檢視周遭社會或親人之間的互動、而有所認同、洞察或頓悟。

奇幻或科幻作品，雖然幻想意味濃烈，還是有其基本限制，而不是無限膨脹，變成過度想像，故事骨架全靠幻術來支撐，而變成一齣幻術劇，失去其中心意義。正如動物小說可藉動物言行來反映人的現實社會實況，奇幻作品則可打破時空限制，讓主角穿越於過去、現在和未來之間，但故事的安排、角色的言行似乎仍然不應違反人性。

不論寫實或奇幻，都會觸及族群融合或文化變遷的主題。四百年來，台灣一直是個多元化的社會。多元化的結果使得寫作題材更為多樣化，作家可以發揮的空間也更加廣闊。芸芸眾生在這塊土地上如何掙扎度日、如何力爭上游、如何對抗大自然災難、抵禦外敵等的經過，都是很好的創作題材。作家當然也可放眼世界，勾勒未來宇宙的一切運作以及對人類的各種衝擊。如何充實自己，關心周遭的一切，運用豐富的想像力，並且化為創造力，寫出震撼力十足的優秀作品，是未來本土少年小說作家的責任。

譯者與譯作

回顧近十年的青少年小說，不難發現譯作所佔比例頗高，市場反應也不錯，主要是因為這些譯本多為出版國家的大獎作品。獎的肯定就是品質的保證，一時之間，大量譯作充斥市場。讀者可以選擇的作品多，間接提升了讀者的鑑賞能力，但也直接衝擊本來就相當萎縮的本土作品市場。但量多並不代表質好。出版者有權挑選作品，然而譯者的能力卻可決定譯文的質。

好的外文作品必須仰賴優秀的譯者才能達成良好的傳播功能，因此，譯者必須具備某些條件，中外文俱佳只是最基本的要求。語文能力加上豐富的文學知識是譯者不可或缺的。優秀的譯者必須對經典作品或名著相當熟悉，因為作品中常會有引經據典的部分文字。如果譯者閱讀作品不多，碰到原作者掉書袋的段落，常常不知如何譯成適當的中文，嚴重些甚至譯錯，誤導了讀者。譯者扮演了文化中介者角色的大任，不可不小心。

目前，國內的譯本可略分為寫實與奇幻兩大部分。問題小說一向是寫實作品的主流之一。作品主軸常論及青少年心酸及不快樂的日子，如虐待與忽略、同儕問題、父母離婚或酗酒對孩童的影響、藥物濫用、幫派、未婚懷孕、販毒、理想的幻滅及疏離、肢體與精神的殘障等。早先的譯本偏重前面幾個主題的探討，最近幾年卻集中於肢體與精神殘障方面的書寫，作品內容相當沉重，但實際觸及問題核心、讀者閱讀後，會一再思考現實社會的類似問題。這類作品極可能還是未來出版商選擇外文作品的主要方向。

奇幻小說原本在譯本中就佔了不低的比例，也有相當固定的大小讀者。《哈利·波特》和《魔戒》借用印刷與電子兩種媒介的力量，橫掃全世界，也間接帶動了奇幻小說的盛行。許多從前不易出版的好作品突然湧現，佔去不少出版的空間，開拓了青少年讀者的另一閱讀領域，考驗他們的幻想力和領悟力。這種市場轉移給譯者更多展露語文才華的機會，但同時也考驗譯者了解科幻知識的能力。

譯作可以直接催化本土作品的成長，這是任何人都無法否認的事實。如果以長遠的角度來看，本土創作、大陸作品和譯作是並行不悖的。出版商有其商業考量與經營理想，但如何使得譯本繼續維持高品質，又不傷及本土作品的成長，是一個值得出版者與編輯好好思考的問題。

評論者與評論工作

國內少年小說的評論者多半是業餘的，有人邀稿才會動筆。但評論者還是應該具備某些條件才能言之有物。稱職的評論者至少要擁有下面的幾個條件。

首先，評論者至少要能閱讀一種外文，因為擔任評論工作，難免要經常閱讀大量相關資料，汲取養分。雖然有許多學術專著，已由對岸譯者譯成中文，但直接擷取，總是感覺不一樣。期刊雜誌的譯文極少，更需直接閱讀。

其次，身為評論者，一定要熟悉經典作品。這裡所謂的經典，並非專指兒童文學，而是廣泛的文學作品。作品與作品之間必存著某種關聯，優秀作品也不例外，況且有些作品的適讀年齡層是跨越成人文學與兒童文學的。熟悉經典作品有助於拓寬視野，分辨作品優劣。

第三，評論的作品如果是少年小說，平常對少年小說就應該有些認識，也讀過不少作品。許多為報章雜誌撰寫評論或導讀的作者，平常只翻閱成人文學，極少涉獵兒童文學作品。固然評斷文學作品之優劣有其一定的尺度，但對少年小說不甚熟悉的人，其評論文字總是讓內行人覺得隔了一層。其他文類的評論工作亦是如此。

國內的文學評論一向採取「高高舉起，輕輕放下」的溫柔敦厚原則，與其說是評論，還不如說是導讀。有人說，導讀者是錦上添花、報喜不報憂的喜鵲；評論者是振聾發聵、不討人喜歡的烏鴉。細想之後，會發覺這種說法並不是十分妥當，因為評論與導讀常有相輔相成的功效。兒童文學需要導讀，但更需要真正的評論。入木三分的評論文字對於作家成長應該是有良好的正面功能。建立一套健全的評論標準是非常迫切的。

然而，評論工作往往是一種自由心證的過程。評論者面對作品，可以用一種角度或數種角度切入。他（她）可以作品功能（例如提供樂趣、增進了解、獲得資訊）或欣賞作用（例如認同、洞察、移情、頓悟和淨化）來檢視作品；他（她）也可以設計評量尺或評論量表（例如語言表達、敘述修辭、體裁組織、情節安排、人物塑造、提供趣味、增進了解、獲得資訊、文學本質和社會意識等項目），來表達主觀的看法，但必須具有合理的說服理由。評論原則雖然見仁見智，但依然有共識之處。

少年小說發展的隱憂

在討論過作家、譯者和評論者的種種之後，明眼人會看出，掌握書的生死大權的讀者被忽略了。接受美學或讀者反應論已經成為文學研究重要的一部分，但實際上，我們談到讀者，依然覺得十分陌生。以書的適讀年齡的認定為例，這件工作幾乎全由成人來決定，小讀者無置喙餘地，更說不上有沒有想到以適當的方式去測出當代青少年的看法。這就是當前少年小說發展的隱憂之一。事事由成人代庖，選出的書不見得就是青少年想看的，或者根本不想看。不要忘記，成人還可能是少年小說的主要讀者。

適讀年齡的認定變成無意義，也就間接說明少年小說並非由青少年獨享。許多成人現在不但看少年小說，也努力讀繪本。讀者群增多，當然不是壞事，但如果因為圖象世界日趨鮮明，造成名著繪本化、小說童話化，可能多少會給少年小說的創作與出版帶來一些直接的衝擊。

本土作品的萎縮，上述說法只是原因之一。大陸作品的質和量不能忽略，因為使用同一種語文，就免不了有了較勁的意味。大陸名家作品登陸，實際上給本土出版商和作家帶來不少刺激，只是這些刺激一直無法轉化成力量，優弱勢也沒改變，還可能繼續存在一段相當長的時間。

譯本的多元化、多樣化使得青少年讀者大開眼界，一下子也拉走不少大讀者。儘管多家出版商哀叫購買外文少年小說版權費用過高，封面還另議，但一本接著一本出版，可見銷售情形不惡。有市場就有競爭，這是天經地義的。擔心的是，版權費用在競標之下越來越高，只肥了原書出版商。一本書兩岸都買，何樂而不為？連封面價格都看漲，當然樂得等待更高的出價，賺取更多的鈔票。

從書店的書架看過去，排列整齊、封面五彩繽紛的精裝或平裝少年小說，表面上非常亮麗瀟灑，骨子裡是苦不堪言，因為國內市場不大，常看書、買書的就是那些人。然而，有些出版社依然堅持理想或社會責任，不計成本，繼續出版自己想出的作品，也因此我們可以繼續讀到優秀的新作品。儘管生存的空間不是很理想，但可以確定的是，不論大環境怎麼改變，少年小說還是會活下去，只是不知能否活得更好，有沒有機會活得更體面些？

少年小說應該討論的議題並不只限於上述的幾個而已，至少還有不少值得我們去正視、去詳述，例如獎項的評審機制和原則、名著的改寫問題、少年小說與英語教學的結合、少年小說的學術研究等等。然而，這些議題似乎可以稍後再細談，因為他們不如本文談到的這四個來得迫切、來得重要。

作家的認真創作、譯者的用心轉介、編輯的嚴格把關、讀者的熱心「悅」讀，造成當前台灣一股少年小說熱。這股熱情是否能夠延續，有賴於所有相關人士的通力合作。衷心盼望少年小說在台灣有更美好的未來。

——《國語日報》「兒童文學」，2004年4月4日、11日

「名著繪本化」與「少年小說童話化」
——少年小說漫談之一

近十年的台灣兒童文學文類中，就出版數量及閱讀人口而言，少年小說和繪本是最受一般讀者青睞的。這兩類作品廣受青少年及成人歡迎，成為許多兒童文學出版社之主要利基，影響之大也不可言喻。比起其他文類，少年小說和繪本的出版量不能說少，但其中本土作品所佔比例偏低，卻是令人相當擔心。

繪本成本製作高，是不爭的事實，但其內涵的深遠卻吸引了不少大小讀者。閱讀繪本現在已經不是孩子的專利，許多成人以閱讀漫畫的心情加入閱讀繪本的行列。因此，出版者也調整了繪本的內容，把許多名著繪本化，例如《繪本莎士比亞》就是借用藍姆姐弟的改寫本文字，加上名畫家的插畫，變成圖文並茂的新產品。不同年齡的讀者面對這種新文類，自有新的詮釋。

出版者把名著和名插畫家結合在一起，製作全新的青少年讀物—繪本，帶動了一種新的閱讀觀。但這並不是近三十年青少年文學的唯一變化而已。由於幻想文學的風行，少年小說不再自限於寫實主義的泥沼中。當前奇幻作品橫掃全世界，改變了世人的閱讀習慣。有人說，閱讀這類作品在於逃避現實世界的壓力；也有人說，奇幻作品觸動了讀者的想像力和創造力。不論何種說法，融合幻想和寫實的新書寫方式帶來的魅力，卻是不爭的事實。

「名著繪本化」與「少年小說童話化」是當代進入圖象世界的最佳寫照之一。這種趨勢是任何人都無法阻擋的，與其消極的抗拒，還不如適當的調適。有人認為把名著以繪本出現，等於矮化了名著，間接謀殺了名著。這種說法未免嚴重了些。既然名著禁得起時間的考驗，說不定繪本更可以擴大名著的閱讀群，帶動成人與青少年直接去閱讀原典。至於「少年小說童話化」破壞了文類的分野，更不是關心兒童發展的重點。現當代童話的演化一直不如少年小說活絡，不論研究者或讀者都把重心放在經典童話上（如格林童話、安徒生童話、王爾德童話再加上卡爾維諾整理的義大利童話）。如果「少年小說童話化」能間接觸發「童話少年小說化」，給童話帶來新的生機，未嘗不是關心兒童文學發展的人所樂見的。

從讀者立場來看，文類的區分並不是十分重要。他們關心的是作品的質（包括書寫手法、文學性和藝術性）是否能刺激他們的閱讀慾，給他們帶來某種程度的新樂趣。擔心文類的模糊化正如限定適讀年齡的高低一般的不合時宜。大小讀者每日睜開眼睛，便得接受不同電子或印刷媒體的「按摩」或「洗腦」，閱讀兒童文學作品只不過是其中極為少數的一部分而已。在這樣繁多媒體爭奪「閱聽人」的圖象世界裡，關心兒童文學成長的熱心人士，應該把重心放在作品質的改進上，至於文類的互動或雜交，就變得不是十分重要了。少年小說面對的並非挑戰，而是一種正面的推力，何懼之有？

——《民生報》「少年兒童」，2004年4月11日

名著的翻譯與改寫

——少年小說漫談之二

如果說台灣的少年小說是從改寫開始，絕大多數的人都不會反對，因為確實如此。四五十年代盛行的《學友》和《東方少年》兩本雜誌就刊登了不少名著改寫，例如《西遊記》、《水滸傳》、《基度山恩仇記》等，甚至會出現本土作家書寫的《可愛的仇人》這類作品的改寫。進入二十一世紀，「國語日報」重新印製了不少當年引以為傲的名著改寫本，如《柳林中的風聲》、《神秘的花園》、《黑色鬱金香》等。東方出版社也有許多細水長流的中外名著改寫本，這些都足以證明名著改寫本的生命期相當長，市場上也有此需要。

名著改寫本是帶領小讀者進入文學殿堂的利器。經由改寫本，小讀者大開眼界，沉迷於閱讀樂趣，極可能想進一步去閱讀原典。因此，名著改寫本的價值不低，也值得推廣。但當前台灣市場上的改寫本也有幾點令人擔心憂慮的地方。

由於許多經典名著已經成為公共財，因此同一本作品出現不同的改寫本，內容參差不齊。改寫當然必須維持原著精神，但部分改寫本已經成為重寫本，不但原著的情節被竄改，連書中的人物也可以隨便增減，有點像是影片為了商業賣點，隨意改變原著一般。或許有人會說，這樣的改寫是要適合本國小讀者的需要。但從某種角度來看，連維持原書基本架構都沒有的改寫本，已經失去改寫的意義，還不如另起書名，賦予新生命。

其次，由於國內正流行學習英語熱，因此，出版者也順水推舟，一時之間，書坊間出現了大批的名著中英對照本。這類書也略分為三類。一是主題為啟蒙和成長的名著對照本，如《少年維特的煩惱》等；一是原來在英美就被界定為少年讀物的對照本，例如《金銀島》、《格列佛遊記》、《海底歷險記》等。這兩類對照本忠實於原著，比較讓人不放心的是他們的譯文。沒有理想的譯文，說不定小讀者會懷疑名著的價值。

第三種改寫本最令人擔心、氣餒。這種改寫方式相當罕見。以本國語文改寫外國經典名著，文字變得淺顯，把不適合的地方刪節或改寫，都是可以接受的。但如果說先用中文改寫外國名著，只維持其故事架構，然後再找一個中英文程度不錯的人，把改寫後的中文，再譯成英文，這樣的中英文對照本，說服性究竟在哪裡，我們一時也弄不清楚。直接把英文名著譯為漂亮的中文，兩相對照，不是就給學子們相當良好的閱讀空間嗎？用中文把世界名著改寫一遍，然後再請人譯成跟原著一點關係都沒有的英文（只保留原來主角的名字和背景資料），不但讀不到原著裡的優美文字與意涵，說不定還可能誤讀，擔心遵循中文譯成的英文不是正確的英文。

人人都相信，藉由翻譯與改寫可以達成文化交流。但不論大小讀者最需要的還是良好的譯本和改寫本。目前台灣少年小說在這方面似乎問題還是相當多的，有待專家、譯者和改寫者好好思考一番。

——《民生報》「少年兒童」，2004年4月18日

來自彼岸的訊息
——少年小說漫談之三

談國內印行的華文小說，大陸作家的作品絕對不可忽略，因為台灣以繁體字出版的大陸作品，在整個市場佔了相當高的比例。實際上，曹文軒、沈石溪、張之路、陳丹燕和秦文君這幾位名家的作品，各有各的特色，各有不同的讀者群。

有人指出，曹文軒把個人的文革經驗充分反映在作品裡。這種看法當然是種觀察與檢視的角度，但他如何善加利用這種特殊時空，卻是其他作家萬萬不及他之處。不論《紅葫蘆》、《山羊不吃天堂草》、《草房子》、《紅瓦房》或《根鳥》，他總是娓娓道來、不慌不忙地為讀者剖析書中主角的心理轉折。也有人認為，他的作品裡，自傳色彩不低，常不知不覺中，將自己的往事融入，並努力在角色的形塑中，補足自己的不足。如果我們細心閱讀，不難發現，他所有作品的著墨重心都在「成長」二字，文中濃烈的自我成長經驗的映現，在所難免。不要忘記，曹文軒一直力倡「成長小說」。

對於國內絕大多數的大小讀者來說，沈石溪的動物小說像是一串絢爛奪目的珍珠，他帶領讀者進入一片蠻荒獸林，觀看人獸如何相處（《第七條獵狗》、《再被狐狸騙一次》）、母狼如何望子成龍（《狼王夢》）、馬戲班的群獸命運（《美女與雄獅》、《黑熊舞蹈家》）等。奇特的動物行為加上說書似的敘述，塑造了他心目中的動物世界。在他以動物替代人類的言語鋪陳裡，讀者應當能夠體會他的用心與專注，儘管不見得完全接受他的觀察角度。他的作品故事性強，充滿暴力，張揚「暴力美學」，似乎削弱了作品的文學性和藝術性。但小說敘述技巧常因作者而有所不同，傑出的作家常有其特殊的表達風格。青少年在領略他故事的樂趣後，總不忘說句：「那是故事啦！」暴力效果自然消退。

張之路主修理工，文字思考邏輯清晰，情節安排合理，雖是奇幻作品，讀者並不懷疑其故事的真實性。他以編劇本的方式來處理自己的幻想世界，但又能掌握現實世界中的實際。從《第三軍團》開始，我們不難發現他筆下書寫的是有情有義的血肉人物，這些堅守情義的人物是他最嚮往的角色。這種嚮往同樣出現在《空箱子》、《懲罰》、《蟬為誰鳴》、《非法正義》裡。他的科幻裡從來不忘記人性的闡揚與歌頌。他認為，儘管周遭世界變得如何惡劣，總會有正義之士出現，來維護公理與正義，這種意念直接牽動了讀者的好奇心。從他細筆編織的奇幻故事裡，讀者不僅獲得類似偵探小說般的冒險和懸疑滋味，同時還給他們某種關於成長的啟示。

陳丹燕的《一個女孩》記錄了文革中一位小女生的成長歷程。我們雖看不到書中有直接批判當政者的魯莽與荒謬之處，但隱約可感受書中急於傳達的令人哀痛心惜的訊息。秦文君以刻畫少男少女的故事而深受青少年歡迎，但不論《男生賈里》、《花樣的少女年華》、或《美麗的上海少女》的時空都限定於大都市中產階級子女的生活，讀者總覺得與自己生活隔了一層。

這幾位作家都走過文革，文革的種種經驗總是不知不覺從筆下滑出，形成特定時空的見證作品。閱讀這種作品時，「設身處地」的感覺必須排在第一位，才能融入作者的敘述時空。

——《民生報》「少年兒童」，2004年4月25日

加強與英語教學結合
——少年小說漫談之四

學習英語是當前擋不住的熱潮，但學習方向似乎偏了些，坊間教材幾乎都一味強調聽與說的重要，把教學重點放在簡單的會話和聽力練習上，而忽略了閱讀是學習外來文化最踏實的方法。千萬不要忘記，談話要有內容，必須經由大量閱讀。實際上，任何一種學科的探研，都需透過閱讀功夫。因此，國中小英語教學的教材，都可採用趣味性頗高的兒童文學作品。

把英文少年小說應用於小三、小四的教學上，難度深了些，可改藉戲劇方式呈現。參與角色扮演可以使學童融入劇情，深刻體會劇中人的喜、怒、哀、樂，也可拉進故事與觀眾的距離。舞台上下打成一片，語言學習的功能也在無形中釋出。這是一種彌補少年小說作品內容較深，一時不易進入閱讀，而利用戲劇表演來達成間接教學目的的妙方，可作為參考。無可否認的，在學習語言時，應用肢體語言必定比單純的利用目視、口說或耳聽去接觸印刷媒體或電子媒體，來得更貼切、更實用。只是教學者會比較辛苦，必須整個投入，才能發揮實際功效。

小五、小六可以採用描述同儕、師生、家庭成員互動的有趣故事，例如湯米・狄咆勒（Tomie dePaola）的《費茂大街26號》（*26 Fairmount Avenue*）、佩特莉霞・麥拉克倫

（Patricia MacLachlan）的《雲雀》（*Skylark*）和《又醜又高的莎拉》（*Sarah, Plain and Tall*）、羅爾德・達爾（Roald Dahl）的《神奇魔指》（*The Magic Finger*）、《喂咕嗚愛情咒》（*Esio Trot*），都是很好的教材。這幾本作品都是中英對照。如何避免學生只看中文部分，任課老師可能要針對實況，然後適當的調整教學方式。

直接使用文字淺顯的小說也是一種不錯的的方式，但內容一定要貼近讀者的實際生活。《0到10的情書》（*Secret Letters from 0 to 10*）的作者蘇西・摩根斯特恩（Susie Morgenstern）的另一本書《一本優待券》（*A Book of Coupons*）就是一本可以選用的書。一位即將退休的老老師面對一群陌生的六年級生，他自有他的收服學生手段。他先送每位學生一本優待券，讓他們盡情去做他們想做的事，當然其中有些事是走在校規邊緣。結果，深受學生歡迎，但頑固保守的女校長無法認同，逼他退休，他也就在接受全班學生送給他的一大張優待券——祝福他的退休生活快樂值得——瀟瀟灑灑的離開了。故事趣味性高，對話俏皮，寫盡了小學生的心聲，容易起共鳴。

英語名著的改寫本也是不錯的教材，可列入考慮，但改寫本的文字與內容是否適合國中小的程度，需要教學者好好斟酌。比較令人擔心的事，選擇的改寫本不理想，會不會影響小讀者未來接觸原著的意願。

英文少年小說融入國中小英語教學的空間相當大，但教材的選擇會決定教學的成敗，因此選擇教材變成是最重要的工作。

——《民生報》「少年兒童」，2004年5月2日

徜徉在童書世界裡

在邊緣擺盪的文學

在出版業哀嘆經營不易的今天，每年還是有不少精采的兒童文學作品問世。雖然如此，我們依舊不能說童書充斥整個出版市場，因為事實上，基於兒童文學是邊緣文學的緣故，童書一向被擺在書店裡非常不起眼的角落。但童書確實存在著，也確實影響了不少孩童的閱讀習慣，這是任何人都無法否認的事實。比較令人傷感的是，面對這種長期被忽略的文類，即使我們使盡混身解數，想深入去說夠明白，替它辯解一番，似乎也不是一件容易的事。

幾乎人人都有閱讀童書的經驗，只是多半感受不深。「曾經讀過」往往是代表讀得不多。量不多便容易遺忘，這是必然的。在暢談閱讀重要、如何加強閱讀風氣的今天，一般小讀者本來可以安下心來，好好接觸本地或國外作品的洗禮，好好享受閱讀的樂趣，進而增進了解這個廣闊世界的人事物，從中得到各種需要的資訊。但實際上，升學主義的長年猖獗，再加上家長對課外讀物的排斥，兒童文學作品之所以成為「視而不見」的讀物，是可以充分理解的。然而，儘管周遭的大環境似乎對童書的成長不甚有利，但閱讀的空間依舊存在，畢竟兒童文學作品還是有它的迷人之處。媽媽讀書會、媽媽故事協會在全省各地紛紛成立，便是最好的說明。

等待開發的文類

目前出現在市面上的童書，各種文類均有。兒歌、童詩、童謠所佔比例不高，閱讀人數也不多。童話新作少，現有該類書的出版以整理經典作品為主，有固定的銷售量。細水長流，童話還是永遠會存在的。《安徒生童話》、《格林童話》、《王爾德童話》會繼續有讀者，但新的選集如果不侷限於少數幾個國家，反而可能會有更好的銷售空間，例如名作家卡爾維諾（Italo Calvino）蒐集的《義大利童話集》和安德魯．蘭格（Andrew Lang）編著的《蘭格世界童話全集》（共十二冊），雖有部分深具互文性，但新的童話選集出現，暫且不深談其代表性與價值，還是有其出版的需要。多元社會需要開闊的胸襟，才不致於盲目排外。藉這些作品的陳述，小讀者可以了解「地球村」的風土民情，擴大視野。

繪本價格一直高居不下，因為成本高，但近幾年卻行情看好，因為圖文並茂的畫面十分適合親子閱讀，因此，繪本有一定的市場。經濟成長到某種程度，繪本的需求量也跟著成長。可惜的是，本土作品不多，譯本所佔比例幾乎達四分之三的出版量。這種文類閱讀並非小讀者的專利，許多成人也同樣參與閱讀，嘗試藉這種以圖象取勝的作品與孩子溝通。

另一種銷售量較大的的文類是少年小說。不論是純粹的寫實作品或幻想作品，也不論是寫實結合幻想，都有一定的銷售量。與繪本一樣，少年小說的本土作品不多，譯本充斥書坊，再加上彼岸華文作家的競爭，更使得本土作品的創作量逐漸萎縮，這是一種令人憂心的實情。

少年小說的主題不再拘束於說教。現當代作品所勾勒的盡是發生在我們周遭的當代問題：單親家庭、吸毒、酗酒、飆車、父母離婚等。少年小說不再躲在說教的保護傘下無病呻吟，終於認真思考小讀者面臨的各種現實問題，甚至於深入探討死亡問題，因為好的故事必定會向讀者解釋：死亡是生命必經的過程，不必畏懼。這種開放的態度更加速了少年小說的蓬勃發展。

各種類型的作品活絡了台灣兒童文學出版界的命脈。然而，書本身原本是沒有生命的，它靜待讀者的翻閱，賦予它生命。它會以它的豐富繁複的內涵滋養讀者的貧瘠心靈。閱讀因此成為一件當前極為重要的希望工程，極需相關人士的熱心參與。

從具象到抽象

如何激發小讀者熱中閱讀是鼓勵閱讀最重要的步驟。每個年齡層的人自有不同的閱讀思考模式。兒童是個獨立的個體，而不再是成人的附屬物。在閱讀方面，我們同樣要尊重兒童的抉擇。縱使大人擁有購買權，但也不能因此強迫孩子一定要閱讀哪些書，不可以閱讀哪些書。大人只能扮演勸導的角色，在圖書的選擇方面，做適度的引導。

大人要扮演好引導者的角色，先決條件是自己需要心理重建。要孩子讀書，自己要先讀書，扮演典範。自己不讀書，卻要求孩子讀書，效果必定事倍功半。大人不讀書，自然沒有資格要求孩子讀書。等讀書蔚成風氣，自然不需要強調閱讀的重要。這裡所謂的「大人」，包括父母、師長、兄姐等。這些日夜與孩子共處的人，要樹立榜樣，作為孩子模仿的好對象。

讀書是一輩子的工作。開啟了讀書的大門後，如何引導孩子終身喜愛閱讀便成為大人們極需費心思考的工作。面對無數的優良童書，家長與師長可能一時之間不知如何去做抉擇。適讀年齡是種標準，但每個孩子的成長並不是規格化或框框化，始終一成不變的。孩子自有不同的閱讀傾向，大人要懂得了解孩子的學習心理。在孩子識字不多的年齡裡（0～10歲），繪本可能是帶領孩子進入閱讀世界的最佳工具，親子閱讀成為鼓勵的起步，讓孩子因熟習而喜愛，終身不忘。

然而圖文並重的繪本畢竟是偏重具象的呈現。色彩和線條構成的畫面是直接的，給讀者思考的空間遠不如偏重文字的抽象應用。圖像的刺激是階段性的，孩子終究有一天會變成大人。成人世界的溝通多數必須仰賴抽象文字的敘述。透過文字的呈現，讀者腦海中會自然形成一幅幅有關聯的畫面，拼湊成有意義的段落。因為每位讀者的過去學習經驗不盡相同，因此，對文字的了解程度也就不可能一致。讀者反應說隨之登場，不論讀者填補或叛離原來作者的原意，都是良好閱讀帶來的效果。閱讀空間變得無限大，讀者的想像力自然擴大，創造力在不斷刺激下，會變成活潑有勁。

從具象轉到抽象，自然需要一段時間去調適。具象的美麗圖象讓我們時而活在現實世界裡，時而奔馳於具體化的幻想世界中，思考如何去結合二者，面對人生的種種挑戰。抽象的文字則讓我們回歸到頭腦需要充分激盪的幻想空間裡。現實與幻想在生活中並存，缺一不可，藉由現實去促動幻想似乎是件不可能達成的工作；藉由幻想來改變現實卻是一場眾所公認、確實可以實現的美夢。閱讀具象圖像或抽象文字拓寬了我們原本狹隘的視野，充實了我們一向平凡的人生。

——《公訓報導》，雙月刊，113期，2004年12月

以作品反映真性情的作家
——了解安徒生的另一種角度

一

在兒童文學中，童話是相當奇特的文類，對孩子大人同樣具有充實人生與安撫心靈的作用。孩子可從童話得知更多的人的內心問題，並且進一步尋找解決困境的方法。誠如童話學者布魯諾（Bruno Bettelheim）所言：「孩子經由童話可以找到（人生）意義。」這裡所謂的意義範疇當然十分廣泛。然而，即使是一百種不同文化的童話也會共同擁有恆久與普遍的人性。每篇作品都是有關人的，有關人如何在不同的挑戰性情境中做種種不同的反應。換句話說，童話中的角色展示的就是人性的多種層面。安徒生的作品也不例外。

安徒生童話已被翻成一百種語言，翻譯量僅次於《聖經》和莎士比亞作品。他的作品以不同型式一再重述，已成為公共財的一部分。一些次要作家曾挪用或改寫他的作品，視之為真實的民間材料。

與蒐集、記錄一般故事的格林兄弟相較，安徒生書寫自己的「民間」故事，採用選自他童年回憶中的故事和意象。他的雙親、祖母、故鄉長者以童話和神話充實他的童年。他同時借用丹麥歷史和外國文學的主題，但他的作品與聲望反映了他把個人經驗轉化為傳說材料的非凡想像力和寫作能力。

安徒生最早想成為演員與劇作家的願望從未達成。他甚至認為他的童話創作是種時間浪費，雖然他還是以童話創作出名。他渴望得到哥本哈根文學圈和社交圈的認同，但一直未能如願。

他喜愛跟孩子說故事，但討厭只擁有童書作家的名望。他的故事探索人類的靈魂，並且處理其複雜之處。他出身卑微，卻力爭上游，並盼望成為當時的名作家。他渴望愛情與婚姻，但終其一生未能實現。他刻畫了政治與社會的變遷。那是一個目睹科技逐漸掌控現實生活的年代：平靜單調的世界被工業革命改變了。在許多他的故事裡，安徒生捕捉到被人遺忘的舊社會和動亂不堪的新社會的點點滴滴。他在一些作品中，說出無產階級對當時政治和社會的憤怒。雖然他熱愛偉大作家的頭銜，他依舊保留了無產階級的意識。

二

傳統上，安徒生的作品和個性被視之為自然、孩子氣、敏感。當時社會的精英份子、作家和文人學者都認為他是具備敏感稟賦的天才，但缺少了小說和戲劇這類更為宏偉的史詩型文類的寬廣視野。他的偉大傑作是童話，但讀者不應忽視他在其他文類的作品。他同時是位不平凡的詩人，尤其他的詩和遊歷記實作品融入了與其童話同樣新穎與令人訝異的現代語言和思想。

安徒生說：「大部分我的作品是我自己一種投射。」他童話中的角色不同於傳統童話，經常投射他的性格，其中以〈醜小鴨〉最為明顯，整篇作品觸及了人類共同的感情。無可否認的，他的童話呈現了生活的酸楚面與黑暗面。他對讀故事給孩子聽的成人一直有這種期待，希望他們能把這些訊息傳達給孩子。當然，這種書寫方式也受到質疑。

即使安徒生在作品裡展露了他對現實社會的失望與傷心，然而，在自己身上，他也能看到人類自認幽默的部分。他是個偉大的說書人，但並不是一位友善的、討人喜愛的、情緒上天真的、深受孩子喜歡的作家。他的最佳作品經常語中帶刺，深具黑色幽默，時時深入探討與我們共存的道德和存在的議題。

一般人除了認為安徒生是位純樸天真的作家之外，又批評他以自己的生活作為寫作材料，寫出主觀私己的作品，沒有把個人生活客觀的化為普遍性。這種觀念的結果導致一種根深蒂固的慣例：以傳記式來閱讀他的作品。然而，以傳記觀點來評斷安徒生只會把偉大且具挑戰性的文學簡化為個案紀錄。如果單純把〈夜鶯〉視之為安徒生對某位歌唱家的熱情展現，那是一件很可惜的事。我們不應忽視這篇作品中談到的藝術、愛、大自然、生存、生命和死亡等問題，更不用提到作者如何以獨特優美新穎的手法來處理上述這些議題了。安徒生的作品是偉大的，但習慣上評論家總是設法使他們看起來微小。

跟典型的童話不同的是，許多他的作品沒有快樂的結局。雖然他從寫作中最後得到眾人的喝采和舒適的物質享受，他依舊把親身遭受和目睹的艱苦一一寫入作品裡。同時，安徒生在不少作品中談到藝術家在社會的地位和藝術的功能。一些最難懂的作品則專注於他與自己生涯和他的讀者之間的複雜關係。

許多他的童話頗有道學家之風，其他的又深具基督教情懷。然而他始終維持一種淘氣感：人的倫理標準並非永遠是最高的，不但可以用道德規勸來處理，也可以用幽默手法展現。另外，一些作品也呈示了他對寫作和想像力的看法。

三

安徒生一輩子寫了一百七十幾篇童話，但人們比較耳熟能詳的是〈小伊達的花兒〉、〈醜小鴨〉、〈小美人魚〉、〈皇帝的新裝〉、〈夜鶯〉、〈小克勞斯和大克勞斯〉、〈賣火柴的小姑娘〉、〈野天鵝〉、〈身影〉、〈雲杉〉、〈拇指姑娘〉等。雖然部分作品語帶嘲諷，但安徒生常以獨特的幽默感來處理主題，筆下嚴肅又不乏感情，縱使有不少評論對他的作品頗有意見，但誰也不能否認安徒生在童話創作世界的貢獻。他作品中許許多多令人難忘的角色將永存於世世代代的兒童記憶中。

——《國語日報》「兒童文學」，2005年3月

在兒童文學作品裡尋寶

從去年九月起，我參加國立編譯館國小語文教科書審查工作，仔細閱讀各家出版社送審的教本、習作和教師手冊，收穫頗多。為了提昇下一代的語文程度，各種版本的編輯群都十分用心，教材內容力求周延。唯一美中不足的是選文不甚理想，尤其由編輯親自撰文的部分，可能由於時間倉促，總是一再被要求更換。我一直百思不解，為何要捨棄中外兒童文學的經典作品呢？這些經歲月嚴峻考驗、膾炙人口的作品可以揮灑的空間不知有多大！這本書選用安徒生童話中的幾篇故事做為教案資料，便是理想的實例。

這本書是「青林國際出版公司」公開徵求在第一線的國小教師利用安徒生經典作品編成教案，再從眾多來稿中選擇較優數篇整理而成。我從事語文教學和研究兒童文學多年，接觸到這樣的一本書，覺得它相當創新，內容新穎實用，頗具參考價值，可以實際應用在課堂上。

這些由熱忱的年輕教師編製的教案，選用老少耳熟能詳的作品：〈國王的新衣〉、〈醜小鴨〉、〈野天鵝〉、〈賣火柴的小女孩〉、〈豌豆公主〉和〈豆莢裡的五顆豌豆〉等六篇，從不同層面切入，編成相關的教案。每個教案均不忘先介紹安徒生的生平及作品，然後再就作品的特性，製作成適用的教案。

以童話編成的教案，當然最適合語文學習領域，但每篇故事另有其他意涵，可編為其他領域的教案資料。這幾位老師揮灑巧思，充分利用各篇作品的多層面向，例如〈國王的新衣〉中的虛榮心、事物的真假外，並涉及社會詐財；〈醜小鴨〉談到自我探索、與人溝通、關懷別人、審美情感、生命教育等，並且可直接編劇，使用到英語教學；〈賣火柴的小女孩》可應用在小二的數學教學，同時替小女孩設想還有哪些東西可賣等；〈野天鵝〉除了強調主角的耐心和毅力外，並凸顯親情的重要；〈豌豆公主〉和〈豆莢裡的五顆豌豆〉可轉化為植物教學，談蔬果營養價值，並由學生自編菜單。教學層面不是只由老師掌控，而是讓學生積極參與，從實際生活與操作中，得到不同程度的啟示。

由於社會的多元化，教學活動設計已從單一轉為統整，科際整合成為當前各級學校的重心。這些教案資料的編排包括了語文（含英語）、自然與生活科技、藝術與人文、健康與體育、社會、數學以及綜合活動，並且要求學生親自參加相關活動，充分發揮教與學的最大功能，影響層面之大無法估計。這本書展示了日後教案資料的新方向：從兒童文學作品中擷取精華，汲取營養，展現課程統整的新內涵。

——《安徒生童話創意教學》，台北：青林，2005年4月

輯三　專文

苦難的試煉
——大陸新時期小說中的成長經驗

前　言

大陸文革後新時期文學的內容十分紛繁複雜，連稱呼也琳瑯滿目。文藝評論者常把內容或表達方式相近的作品加以歸納，賦予某種新的稱呼，以便研究。冠上「文學」二字者，就有「暴露文學」、「傷痕文學」、「覺醒文學」、「廢墟文學」、「新寫實主義文學」、「反思文學」、「尋根文學」、「先鋒派文學」、「軍事文學」、「改革文學」、「城市文學」、「鄉村文學」、「通俗文學」、「新潮文學」、「女性文學」等等說法，其中以「傷痕」、「反思」、「尋根」與「先鋒派」最為常見。以小說作品實際內容為基準的分法更為繁雜，計有「傷痕小說」、「反思小說」、「尋根小說」、「知青小說」、「軍旅小說」、「世俗小說」、「先鋒小說」、「紀實小說」、「探索小說」、「意識流小說」、「實驗小說」、「結構主義小說」、「新潮小說」、「京味小說」、「風俗味小說」、「戰爭小說」、「新寫實主義小說」、「後新潮小說」、「大反響小說」、「市井小說」、「婚戀小說」等等，一時之間百花齊放，百鳥爭鳴。論者與編輯往往懷有強烈的主見，或憑一時之喜惡，給某些作品冠上一個新的名稱。結果，同樣一篇作品常常出現在不同名稱的選集中。實際上，只有「傷痕」、「反思」、「尋根」、「新潮」、「世俗」及「新寫實主義」這幾種說法較為多人所接受。

上述這些名稱均以時間先後或作品內容表現手法為分類根據，本文探討方向嘗試另一種觀照角度，預備以研究部分作品中主角的成長經驗為主。換句話說，有些作品中不乏成長小說的意涵，值得深入討論。本文將先說明成長與啟蒙的意義、成長小說的範疇，然後以新時期小說中的實例細論作品中的成長經驗，結語部分約略比較中西和兩岸成長小說的異同。

成長與啓蒙

小說作者通常思考細膩敏銳，觀察入微，對人性的了解比一般人深入用心。他們洞察人的成長是件痛苦的事，因為成長的條件之一就是要「認識世界」。一般人的童稚世界總是歡樂多於悲苦，但人無法拒絕成長，總得嘗試去認識更廣闊的世界。然而認識的結果往往是種不愉快的經驗，因為我們發覺，這世界的真相與我們期盼的經常並不一致，我們的力量又這般薄弱，對真相世界的一切常常是無奈又無能為力的。描繪一個人如何在挫折中認識真實世界，在酸楚中蛻變成長的過程的故事，就可以稱之為「啟蒙故事」。這類故事「通常是指故事中的青少年主角在很短的期間內，遇到一個重大的生命上的抉擇、存在的危機，或者遇到一系列的事件，這些遭遇，使得青少年在事後，對自己、對人生、對世界，有一分新的認知、頓悟，將來進入社會後，可以成為一個比較成熟的人。」[1]這種認知、頓悟的過程有如人類學裡的各種成年禮儀或社會學裡秘密幫會的儀式。換句話說，故事中主角認知、頓悟的過程就像參加了一個為他〔她〕舉行的「啟蒙儀式」(initiation)。經過這些儀式的洗禮，他〔她〕便正式成為人類社會的成員，進而對人生的奧祕有更深一層的領會，有自己的思想和主張，不再完全受他人或社會環境所左右。余華的〈十八歲出門遠行〉裡「我」的遭遇便是最好的例子。

對於啟蒙的功能，佩克（David Peck）的一段話可作為補充說明。他說：

> 啓蒙在人的發展中是一種基本的過程，因爲啓蒙使我們離開童年受保護與理想的世界，進入眞實和經常令人沮喪的成人世界。在成人世界中，覺醒與失望是很普遍的。我們在啓蒙過程中發現我們的童年幻想多麼有限。經由啓蒙過程，我們確實認清那些是我們能像成人一樣達成的目標，那些是我們應該拋棄的價值和行爲模式。[2]

1 這段話是鄭樹森教授在「世界華文成長小說」徵文決審會議上引用新批評學者提出的「啓蒙短篇」小說的觀念。參閱〈尋找書寫的潛力和脈絡——「世界華文成長小說」徵文決審會議記錄〉，見收於《幼獅文藝》(510期，1996年6月)，頁8。

2 David Peck, *Novel Of Initiation: A Guidebook for Teaching Adolescents*（N. Y: Teachers College Press, 1989）. Introduction xix.

啟蒙故事也是一種「成長故事」(growing-up or rite-of-passage stories)。成長故事是指有關於從兒童成長為成人時所遭遇的考驗與試煉的故事。過去人們相信童年是天真純潔、無憂無慮的。隨著社會科學與醫學的快速發展，現代人們越來越相信童年的經驗並不是完美無缺。兒童遲早必須成長，變成大人。童年是無法停頓的，它只是人生中的一個必經的過程。生命永遠不斷成長、不斷發展、不斷走向成熟，這種現象在青少年時期更為明顯。然而，啟蒙並非青少年的專利。佩克指出：「啟蒙不限於青少年，因為我們整個人生繼續經歷變化的過程。」[3]他並以《老人與海》和《李爾王》為例，說明啟蒙與成長是每個正常人一生必經之路。

就題材來細分，成長小說脫離不了以下的這些範圍：成長的坎坷、成長的見聞、成長的喜悅、成長的苦惱、成長的困惑、成長的得失等等。透過這些題材的編織，作家以不同的悲喜表達手法，情思收縱凝融，把一個典型的角色成長過程，生靈活現地展現給讀者。

成長小說的範疇

廣義地說，成長小說是一種「處理年輕人發展的小說。」通常由青少年期至成年為止，經常帶有自傳性質。[4]

---

3 Ibid., Introduction xx.

4 C. Hugh Holman & Harmon William, *A Handbook to Literature*, 6th ed.(N.Y.: Macmillan,1992), p. 53.

德國哲學家德爾西（Wilhelm Dilthey）認為，成長小說主要檢視個人生命發展過程中的各個時期。每一個時期皆有其意義，並成為更高層次發展之基礎。生命中的不和與衝突只是個人進入最終成熟及和諧的必經之點。依此模式，人生僅是一連串力爭上游的見習生涯（apprenticeship），其最終目的則是訓練出有知識的社會中堅分子。[5]如果就其起源來說，西方文學應該是指十八世紀出現在德國的「教育小說」（Bildungsroman 或 educational novels）。廖咸浩說：「西方所謂的『成長小說』原指具有『關於有「成長意義」的成長經驗之描述』。換言之，即使描述成長，但主角在最後若沒有心理上的『成長』，還不能算真正的成長小說。」他接著說：「我個人傾向於把任何『描述成長經驗的小說』都列入成長小說的範疇，而且事實上，成長小說有一大部分都有強烈的『反成長』取向。不過，我們感興趣的並不是單純『描述成長經驗的小說』，而是必須能形成問題意識（problematic）的小說。也就是說，西方狹義的『成長小說』中『提出問題』——能對既有體制提出質疑——這個成分必須保留，但『找到答案』這個成分則未必一定有。」[6]由此看來，成長小說依然遵循一般小說書寫的原則——作家在作品中提出問題，但一定能不找到答案或給予答案。至於女性成長小說方面，馮品佳說：「在討論女性成長小說的專書《航向內在》

5 轉引自馮品佳，〈華美成長小說〉，《幼獅文藝》(510 期，1996 年 6 月)，頁 85。

6 廖咸浩，〈有情與無情之間——中西成長小說的流變〉，《幼獅文藝》(511 期，1996 年 7 月)，頁 81。

（*The Voyage In*）中，編者們指出女性成長小說有兩種基本敘事形式：一是敘述從小到大成長受教的過程，與男人成長小說相仿；一是覺醒式（awakening）的敘事，多半發生在女主角已超過『年輕』的階段，而且往往強調於短暫的一刻而產生的自我體驗。女性主義批評家對於成長小說之所以特感興趣，正因為成長小說強調外在環境的壓制、性格改變及成熟過程中所必經之失望、以及個人抉擇所可能造成的影響等主題，對於試圖喚醒自我意識、界定自我認同的現代女性而言深具意義。」[7]由上述這些說法來看，我們發現成長小說的討論空間相當大，如自我意識的喚醒、自我認同的界定、自主意識的建立等，但我們暫且不論這類小說的思想背景與演進過程，先借用它的分化支流來詮釋新時期小說，可能更為適當。楊照把 Bildungsroman 的支流一分為三：「一個支流是保留了成長過程中對舊有規約的反叛、不安，可是卻少掉了正面『成長』的結果結論。於是小說忠實、甚至熱情地表達少年的困惑、憤怒、迷惘與沮喪，可是卻提不出一個超越這一切『完整成長』的答案或結論。……第二種變形是將 Bildungsroman 的規模大幅縮小，不再講求完整的教育過程，不必交代少年經驗的起點與終點，也不必隱含一套了不起的文明論在小說背後，而是擷取少年成長中若干特殊的事件，靈光乍現地給予少年深遠開悟啟示，讓他突然領會到成人世界一些或神聖或汙穢，因太神聖或太污穢而無法明言

7　馮品佳，〈華美成長小說〉，《幼獅文藝》（510 期，1996 年 6 月），頁 85 ～ 86。

明說的事物。……第三大類型則是將教育、啟蒙的經驗，予以範限，不再是談所有人的教育、成長，而是專注地挖掘藝術家的少年經歷，用藝術家特殊的早熟敏感，來閱讀僵化、荒謬、庸俗的成人社會環境。」[8]從實際作品來看，第三大類型的作品較少。藉由這三種支流來剖析新時期小說中的成長經驗，整個閱讀視野將會豁然開朗，對文革前後的青少年的心理世界會有進一步的認識。用實際作品來印證上述這些專家的說法，我們可發現新時期小說中的成長經驗，在許多方面頗為契合。

新時期小說中的成長經驗

㈠ 成長故事的起步

探討新時期小說中的成長經驗，不妨分成幾個時期，因為隨著政治環境的演變、尺度的寬窄，作品中呈現的批判口吻、揭發的荒謬程度截然不同，文革結束後不久的作品，盡是如此。首先，我們絕不能漏掉劉心〈班主任〉，作品本身依然隱含為政治服務的舊公式，但他提及的當時青少年成長事實經驗，卻令人玩味。作者塑造了正反兩個人物，正面人物是謝惠敏，她被「四人幫」看中，欲加培養，在當時那種特殊環境條件下，她對事物的看法自然與別人不同：「在謝惠敏心目中，早已形成一種鐵的邏輯，那就是凡不是書店出

8　楊照，〈啓蒙的驚述與傷痕——當代台灣成長小說中的悲劇傾向〉，《幼獅文藝》（511期，1996年7月），頁90～91。

售的、圖書館外借的書，全是黑書、黃書。」她看同班同學石紅穿戴小碎花的短袖襯衫，和帶摺子的短裙，認為是「沾染了資產階級作風。」宋寶琦是反面人物，因集體犯罪被拘留，由於徹底坦白交代，又獲得釋放。他生活於奇特的環境中，思想自然與別人不同：「……從他懂事的時候起，一切的專門家——科學家、工程師、作家、教授……幾乎都被林賊、『四人幫』打成了『臭老九』，論排行，他們似乎還在他們流氓之下，對他來說，何羨慕之有？有何奮鬥而求知的必要？」意識形態的作祟加上價值觀念的扭曲，謝惠敏和宋寶琦的成長經驗是非常特殊的。

青少年成長階段極需親情的撫慰，然而我們在初期讀到的常常都是親情瀕臨滅絕的作品。〈傷痕〉（盧新華）中的王曉華為了「前途」，不得不與母親「劃清界線」，遠走遼寧鄉下落戶，希望能創造個人的前途。但是，她像其他「黑五類」子女一樣，即使「劃清界線」，也不受信任，成長變成一種痛苦的慘痛經驗，等悔悟過來，匆忙趕回家中，母親已死於醫院。這類控訴型的作品是初期的一大特色。

青少年在成長期間，必定對愛情有某種程度的嚮往，但在作家筆下，他們的愛情故事常受政治立場、成分、地位、生活因素所左右。〈楓〉（鄭義）中的李紅鋼和盧丹楓屬於不同派別的紅衛兵。兩人雖相愛，丹楓卻熱中武鬥。為了「信仰」，她和李紅鋼誓不兩立，最後戰敗跳樓自殺。李紅鋼深深體會被利用、自相殘殺的痛苦，脫離「造反」組織，最後依然難逃一死。〈晚霞消失的時候〉（禮平）中的李淮平是「革命英雄」的後代，愛上降將楚軒吾孫女南珊。文革開始，李淮平大義滅「愛」，帶紅衛兵抄南珊的家，摧毀了一段未成熟的感情。十二年後，兩人在泰山山頂巧遇時，往日情懷只留下一片追憶，心理生理上的成熟使他們黯然分手。

另外，大動亂時期常常主導了青少年的感情成長。都市青年下放農村，在實際參與農村工作後，現實生活的種種挫折，使感情變得非常脆弱，一旦有人伸出援手，就會產生某種感情，釀成悲劇，〈褪色的夢〉（諶容）中的插隊知青章小娟和農村青年溫思哲就是一個例子。她在文革結束後，進了大學，才發現她原來是在這場可怕的十年浩劫惡夢中與溫思哲走到一起。〈北極光〉（張抗抗）中的曾儲是另一位「覺醒者」。他在文革時被迫下鄉。他曾經「誓死捍衛……」「也曾經有過狂熱的年代，有過迷信，有過受騙，有過……凡是從這塊土地上長大的青年會犯過的錯誤他都有過，凡是一顆真誠的心會經歷的苦痛他都經歷過。」但他並沒有像〈無主題變奏〉（徐星）裡的「我」，變得萬念俱灰、沉淪與墮落。他恍然大悟後，依然關心世事。他揭發服務單位領導的不法行為，結果被打成腦震盪，但他不屈服，因為他一向成長於十分惡劣的環境。

㈡ 衝突與自我調適

對於大多數下鄉插隊的青年而言，既然下鄉插隊是種集體行為，自我調適反而不是一件難事，只要最低限度的生活需求能滿足，身邊又缺乏成強烈對比競爭的人，個體便容易與環境妥協，不再怨天尤人。〈棋王〉（阿城）裡熱衷下棋的王一生能利用下棋來調適與環境的關係。他從小就過著貧困的生活，對生活一向不敢奢求。「他對吃是虔誠的，而且很精細。」絕不浪費一粒飯粒、一層油花。他下棋同樣精細，「但就有氣度很多。」他有時不得不利用下棋暫時解決物質上的困難，但逢上吃的場面，依然開懷大吃。在極端困難的環境下，他依舊能執著理想，把物質威脅暫擺一邊。雖說是消極，但心理上的平衡彌補了一切。〈孩子王〉（阿城）的下放知青在生產隊幹了七年，學會許多農事工作。長期的勞力磨練使他對現實生活持著消極與退讓的態度。對於周遭全無敵視心態，隨遇而安。支書調他去學校教書，他有些畏懼，但立刻調整過來。學生程度的低落讓他驚訝，便決定不再教課文，只教認字，選各種事情來寫作。他從學生立場出發，發現教些實際應用的東西比那些口號標語來得有用。他堅持他的方法，終於被解職。他並不十分在意再回生產隊。多年來的生活磨練，已使他懂得如何調整自己適應環境。

有些插青為了使日子順暢些，常以自嘲態度來應付眼前困境，〈屋頂上的青草〉（李曉）描繪四位上海插青如何苦中作樂、自諷自嘲的經過。他們與只有三四十戶人家的窮村鄉民打成一片，過著同樣艱辛的日子，但缺少挫折與衝突。主角之一蟹兄與隊長冒險救了貧農老陳後，記者上門專訪，要蟹兄說明救火時是否抱出主席寶像。蟹兄心理矛盾，另一位插青四眼解了圍，說蟹兄曾想起，但沒發現。然而記者卻寫成蟹兄救了寶像。蟹兄起初心虛，幾次報告後，「神態自若，口若懸河」。後來，四眼知道他被女友甩了，趕去縣城找代表開會的蟹兄。談起救人的事，蟹兄認為報上說的算是真的，氣得四眼把他女友絕情信丟給他。蟹兄看了信，去飯館喝悶酒，借酒消愁，卻跟其他插青打了起來。從消極的喝酒到積極的武打，蟹兄是想減輕挫折感。全文刻劃了插青如何對抗事情的荒誕與人生的無奈，極力維持身心的平衡，來適應環境及人事的突變。

㈢ 畸形者的自我調適

文革前後的時空迅速轉移，對於畸形者是種重大的考驗。對於類似〈爸爸爸〉（韓少功）裡的白癡主角的影響不大，因為環境變遷並無法改善或破壞他的智力，只會影響到他的生活能力。〈駝背的竹鄉〉（莫應豐）的主角的問題也不大。他遷移他鄉後，發現自己並非怪物，他的鄉人才是不正常的人。對他而言，調適自己來適應新環境必非難事。史鐵生的〈來到人間〉與〈命若琴弦〉以十分低沉委婉的筆調刻劃出殘疾者對於殘酷的現實環境的無奈，生活在任何地方，成長永遠是無法擺脫的苦刑。但像〈阿蹺傳略〉（王安憶）中的阿蹺，時空轉移的影響自然不小，尤其文革前後正碰上他從無知的少年變成充滿憧憬的青年歲月。他的一隻外八腿是小兒麻痺的結果。肢體的畸形影響心理的正常發展。他身體的缺陷造成自尊的喪失。他必須採用極端的手段引起他人的注意與關懷。因此，阿蹺從小就喜歡惡作劇，看別人跳腳、痛苦，自己便感到無上得意與快樂。文革開始，全家搬到上海一條新式弄堂裡。在新環境上學，他一時適應不了。長相與口音無法讓別人接納他。自己破壞，看別人破壞，心中便充實、快樂。經過無數摸索後，他終於知道自己的威力。於是他便不停作弄家人、鄰居、行人，得到快樂。

好景不常，文革結束後，被迫搬家。他年齡變大，越覺得周遭環境變遷的壓力越多越大，他只得不停地調整自己的態度，表面上也變得豁達些。同事間的談戀愛、結婚、參加舞會對他都是不同程度的威脅。年齡的增長使他變得沉默，沉默得嚇人，然後又變得陰沉，懷恨每個人。結尾時，阿蹺被推舉為演講代表。他發覺眾人作弄他，故意給他這件苦差事，所以存心報復，準備在講台上讓大家難堪，但他的恨意與報復之心卻被演講現場滿場的掌聲壓制下去，一時無法發作。

另一種畸形並非肢體上的殘缺不全，而是身體行為上的異變所導致的心靈與性格的扭曲。〈故事〉（陳村）裡的張三雖然四肢健全，但從小就和母親被父親遺棄了，一直對整個社會抱著十分強烈的敵意，心理發展不甚正常。文革爆發後，隨著環境的變遷，他採取激烈的手段來改變自己的社經地位。他成了「造反隊」一員後，第一件事就去找父親算帳。拳腳交加，洩了舊恨。從小生長在貧困中，他對有錢人成見極深，「他專門抄資本家、華僑的家。將越貴的衣服撕壞就越是解氣。他將煤氣社也砸了，在鋼琴上小便，用窗布擦皮鞋……」母親過世後，他就在造反隊總部的資本家洋房正式住了下來。他立即就適應了新環境。洋房設計多，又方便。難怪他要感嘆：「假如沒有造反，這輩子真是白活了。」在領略資本家享受的吃喝後，他開始想到女人。他看中資本家大女兒安娜，但出師不利，他跟她心理上有差距，只好降格以求，把資本家小老婆張玉娟弄上床，補償當年的不平衡心態。後來，張玉娟出面檢舉他的劣行，他被免了革委會的職務，只得搬出洋房，回自己的家。對他來說，失勢搬家並不難適應。物質方面，在很懂得理家的女工老婆料理下，不成問題。心理調適方面，過了一陣子，由於他認命，也就沒什麼了。

㈣　下鄉返城者的調適

下鄉返城者的成長調適問題也相當嚴重。故里依舊，但社會變遷卻使得親情與感情的糾纏更加複雜。〈立體交叉橋〉（劉心武）的哥哥侯銳「也曾有過那麼階段，心中充滿玫瑰的意念，決心扎根農村，為在農民子弟中普及中等教育幹一番事業。」但殘酷的現實環境一再給他帶來衝擊與挫折。他只盼望能向其他的十多名教師一樣調回北京，過正常生活。然而，面對老家十六平方米小屋的狹窄空間，加上弟弟侯勇的爭鬥、妹妹侯瑩的婚姻問題，他不得不一再自我調適來應付一連串衝突帶來的挫折。

侯勇與侯銳截然不同。他是六六屆的初中畢業生，參加過「破四舊」的「偉業」。六八年到山西插隊，自家成分有問題，但他依然有自己的生存之道。他「親眼目睹，乃至深入了解許多幹部子弟那榮辱起落無常的人生經歷。他最了解他們，因而最尊重他們，也最輕蔑他們。」七四年，他跟一位幹部女兒結婚。七七年，岳父官復原職，遷回北京。從此，侯勇最直接、最重大的生活目標便是同愛人一起調回北京。但原單位不放人，岳父不幫忙，一直未能如願。他看不起哥哥的窩囊模樣，希望侯銳全家搬遷遠郊，妹妹侯瑩早點出嫁，他便能如願把自己夫婦的戶口轉回北京。但侯瑩的個性與自家家境卻成為找對象的最大障礙。侯勇不擇手段，用了幾乎是強迫的方式要把妹妹推銷出去，結果侯瑩差點瘋了。這種在成長過程中加入侵略性，益發凸顯環境對成長影響之大。

《北方的河》（張承志）也是插隊知青返城的故事。男主角是曾參加「偉業」的紅衛兵，後來下鄉插隊。文革後，他與同是插隊出身的女主角在車上認識。經過一段時日相處，互訴往事，彼此言談投機，互相欽慕。回北京後，各忙各的，感情發展暫告一段落。他忙著研究生考試，她忙著推銷自己的攝影作品，因此認識了男主角的朋友徐華北。他比徐更熱情、更勇敢，但徐卻懂得支持和扶助艱難中的女性，也比他更機智和善於鬥爭。

他對未來沒有把握，不敢輕易流露自己的感情，更不懂得如何把握機會。等他知道女主角要跟徐華北訂婚，他才恍然大悟，若有所失。他只得移情於條條大江長河。對他來說，北方諸河是幻想、熱情、青春的化身。他狂熱投身在學術研究裡，讓自己的感情昇華，期盼在未來的學術成就上獲得補償。

他對學識的追求使他暫時忘卻物質的匱乏與感情的空虛。母親一直由弟弟照顧，他覺得十分歉疚。因此，弟弟提議加蓋小廚房，他很慷慨答應出錢。他一心向上，但並沒有仔細考慮未來的出路。雖然他曾經在大風大浪中打滾過，但他心中深處的寧靜與眼前永恆目標的追尋，使他一時不至於有環境調適的困難。

(五) 頹廢者的故事

文革結束後，傳統文化令人置疑，外來文化源源而來，大陸青年對現實生活嚴重不滿，對未來不具信心，有了頹廢的一代，思想偏激、不滿現實，思維方式也與一般常人不同，〈北極光〉裡的費淵就是一個典型的例子。他是大學生，卻認為小偷可敬。小偷竊人財物，固然可惡，「但更可惡的是我們生活中有那麼一些冠冕堂皇的江洋大盜，侵吞著人民的勞動成果，卻逍遙法外，或者是嚴重的官僚主義，可以在幾分鐘內，一個輕輕鬆鬆的簽名儀式上，把幾百萬、幾千萬人民幣扔進大海。」對於自己這一代人，他也嚴加評擊：「我們這代人，生不逢時，歷盡滄桑。沒有看到什麼美好的東西，叫人如何相信生活是美好的呢？理想如同海市蜃樓，又如何叫人相信理想呢？有人說這叫什麼虛無主義，我認為也總比五、六十年代青年那種盲目的理想主義好些……」由於他這種特殊的心態，文中女主角陸苓苓逃婚，求助於他，他也不肯伸出援手，因為「他愛生命，卻不愛生活；愛人生，卻更愛自己。」

〈無主題變奏〉中的「我」是另一個頹廢的代表。「我」對自己始終懷疑，當然談不上出息不出息、等待的問題：「也許我真的沒出息，也許。我搞不清楚了我現在除了我現有的一切以外，我還應該要什麼。我是什麼？更要命的是我不等待什麼。」「我」沒什麼學歷，沒什麼雄心壯志。碰上唸音樂的老Q，兩人莫名其妙混在一起，然後，老Q對他有了期待：「她逼著我幹，像她那樣幹所謂的『事業』。」但「我」是憤世嫉俗的青年，是老Q扶不起的阿斗：「真可惜就是認識不到每個人在生活中都會有自己的位置。只要你想幹，在任何一個位置上都不能說不是在幹某一種事業……況且再另外一個意義上說，和老Q一樣，我也在從事『藝術』。「我」不以侍者為苦，老Q卻無法忍受，逼「我」去參加考試，但排斥的心態當然造成考試的失敗，最後兩人忠告分手。

劉索拉的作品〈你別無選擇〉、〈藍天綠海〉等刻劃了一群熱愛音樂的年輕人，在不確定的年代中生活著，連帶著對「自我」起了疑問，徘徊於頹廢的邊緣。無法把握現在，未來更難掌握，自然會傾向於頹廢。

㈥ 老少農民的啓示

知青在廣大的農村接受過嚴肅的靈魂鑄造後，重返城市，回憶往事，除了追憶當年的獻身精神，對親眼目睹的一切也給予主觀性的評價。有些知青不帶情感的眼光觀照農民的生存狀況，然後又以冷靜得近乎殘酷的寫實手法將真相筆錄下來。有些在其作品中，對於農民的愚昧與陋習，常常流露出耐心與寬容。他們從芸芸眾生的忙碌中，也觸摸到各種人生真諦。說得確切些，在那些木訥樸實的人物中間把握住真正的人生，這對於這一代人當初的幼稚、狂熱與書生意氣，未嘗不是一種無形而又切實的矯正。對於〈我的遙遠的清平灣〉（史鐵生）中的破光漢、〈樹王〉（阿城）中的蕭疙瘩、〈私刑〉（朱曉平）中的金斗和〈麥客〉（紹正國）中的吳河東而言，生活是一串艱苦曲折、挫折不斷的鐵鍊。這些老實的農民，由於物質上的貧乏，造成了他們精神上的貧困，也導致了他們人格上的卑微，但他們依舊堅持其憨厚本性，有所奮爭，有所不取。這些人表露的人性善的一面，都給知青留下極為深刻的印象。〈塔舖〉(劉震雲)與〈麥客〉中父子之情的感人描述，也是傳統美德的延續。

還有一點我們也不能忽略。由於中國歷代兵源主要來自農村，因此，部分軍人心理不可能掙脫農民文化傳統的籠罩。質言之，中國軍人的心理是中國農民心理的折光。朱向前說：「他們（農民）穿上了軍服，心地裡都依然種著一縷洋溢著小農意識的溫情脈脈的夢想。他們表面上可能儼然一個十足的現代軍人，骨子裡卻更可能接近一個道地的傳統農民。」[9]這種特殊的結合更加強了他們受到農村文化制約的榮辱觀。〈秋的旅程〉(尤鳳偉)中的招兒，在他爹心目中，是一位不可多得的好青年，也被寄予厚望，沒想到一日消息傳來，招兒死於不名譽的事件中。招兒的爹始終不相信，最後居然決心變賣愛牛，換取旅費，準備遠行，親自為兒子討回公道。〈新兵連〉(劉震雲)則以寫實筆法暴露軍中存在的矛盾現象。為了入黨或成為「骨幹」，文中的李上進、「老肥」、「元首」與王滴等人使盡渾身解數，內鬥不休，最後釀成悲劇。這都是傳統中奇特的榮辱觀造成的。

(七) 靈與肉的爭鬥與抉擇

不少成長小說均涉及性愛的描繪，如張賢亮的〈男人的

---

9 朱向前，〈尋找「合點」：新時期兩類青年軍旅作家的互參觀照〉，《文學評論》(1988年第1期)，頁90～91。

一半是女人〉與〈綠化樹〉、洪峰的〈瀚海〉、馬原的〈虛構〉、劉恆的〈伏羲伏羲〉等。性愛躁動表現著生命的激情，也推動著自然人性的張揚。性壓抑與性放縱是一物之兩面，都違反了人性。在靈與肉的爭鬥與抉擇中，再也沒有其他作品比王安憶的「三戀」更出色了。她在〈小城之戀〉、〈荒山之戀〉和〈錦繡谷之戀〉裡，不但用大膽的手法表現了人的，尤其是女性的感性的生命衝動，而且讓讀者在情慾的低層世界裡，瞥見到較高層次的人性領域。〈小城之戀〉中的男女主人翁的情慾糾葛，完全建立在非理性控制的原慾基礎上 。他們互相吸引又互相憎惡。他們不瞭解情與慾的差別，處於一種無法自拔又深為恐懼的心理狀態中。他們爭吵撕咬，企圖減輕心中的罪惡感，然而又無法壓制原慾衝動，兩人又緊密結合在一起。〈荒山之戀〉中懦弱的大提琴手雖然有妻有女，但生活上依然感覺有缺陷。下放到文化宮時，他克制不了有夫之婦的女同事的誘惑，發生了婚外情。從此，兩人陷入兩難情境。男的雖然熱愛對方，但依然深愛對他一片真情的妻子；女的丈夫也不願放棄妻子。這對婚外戀人最後只得走上絕路，擁抱涅槃原則——把愛和死合而為一。〈錦繡谷之戀〉中對愛情仍有幻想的已婚女編輯，在蘆山筆會上結識一位已婚的男作家。兩人在風景秀麗的環境中，譜出「第二春」般的戀情。但雙方均受制於傳統社會道德的約束，不敢逾越本分。會議結束，兩人的感情成為美好的回憶，回到日常生活的軌道，別無選擇，繼續緩步慢行。這三位女性感情豐富，超越了狹窄而膽怯的情感小天地，感覺上是吃苦、卑賤、孤寂，但在人性上早已超越男性。這種超越表現而走向犧牲，一位永遠把希望深藏在心裡。

㈧ 女性的自主意識

「尋找男人」一直是中國傳統女性嘗試掙脫的陷阱。在這種感情的漩渦中，女性除了要與外界的封建保守勢力抗爭外，還得以一半精力與自己搏鬥，因為自己往往是最大的敵人。實際上，這些作家筆下的現代女性並不是不需要情感的撫慰。她們執著的是「女人不是性，是人」為命題來尋找自我，追求的是女性作為在更高層次上權力的人格的平等自由。張辛欣的〈在同一地平線上〉與〈最後的停泊地〉、張潔的〈愛，是不能忘記的〉與〈方舟〉、程乃珊的〈女兒經〉、張抗抗的〈北極光〉中的女主人翁就是這類典型。她們要求與男性站在同一地平線上，與男人一起拼鬥，並且力爭那種平等的、認真投入的愛，和對理想永不屈服的追求。如此一來，「尋找男人」有了更深一層的意義。她們著重自我存在與事業上的奮鬥，並以此去調節和換取心靈的自由躍動。

描繪現代女性擺脫對男人的依賴，以獨立、自尊、自信的態度來審視自己，〈追〉（鐵凝）中的安然個性豪爽坦率，好打不平，是新女性的典範。她以自信獨特的方式應付四周的無理壓力，並以時髦的紅襯衫表露自己的個性。作者用個性與社會環境的不和諧來肯定個性的價值、人性美的追求。〈你不可以改變我〉（劉西鴻）中的孔令凱具有強烈的自主意識，誰也改變不了她從事模特兒工作的心願。同一篇小說中的「我」也是一個出色的女性。魏維說：「『我』代表凌駕於性別之上的一代青年的觀念轉移。作為性別意義上的女人，『我』已經完全能夠駕馭自己，冷靜地觀照自己，成熟地尋找自己。」[10]他們不再僅僅滿足於對理想愛情的憧憬與追尋，他們明顯地轉向尋找女性「自我」，追求女性為社會所承認的「社會人」的價值。她們與男性站在平等的地平線上，對社會歷史、民族文化與社會改革作出多方位的思索。〈黑森林〉（劉西鴻）中的惟美很客觀地把哥哥失敗的婚姻放到世態人情的大背景去思考，沒有一位歸罪於堅持離婚的嫂嫂阿媛。惟美克服個人情感的偏激而冷靜理智地待人處世；阿媛清醒又瀟灑地從事自己的追求。這兩個形象呈現出凌駕個人情感之上的理性超越。另外，鐵凝的〈麥秸垛〉、〈玫瑰門〉、劉索拉的〈藍天綠海〉與〈尋找歌王〉中的女主人翁也是力求從思索人的本質、生存與生活方式的角度來超越本身。

㈨ 自我意識的覺醒

文革結束後，文化思想與文學作品重新揚起對自我意識的器重。作家追求個人價值和個人權利的藝術形象，關注的重心乃由群體和社會轉向了自身。作品強烈的展現人失去自我的過程，和重新尋找自我的痛苦歷程。

自我意識的發展軌跡經覺醒、確認與深化後，才可達到超越的層次，而完成「尋找自我」的過程。在尋找過程中，

10 魏維，〈在煉獄的出口處——論當代女性文學的理性超越〉，《中國現代、當代文學研究》（1989年6月號），頁84。

免不了有所需求。根據馬思洛（Maslow）的理論，人的需要可分為五個層級：生理的需要、安全需要、愛的需要、尊重的需要與自我實現的需要。[11]前面四種需要可歸結為生存需要，而自我實現的需要則是一種純粹的精神需要，是超乎人的動物生命之上的價值生命的需要。由於自我實現強調精神，自然不著重對人物作社會的、道德的價值判斷，而純粹以精神為終極目標。〈無主題的變奏〉（徐星）中的「我」、〈你別無選擇〉（劉索拉）中的孟野與森森、〈鬈毛〉（陳建功）中的盧森與〈你不可以改變我〉（劉西鴻）中的孔令凱，都是在追求自我的實現——雖然層次不同，結果不同。這些人物對於理想的茫然，對於自我的不能把握，時時從玩世不恭、放浪形骸的人生態度中流露出來。因此，與其說這些作品表現他們在努力尋求自我，不如說表現了這種尋求過程的艱難曲折，和這種艱難曲折帶來的沮喪和失望。實際上，如果換一個角度來看，我們會發現，這些表面看起來玩世不恭，所反叛的正是我們傳統文化中過分強調社會義務、壓抑個體價值的「人化」現象。他們所追求的正是我們民族文化中最缺少的個性自由，亦即自我意識的覺醒。

結　語

在討論《憨弟德》、《愛彌兒》、《威罕・麥斯特》、

11　狄卡波奥（Nicholas S. Dicaprio）著，莊耀喜編譯，《健康的性格》（台北：桂冠圖書公司，1987年），頁167。

《少年維特的煩惱》、《紅與黑》、《傷感教育》、《頑童歷險記》、《麥田捕手》、《一個年輕藝術家的畫像》、《紅樓夢》這些著名的成長小說後，廖咸浩發現：「宏觀而言，中西成長小說確有不少共通點：都是現代性的一種體現；都曾有成長與否的內在矛盾；都是對成人世界（「他們世界」（they-world）、常識世界（world of common sense）等體制化、規格化思維）的反抗；都是對少數的肯定。但最重要的共通點還是，雙方的傳統都植根於情，而且都對情有一種絕對的要求。最終的結局雖有可能再次被教育所收服，但起碼對情的渴求曾經真誠過。」[12]成長與否的內在矛盾、對成人世界的反抗、對少數的肯定三種情形可從本文討論的許多作品中得到證明，但共通點應不只植根於情，愛、死亡與性也應包括在內。[13]

新時期小說中的成長經驗與西方成長小說的另一比較接近的是有關於青春期衝突與變動的說法。有位心理學家指出：「衝突與變動能創造智慧，然而在青春期卻特別痛苦和難以應付。……青春期的掙扎是舉世皆然的。發現自我、發展自主、面對衝突、建立親密關係、抵制同儕壓力是一生的工作。如何處理這些問題常會影響成人生活。」[14]在史無前例的文革期間，不同程度的衝突與變化多端的變動固然啟廸

12 同註6，頁87。

13 張琰，《寂寞心程》（*The Members of the Wedding*）譯序，（台北：爾雅出版社，1987年），頁3。

14 Sharon A. Stringer, *Conflict and Connection: The Psychology of Young Adult Literature*（NH: Boyton/ Cook Pblishers,Inc,1997）, Preface ix.

不少青年的智慧，使他們更懂得如何自我調適，在極端困頓的環境中保護生命，但也同時毀了一些不知如何自保的天真無邪，成為政治鬥爭祭品中的少男少女。

西方現當代成長小說中常常描繪主角因父母的期許與現實環境有了出入，擔心自己會被迫擔任不適合的角色的情節，在新時期小說初期作品中是絕無僅有的，因為文革時人人一切都是為了祖國，「國家」與「舵手」完全取代了父母的地位，上山下鄉全由不得自己，大部分父母不能也不敢干涉或約束子女的行為和抉擇。那是集體主義超越個人主義的年代。也因為如此，西方當代成長小說中的嗑藥、同性戀、幫派決鬥、性虐待等都不曾出現在這個階段的作品裡。

至於兩岸小說中的成長經驗的比較，我們可以楊照的話來說明。他認為台灣成長小說有三種特質：「第一是少年經驗的意義，往往必須和一個『大時代』的大論述結合，才能取得充分合法性。第二是這些『成長小說』所記錄的成長經驗彥，跟西方同類作品相比，是遲來的（belated）。關鍵性的成長折磨與收成，不是在少年時代出現，而集中在青年，尤其是大學階段。第三是『成長』的意義常常是負面的。更確切些說，那些值得費心去細繹思考的成長，都帶有不被社會認可、接受的濃重成分。」[15]這三種特質也同樣適用於詮釋新時期小說中的成長經驗。畢竟兩岸同種同文，許多方面是無法完全隔絕的，少年經驗意義的合法性、集中在青年的成長折磨與收成和負面的「成長」意義都是類似的。

15 同註7，頁92。

我們暫且不論這些作品可能產生的認同、洞察、淨化、移情和頓悟等不同的感受，新時期小說中的成長經驗至少張揚了個人主義。頹廢思想的盛行、自我意識的覺醒、女性自主意識的建立等，在在都顯示了個人主義逐漸取代集體主義。以當代思潮的演變及「地球村」觀念的形成來看，這種取代是任何人無法擋住的。當集體主義思想被迫退潮時，個人才能夠完整地擁有自我思考的空間，尋找真正的自我，再也不必受制於國家機制的種種不合理的規定，生活在恐怖的空間裡，使得精神與肉體都深受其害。

回顧「時代考驗青年，青年創造時代」的口號年代，我們仔細檢視兩岸這二三十年的小說作品，不免會發覺作品中的成長經驗慢慢由「考驗」轉為「創造」。隨著教育的普及、媒體的多元化以及民主精神的瀰漫，大環境要完全掌握青年人所有的生活，已經變得不可能。取而代之的將是個人逐漸能配合時代脈絡，設法扭轉或徹底改造環境，這也就是為什麼自我意識與女性自主意識蓬勃的主因。成長經驗的書寫當然是另一種面貌了。

——「兩岸文學發展研討會」，中華發展基金管理委員會，

國立中央大學中國文學系所主辦，2000年9月

少年小說的功能與欣賞作用
——以「九歌現代兒童文學獎」得獎作品為例

前　言

「九歌現代兒童文學獎」於一九九二年創辦，至今已進入第十二個年頭。這個獎項是目前台灣碩果僅存的少年小說獎，前後得獎作品共七十一冊，幾乎全部出書。就國內兒童文學創作而言，影響力不可說不大。它提供了不少熱愛創作少年小說的人有限的揮灑空間，陸續出版的得獎作品也帶給青少年閱讀與他們關係密切的故事，從中得到某些啟發，做為實際生活的參考。

以這個獎項做為學術研究的論文至今不多。得獎作者分散，得獎較多的鄭宗弦和王文華，作品雖多，但仍不足於以「作家研究」的方式來剖析其作品。雖然得獎作品已有七十一冊之多，但如果要選擇研究方向，可能只好以作品中的共同現象來分析，才可以多少獲得一些有關這個獎項的影響與功能。

一般小讀者翻閱兒童文學作品，最可能出自於「這本書好不好看？」換句話說，閱讀重心在於作品的趣味性，但實際上，閱讀過程並非如此單純。任何讀者都是以過去閱讀的完整經驗來閱讀新的作品，也就是以所謂的「預存立場」

（predisposition）來作為驗証新作品的準則。卡勒（Jonathan Culler）說：「把一部文本當作文學作品來閱讀，並不是要把讀者的腦子變一片空白，毫無先入之見地去讀它；讀者必定會帶著他自己對文學論述作用的理解去讀它；這種理解告訴讀者應該去尋找什麼。」[1]這段話是讀者閱讀行為的最佳說明。

讀者以自己的「預存立場」去閱讀作品，作品本身的功能和欣賞作用可能與讀者的關係往往就會變成是間接的，而非直接的，也就是說，作品的功能和欣賞作用應是潛移默化的過程，而不是直接了當的說教。

作品的功能分析

就少年小說的功能而言，約略可分為「提供樂趣」、「增進了解」和「獲得資訊」三種，其中又以「提供樂趣」最受專家學者肯定。「寓教於樂」的說法驗證了「樂趣」不離教育，但絕非「說教」。「文以載道」的說法基本上常被視為「說教」，但在現代青少年的心目中，幾乎完全無法接受「說教」。然而，具有深厚「樂趣」的作品極可能同時具備「說教」的功能，因此，作者如果能不假痕跡將某個特殊主題融入，達成娛樂與教育雙重作用，則即使作品具有濃烈說教意味，讀者還是樂意接受。當然，我們不難發現，許多

1 Jonathan Culler, "Literary Competence," Jane P. Tompkins, ed., *Reader - Response Criticism*（Batimore: The Johns Hopkins UP）, p. 101.

作品是以「提供樂趣」為最主要功能。

不論「提供樂趣」、「增進了解」或「獲得資訊」，似乎完全以讀者為出發點。這三種功能可以單獨存在，但也互相影響。熟悉文學作品的人都知道，不管是何種年齡層的讀者，「樂趣」往往是他們閱讀作品首先考慮的目標。拋開「樂趣」，閱讀就會變成一件乏味的事。即使讀者閱讀的重心在於尋找「資訊」，他們尋找的也絕不是說教或教訓，而是學習的樂趣。換言之，閱讀文學作品時，讀者尋找的是閱讀的樂趣，甚至尋找藉閱讀逃入另一種生活或地方的樂趣。

總之，我們可以認定作品中的敘述過程必定擁有上述的三種功能之一二或三者兼之。只要作者用心經營，他（她）照樣可以憑藉作品中角色的互動，達成這三種功能，協助角色成長。但相較之下，這三種功能主要是針對讀者，這是無庸質疑的。下面這些取自「九歌現代兒童文學獎」的例子，便是最好的說明。

㈠ 提供樂趣

「樂趣」是吸引青少年閱讀的主要因素。現代青少年強調自我發展與尋找自我的重要，基本上不願接受任何形式的約束，更急於擺脫教科書式的的呆板乏味。因此，任何一本要激發青少年潛在閱讀慾望的作品，首先必須把「樂趣」擺在第一位，才有可能使得青少年心甘情願在翻開第一頁後，繼續閱讀下去。

所謂「樂趣」並非提供低俗胡鬧的故事來吸引與迎合青少年。作者在安排作品中的青少年的種種生活體驗（包括內心和實質的探索過程）時，即使主角必須遭受嚴酷的考驗，筆調依舊可維持幽默、懂得自我調侃，在嚴肅中不忘周遭一些趣味性的描繪，例如添加人生樂趣的偶發事件，這種安排不但不會傷害主角的成長，反而有助於讀者對整篇故事的了解和融入。

舖陳青澀年少多坎坷也不一定要用沉重的筆法。有的少年小說敘述苦兒成長的過程，環境的艱辛固然是刻畫的重點，但苦兒努力的經過依然可以有許許多多的樂趣之事可作為點綴。幸福家庭親情的描寫更應以樂趣為主，才能引起讀者的共鳴。家中成員的對話和動作，都可給讀者帶來不同程度的樂趣，這完全要仰賴作者的功力。

「提供樂趣」是少年小說最基本的功能。這項獎項的得獎作品絕大多數都能達成此項功能。例如《少年龍船隊》（李潼）中青少年之間的言語、動作；《天才不老媽》（陳素宜）裡的母子互動；《創意神豬》（呂紹澄）中的神豬突然死亡，家中如何應付變局；《魔法雙眼皮》（黃秋芳）裡的國中女生的異想天開等。另外，科幻作品訴求主題雖較嚴肅，但在「增加了解」的同時，也提供不少樂趣，如《孿生國度》（陳愫儀）給予的新裝飾品的運用；《七彩肥皂泡》（李志偉）在嘲諷之餘又略帶趣味；《圖書館精靈》（林佑儒）的身分專移時的特殊狀況等。

㈡ 增進了解

青少年無法拒絕成長，每個人遲早都得脫離溫室期的兒童階段，學習如何成為一個獨立個體，學會照顧自己，不再仰賴他人。更重要的是，在連接兒童與成人階段的青少年時期，同時也需要學會照顧他人。陸肯斯 （Rebecca J. Lukens） 指出：「處於精力充沛狀態的少年小說角色，提供了有趣的、有利的事物了解；優秀的文學作品提供了有關這個年齡層的最好線索。對青少年而言，文學可充當觀察自我的一面鏡子，因此更了解自己，同時也充當一盞燈，讓他們去觀察他人，不論是個體或團體。」[2]鏡子觀察自己，燈照亮別人的同時，也觀察了別人，了解了別人。

少年小說的「增進了解」功能不僅僅是指單純地了解自己、了解別人，還包括了解周遭的世界，了解大自然的運作。廣義地說，這兒所說的了解，實際上就是了解生命，了解生活。唯有了解生命、生活，才能充實自己的生命，添加生活的情趣。

人生有限，我們無法進入每個人的生活圈裡，親自去體驗不同的生活。有了閱讀，我們可以在短暫時間內，了解別人過去或當前的生活狀態，甚至於了解他們的思維方式，汲取他們的經驗，避免犯下同樣的錯誤，在人生道路上，走得更順暢些。

不論寫實或科幻，這些得獎作品確實做到了「增加了解」的功能。《老番王與小頭目》（張淑美）讓讀者進一步了解排灣族的現實困境；《再見，大橋再見》（王文華）則說盡了賽德克族當前生活悲痛的一面。《青春跌進了迷宮》（林

---

2 Rebecca J. Lukens & Ruth K. J. Cline, *A Critical Handbook of Literature for Young Adults* （N.Y.: Harpercollins College Publishers, 1995） Preface ix.

峻楓）藉同性戀題材，說出了青少年對性別傾向的困惑；《又見寒煙壺》（鄭宗弦）和《風與天使的故鄉》（林佩蓉）告訴讀者失母之痛；《下課鐘響》（羅世孝）點出當前國小生同儕之間的矛盾；《小子阿辛》（李麗申）、《兩本日記》（莫劍蘭）和《魔法雙眼皮》（黃秋芳）等三本作品在質疑當前國中教育的種種缺失的同時，也點出問題之所在，讓讀者深思檢討。

㈢ 獲得資訊

一向強調最好的文學作品應該是閱讀基礎的先驅者羅森布萊特（Louise Rosenblatt），在「提供樂趣」和「增進了解」這兩大功能之外，她又加「獲得資訊」（efferent）第三種功能。所謂的「獲得資訊」是指「經由閱讀得到資訊」（the acquiring of information through the reading）[3]。優秀的文學作品不僅可以給讀者帶來閱讀的樂趣、協助他們了解自己、了解別人和了解外在的世界，還可以很自然地在閱讀中從四面八方獲得各種不同的資訊，少年小說亦是如此。

在科技掛帥的年代，有關科技資訊的消息可說是日新月異。青少年經由教科書得到的資訊畢竟還是少數，必須透過其他管道來補足，文學作品是其中之一。少年小說包含了人物、情節、衝突、語言風格等組成，閱讀時不至於讓人覺得乏味。在有趣的故事中加入各種相關的資訊。讀者在翻閱時，隨著情節的逆轉、衝突的升高等，可以在不知不覺中吸

3 同上。

收許多有用的資訊。

「獲得資訊」並非單一功能。作品往往在「提供樂趣」和「增加了解」的同時，也具備「獲得資訊」的功能。多本作品都強調了文化傳承的重要，例如《少年龍船隊》（李潼）對傳統民俗的關懷和《秀鑾山上的金交椅》（陳素宜）對客家人習俗的刻畫；《媽祖回娘家》（鄭宗弦）對台灣信仰文化的追溯與尋根過程的描繪，《南昌大街》（王文華）中對主要空間媽祖廟的強調和《老番王與小頭目》（張淑美）主角戈德對排灣族生活習俗從排斥到融入過程的敘述，都可給小讀者獲得相當豐富的資訊。奇幻作品雖多以預測未來為主，但也提供了不少與科技有關的相關知識。如《二〇九九》（侯維玲）與《七彩肥皂泡》。動物保育知識也出現在《阿高斯失蹤之謎》（盧振中）、《我愛綠蠵龜》（子安）等作品中。

從以上的分析中，我們可以看出，少年小說的三大功能「提供樂趣」「增進了解」和「獲得資訊」之間，並沒有十分鮮明的分野，重疊之處非常多，作品中的某段敘述往往在提供樂趣之餘，同時也可增進了解和獲得資訊。因此，要把這三大功能劃分清楚，不是一件簡單的事。但劃分清楚有其必要嗎？

很顯然地，三大功能是閱讀作用的延伸。不論作用與功能的說法均容易陷入制式化、呆板化，只是方便研究而已。實際上，這也正是本研究的侷限。如果從推廣閱讀的角度來看，閱讀功能的研究只是一種角度的研究，不夠全面。

另外，兒童文學作品在傳遞樂趣、增進了解和獲得資訊之餘，是否還有其他的附帶功能？實際上，上述的三種主要功能多少都涉及教育性。孩童在閱讀時，會不會感受到作者在講故事的同時，有意無意穿插進去的勇氣、正義、道德、倫理、自律、愛心、責任、合作等少年人格成長的必備品德？

認同、洞察、移情、頓悟和淨化

以青少年為主要訴求對象的小說作品可略分為兩種：一種以青少年為主角，內容偏重於其成長及啟蒙的過程，藉成長及啟蒙過程來鋪陳青少年的成長的坎坷、成長的見聞、成長的喜悅、成長的苦惱、成長的困惑、成長的得失等等。另一種作品主角並非青少年，但其感性文語言及理性說理內容適合他們閱讀。這兩類作品雖各有千秋，目標卻是一致的。青少年閱讀良好讀物，在身心成長與社會化的過程中，便能有所借鏡、明辨是非，進而產生認同、洞察、移情、頓悟、淨化等潛移默化的作用。本節同樣嘗試以「九歌現代兒童文學獎」得獎作品為例，試論這五種欣賞作用。

㈠ 認同

「認同」（identification）作用在文中角色擔任的是「情境相近，產生共鳴」的功能。文本中重要角色在發現另一角色的情境與自己過去、當前或未來可能的情境相近時，他（她）可能認同對方，並與對方產生共鳴。認同作用在少年小說中極為普遍。很多青少年對小說中主角的種種行為會有認同的衝動，例如主角如何掙脫困境、力爭上游等，往往可給那些正徘徊在抉擇關頭的青少年一些啟示，並認同其行為。例如原住民青少年在讀完《老番王與小頭目》後，是否可認同主角戈德的選擇？功課不理想的青少年會覺得《魔法雙眼皮》裡的男女主角的次文化行為可以認同，《小子阿辛》也是一樣。曾在國小國中階段，受同儕欺凌的青少年看了《兩本日記》和《下課鐘響》後，覺得書中的兩位主角不啻是自己的化身，而予以認同。失去父母親的青少年也許在《又見寒煙壺》、《成長的日子》、《南昌大街》、《風與天使的故事》和《少年鼓王》這幾篇作品中，因主角的不幸遭遇，而讓自己得到一些慰藉。《第一百面金牌》的主角願意從事辦桌的行為，是認同父親的工作。《花糖紙》（饒雪漫）雖是對岸一位任性、霸氣、刁蠻的女孩的高一生活故事，但文中抒發的少女情懷卻一樣可以得到此地少女的認同。王文華的《年少青春紀事》亦是如此。

㈡ 洞察

少年小說中的角色常會因環境或能力無法與同儕相比時，情緒長期自我壓抑，形成一時無法化解的結。作者必須安排適當情節法抒發其情緒，使得角色的心智和情緒獲得統整，並同時確認解決向題的方法。[4]這種統整和確認的過程是作品的「洞察」（insight）作用。主角在小說裡面經過某一次突發的事件，對人世間的事情有所了解，而讀者閱讀

4 施常花：〈論少年小説欣賞的教育心理療效功能〉，《認識少年小説》（台北：中華民國兒童文學學會，1986年），頁23。

後，心智和情緒得到統整，確認解決問題方式。如《LOVE》（趙映雪）中因車禍失去一隻腳的女主角，《我愛綠蠵龜》裡無法適應環境的小男生，以及《少年鼓王》（鄭如晴）中的雙兄弟，都確實經過「洞察」的階段，回到現實，重新出發。《青春跌入了迷宮》觸及了同性戀，作者想藉「洞察」來為書中女主角解套，情節安排還算合理。陳素宜的《第三種選擇》的女主角陷入求學中的情緒壓抑，一度盲從同儕，最後靠父母伸出援手，洞察自己的能力，走出困境。這些故事中的主角都身歷大災大難，經過一次突發事件，跳脫自設或外在環境給予的困境。《泰雅少年巴隆》（馬筱鳳）中關於狩獵知識傳遞和習俗記載，都給原住民和漢人洞察的機會。

㈢ 移情

「移情」（empathy）是「一種認同某一對象或目標的動作，並參與其身體上的或情緒上的感覺，甚至到了身體反應的階段。」[5]它也暗示「對某人或某物的非自發的自我投射。」這種動作是雙向的，因為它發生於故事中的角色身上，也會發生於讀者身上。換句話說，讀者幻想自己是小說中的某個角色或某物，最淺顯的例子是閱讀《紅樓夢》的作用。有人看了《紅樓夢》，幻想自己是賈寶玉或是林黛玉。比較起來，得獎作品中的「移情」現象並不是很多，《尋找

5 William Harmon & C. Hugh Holman, ed., *A Handbook to Literature*, 7th ed., N.J.: Prentice-Hall, Inc. 1996. p. 181.

蟋蟀王》（盧振中）裡的牽牛的生命完全受制於蟋蟀生死，是一種相當恐怖的「移情」現象。在《媽祖回娘家》裡，敘述者阿源在陪同阿嬤進香過程中，親眼目睹阿嬤對宗教的狂熱「移情」，還包含認同在內。然而，《蘭花緣》（鄒敦伶）和《寒冬中的報歲蘭》（陳沛慈）兩位男主角熱中於學習長輩對種植蘭花的狂熱，應是「認同」，不宜以「移情」詮釋。

㈣ 頓悟

依據喬埃斯（James Joyce）的說法，「頓悟」（epiphany）是「一種藝術上的啟示和領悟」[6]。他說：「對於所謂頓悟，是指心靈上突然的領悟」這種領悟或來自粗俗的談話或姿態，或來自內心一個難忘的片斷。」[7]「在這種頓悟中顯露出來的通常是某種心靈上的缺陷；因此，這種頓悟在顯露出事物的真相時，便具有強烈的諷刺性。」[8]頓悟常是一種剎那的感覺，人們看了某一種情景忽然間有所領悟，對自己人生以後的腳步會重新調整。以上這五種欣賞的作用因人而異，沒有所謂順序的排列，每一個人閱讀每一本書的動機，都會因各人的生活背景不同而有不一樣的感受。頓悟作用往往出現於文本將要結束時，換句話說，也就是文中角色在經歷一番不尋常的考驗或刺激後，突然有所領悟。

6 喬埃斯著，晨鐘編輯部譯，《都柏林人》，（台北：晨鐘出版社，1976年），頁15～16。

7 同上。

8 同註6。

科幻和災難作品常常可以帶來啟示和領悟，《又見寒煙壺》和《南昌大街》（王文華）說明了九二一大地震後，青少年對生命無常的領悟；《成長的日子》（蒙永麗）的男主角在面臨失去養父的危險時，頓悟到自己態度的不是，終於接受新家庭成員給予的愛。《寒冬中的報歲蘭》裡的女主角一直不原諒母親的離去，等到母親是因為患了癌症，才把她送給父親扶養，終於領悟母親的真愛。《七彩肥皂泡》則是告訴我們一個烏托邦不足依靠，頓悟現實世界才是真正理想世界的故事。《貓女》（劉碧玲）中母親的頓悟稍許可以說服讀者。

㈤ 淨化

「淨化」（catharsis）出自亞里士多德的《詩學》（*Poetics*），「意指一種由目睹悲劇動作而產生的有益的淨化效果。」[9]「淨化」是如何產生亦有不同說法。有人認為，由於觀眾親自參與，從悲劇英雄的命運得知，恐懼與憐憫深具破壞性，因此學會在自己生活中避免之。有人認為，由於觀眾受制於恐懼與憐憫這類令人困擾的情緒，有了親自參與的機會，把恐懼與憐憫付諸於劇中英雄，矯正不安心情，並使憂慮平靜下來。有人把悲劇英雄視之為代罪羔羊，觀眾的過度情緒可付諸於英雄身上，使觀眾最後安靜下來。[10]人

9 同註5，頁82。

10 亞里斯多德著，陳中梅譯註，《詩學》（台北：台灣商務印書館，2001年），頁227。

們常常在觀賞悲劇之後，會進入反思階段，因為「catharsis具有純淨和開發心智的作用……淨化的對象包括肉體和靈魂，淨洗的目的是消除積弊，保留精華。」[11]整個過程就好像洗了一個感情的三溫暖，精神上好像脫胎換骨一樣，例如第二次世界大戰之後，人類開始反思為什麼世界上會發生戰爭？戰爭結束後就出現很多浩劫小說。這些浩劫小說讓讀者讀完之後都會帶來作用。

依據上面的這幾種說法來檢視這些得獎作品是否蘊含淨化作用，難度頗高，因為這些作品的悲劇性不夠，不易合乎淨化作用的要求。本土早期的少年小說一向強調光明面的展現，這些作品亦是如此。勉強合乎淨化作用要求的只有幾部作品的部分情節。「淨化」以悲劇為主。得獎作品中雖不乏悲劇成分，但真正能產生淨化效果的可能只有《冬天裡的童話》（馮傑）和《少年鼓王》兩冊。前者以一個行走江湖的老者撫養孤兒為敘事主軸，故事哀傷感人。後者大江兄弟的不幸遭遇，也同樣令人感傷，但恐懼與憐憫情緒之激發，似不如前者。因此，論及「淨化」，困難較多。

關於少年小說欣賞作用的討論文字並不多。施常花在〈論少年小說欣賞的教育心理療效功能〉[12]一文中，曾提出「小說欣賞的層次」的看法。她的看法主要針對少年讀者的閱讀作用。她認為，少年讀者閱讀小說時必須歷經認同、淨化和洞察三個步驟。在她看來，這三步驟是有其順序的，先

11 同上。

12 同註6。

認同，再淨化，最後洞察。這完全是從心理療效功能出發的一種觀察角度。如果以文學作品的作用為觀察角度，認同、淨化、洞察不僅發生在讀者身上，也同樣呈現在文本中角色身上。微妙的是，作品在文中角色和讀者身上產生的作用很可能不只這三種，有時還可加上移情和頓悟。

嚴格地說，探討發生在讀者身上的五種作用，並不是一件容易的工作，因為其作用時間常因讀者背景、融入程度等不同因素而有所不同，不易檢視或驗證。相對的，這五種作用在文本中角色呈現情形，經過作者的刻意詳述或隱約點出，往往成為角色態度轉變的關鍵之一，影響以後的情節經營。至於讀者在閱讀文本後產生的效應問題，只能依據常情，略作揣測，無法深入探討。

基本上，每篇作用都具備某些欣賞作用，只是程度上的差異而已，「九歌現代兒童文學獎」少年小說得獎作品亦不例外。從上述的簡略分析中，我們發現，這些少年小說得獎作品的作用似乎集中在認同、洞察、頓悟和移情上，淨化作用較少，主要原因在於許多少年小說作品以呈現光明面為主，避開陰暗面，悲劇成分減少，淨化作用自然不高。這種情形相當契合剛剛起步的台灣少年小說。

在小說作品中，認同、洞察、頓悟、移情和淨化這五種作用是雙向的，也就是說，這些作用發生在作品中角色的身上，同時也會在讀者身上起作用。由於作品敘述的文字是具體的，作者意圖表現在作品角色上的，就比較明顯，研究者也容易按圖索驥，把五種作用一一找出。相對的，讀者的欣賞作用就不甚明顯，評論者或研究者只能根據一般常情去揣摩，約略說出一個大概，這方面當然也涉及讀者反應問題。

接受美學學者伊瑟爾（Wolfgang Iser）指出：「在閱讀過程中，讀者不僅要調動自己從生活世界中獲得的經驗，還要動員他的想像力。由於一部文學作品所描寫的世界與讀者的經驗世界絕不會相同，作者與讀者、讀者與讀者的想像也不會完全吻合。」[13]根據這段話，我們不難理解，不同讀者對同一文本用的欣賞作用不盡相同，因此，我們不可能找出所有讀者共同擁有的同一欣賞作用。所以，不論是認同、洞察、移情或頓悟、淨化，都是作者的一種期盼，能否達成完全掌握在讀者對文學作品的「多意義未定性」（Sinnunbestmmtheit）和「意義空白」（Sinnleerstellen）的接受情形。[14]

既然多數文學作品具有「多意義未定性」和「意義空白」，則讀者的欣賞作用可能也會產生於作品意義的延伸或填補，甚至於在反叛或背離的過程中。隨著延伸和填補，作品的欣賞作用極可能會遵循作者創作的原來意圖。有趣的是，即使讀者的意義詮釋反叛或背離了作者的想法，欣賞作用也照樣存在，因為欣賞作用並非完全來自讀者對作品的正面反應，負面反應同樣也會產生認同、洞察、頓悟、淨化和移情作用，不同的只是作用的強弱程度。

---

13 陳厚誠、王寧主編：《西方當代文學批評在中國》（天津：百花文藝出版社，2000年），頁351。

14 同註6，頁350。

結　語

少年小說的作者可能在創作時，並沒有預設特定的功能或欣賞作用。他們極可能只是針對特定讀者，在作品主題上大作文章。他們也許盼望能同時達成某些預期作用，但相當節制，因為他們熟知創作原則，如果執意把作品重心置於欣賞作用的安排，則可能賦予作品本身太多的教育性，甚至淪於說教，傷害到其文學藝術性。熟悉文學作品的讀者也都深切了解，作者首要之務在於按照自己構想把作品寫好，至於作品的功能和欣賞作用則有待讀者細心品嚐，評論者用心剖析。

以這三種功能和五種欣賞作用來剖析「九歌現代兒童文學獎」得獎作品，雖然難免因作品本身質的問題與獎的既定方向的限制，不甚容易，或造成某些詮釋困難，但還是需要有人做此工作，樹立一些評析的準則。然而，期待從一些不夠深入的評論中來判定這些作品是否合乎普遍性和恆久性，未免有點近乎苛求。從某種角度來看，這篇論文是種大膽的嘗試，在說明三種功能與五種欣賞作用時所舉的例子和詮釋的方法，亦不盡理想，有待改進。

無可否認的，所謂的「提供樂趣、增進了解和獲得資訊」這三種功能以及「認同、洞察、頓悟、淨化和移情」這五種欣賞層次是借用自成人文學的。長期耽溺於少年文學欣賞及研究的人，可能在聽到這些自成人文學轉化而來的功能說法和欣賞層次，或許會提出下列這些問題：

㈠三種功能如何排列？在成人文學方面，功能說法似乎並不是很重要。成人常認為文學作品是一種逃避現實壓力的工具。藉閱讀作品，他們可暫時解脫眼前困境。就小讀者而言，他們必定會把「樂趣」擺在第一位。一本書欠缺樂趣，他們當然看不下去，更談不上「增進了解」和「獲得資訊」了。所以三種功能的順序排列還是以「提供樂趣」為先。換句話說，「增進了解」和「獲得資訊」成為「提供樂趣」的副功能。

㈡適用於成人文學欣賞層次會同樣適合於兒童文學嗎？例如淨化可能就是一個爭論較多的層次。「淨化」最早來自於希臘戲劇，其作用多由悲劇產生。小說作品以悲劇收場的不可謂不多，但並非所有的悲劇都會有「淨化」作用。悲劇本身的悲劇韻味不足，當然就談不上「淨化」兩字。「頓悟」亦可能面臨同樣窘境。

㈢五種作用各有各的空間，不至於重疊或排斥，但也不能發生在同一本作品上。成人作品的欣賞作用也多只能具有其中之二三，少年小說由於情節簡化、角色性格比較穩定，多半的作品多能擁有其中之一二，最常見的是認同、洞察和移情，頓悟和淨化不但攸關年齡、世面，而且常涉及當事人的修養功夫。

不論是提供樂趣、增進了解和獲得資訊這三種功能，或是認同、洞察、頓悟、淨化和移情這五種欣賞作用，都絕非是作者刻意安排的。換句話說，作者在撰寫作品時，都可能只一心一意想作品寫好，完全從普通性和恆久性考慮，從藝術性和文學性出發。如果作者以說教為主要目的，我們可以肯定的說，這種「主題先行」的作品絕不可能是好的作品，是讀者想看的作品。因此，功能與欣賞作用往往是欣賞者、導讀者或評論者所賦予的後知後覺式的意見。固然我們可以把功能與欣賞作用當做評估作品的一些標準，但決不是絕對的標準。以這樣的標準來評估「九歌現代兒童文學獎」的得獎作品，免不了要衍生一些有趣的問題。

檢視這個獎項的作品，不難發現參賽者的心態，跟其他文學獎參賽者沒什麼兩樣，都希望名利雙收。因此，參賽者常常仔細閱讀歷年來的得獎作品，設法揣摩評審者的心態。他們當然也希望把作品寫好，具有文學性和藝術性，但限於才情，境界往往無法提升，最後書寫成得獎的的作品，與原先的期許，落差很大。無論是評審或一般的讀者，都有一種共同的感覺：台灣少年小說內涵不夠寬廣深厚，可以改進的空間相當大，不論視野、技巧。其實，這種現象是本土所有得獎作品的共同現象。

對美國少年小說頗有研究的多納森（Kenneth L. Donelson）曾指出，優秀的少年小說有四個基本主題：人類基本的和永恆的孤獨，愛與伴侶的需求，希望和尋找真理的需求以及歡樂的需求。[15] 檢視之下，「九歌現代兒童文學獎」得獎作品的主題與此四個基本主題十分接近，較少的是第四個。本土作品常常寫得十分嚴肅，容易掉入說教的範

15 Kenneth L. Donelson, "Growing Up Real: YA Literature Comes of Age," *Young Adult Literature: Background & Criticism*, compiled by Millicent Lenz & Ramona M. Mahood, American Library Association, 1986.

疇。人生固然悲多於喜，但歡樂之事實際也不少。我們不希望未來的主人翁盡是愛國愛民等責任在身的早衰者。我們期望的是，每個兒童有正常的兒童階段，有歡樂的童年，而不因欠缺歡樂，長大後，成為憤世疾俗的人，成為社會的負擔。藉兒童文學的力量，教他們如何彼此歡笑，而不是教他們如何彼此傷害。作家應該學習以輕盈的羽翼出發，帶著歡笑，散播給熱愛兒童文學作品的孩子。這種愛遠勝過父母熱中帶著他們，奔波於不同性質的才藝班的愛。

——《少兒文學天地寬》(「台灣少年小說學術研討會論文集」)，九歌，2002年6月

從「閱讀」到「文本研究」
——淺述文學理論與批評的應用

芝麻，開門！

兒童文學研究的範疇十分廣泛，凡是與兒童文學、兒童文化沾上邊的，都可視之為兒童文學，都可以做為研究的對象。不論是中外兒童文學史的研究、不同文類文本的比較探討、作家專論、兒童電影與戲劇、兒童文學與兒童文化關係的詮釋，或是讀者反應的剖析，均需仰賴文學批評理論的應用。有趣的是，雖然柯慶明對中國文學研究曾建議採取三種策略：一是更加自覺的應用傳統的；二是設法理解二十世紀以降的各種西方「理論」；三是依據中國文學，甚至旁及其他的文學而自行發展出一套「理論」來，[1]現當代的中國文學研究還是以借助西方文學批評理論為多，在英美攻讀文學的更是如此。這方面鄭樹森在〈西方理論與中國文學研究〉一文曾有詳盡的說明。[2]

西方文學批評理論在研究應用方面的霸權現象，也間接

1 柯慶明，〈從中國「文學」創造的一些「理論」思維〉，台北：聯合報，2003.12.17。

2 鄭樹森，〈西方理論與中國文學研究〉，《從現代到當代》（台北：三民書局有限公司，1994年），頁131～168。

說明了英美兒童文學理論為何幾乎全由成人文學理論轉化而來的原因，例如陸肯士與克萊恩（Rebecca J. Lukens & Ruth K. J Cline）的《青少年文學評論手冊》（*A Critical Handbook of Literature for Young Adults*）[3]、湯林森與林區・布朗（Carl M. Tomlinson & Carol Lynch-Brown）的《兒童文學要義》（*Essentials of Children's Literature*）[4]、羅素（David L. Russell）的《兒童文學：簡易導論》（*Literature for Children: A Short Introduction*）[5]、多內森與尼爾森（Kenneth L. Donelson & Alleen Pace Nilsen）的《當代青少年文學》（*Literature for Today's Young Adults*）[6]等書中對於兒童文學形式及內容的分析，均沿襲成人文學中的理論與定義。當然，文本的剖析並非依賴一家說法就可達成的，尤其在科際整合的（interdisciplinary）年代裡，汲取吸納各類學科精華的理論，綜合撰寫成文，雖顯得駁雜，卻不失為一種展現閱讀範疇廣泛的方法。

如果要引用各家說法，則必須經由大量閱讀才能成事。研究者若對於各種理論有詳實的研究，又曾對相關經典作品有所涉獵，執筆為文時，便能隨手拈來，旁徵博引，立論卓

---

3 Rebecca J. Lukens & Ruth K. J. Cline, *A Critical Handbook of Literature for Young Adults*（N. Y.: Harpercollins College Publishers, 1995）.

4 Carl M. Tomlinson & Carol Lynch-Brown, *Essentials of Children's Literature*, 2nd ed.（Boston: Allyn & Bacon, 1996）.

5 David L. Russell, *Literature for Children: A Short Introduction*（N. Y.: Longman, 2001）.

6 Kenneth L. Donelson & Allen Pace Nilsen, *Literature for Today's Young Adults*, 5th ed.（N. Y.: Longman, 1997）.

絕，經常流露出引經據典般的書寫，信心十足，筆下文字也深具說服性，則寫出來的論文的爭議空間也就不大了。

理論的取捨

借用西方文學理論來詮釋華文作品並非完美無缺，仍有其侷限性。如果我們認為「普遍性」和「恆久性」是評斷作品優劣的兩大基本標準，則這兩個標準也可用來檢視西方文學理論的適用性。無可否認，使用西方文學理論探討華文作品常有「雜質」（impurity）之憂。基本上，並非所有外來的西方文學理論都可原封不動，搬來論述華文作品，除了時空問題外，理論敘述者的族群偏頗態度亦不可忽略，薩依德（Edward W. Said）的《東方主義》（*Orientalism*）[7]和《文化與帝國主義》（*Culture and Imperialism*）[8]兩本書中所敘述的所有堅持傳統東方主義的白人學者心態，便是最佳說明。

因此，撰寫學術論文時，千萬不可迷信外來理論是萬能的，如何融會貫通才是最重要。想要達到融會貫通、應用自如的境界，便得勤讀諸書，不然的話，行文時極可能丟三漏四的，甚至顯露出消化不良、不知所云。這類不正常現象最常出現在初學者身上，讀了幾本理論書，行文之間，也不論是否恰當，便硬塞進去，弄得最後進退維谷，不知如何解

7 愛德華。薩依德著，王志弘等譯，《東方主義》（二版二刷）（台北：立緒文化事業公司，2001年）。

8 愛德華。薩依德著，蔡源林譯，《文化與帝國主義》（初版二刷）（台北：立緒文化事業公司，2001年）。

套，來讓自己的文字更具有說服力。

其實，每種理論除了那些創造基本概念的大師的說法外，一定還有不少後起之秀的理論批評家撰文詮釋或補充說明。研究者如果用心細讀這些文字，仔細推敲其行文邏輯，對這些理論概念常會有「豁然開朗，相見恨晚」的感覺，引用起來，也比較會順手些，不會覺得心虛。

面對無數的理論，我們如何取捨？準備動筆撰寫論文常有這種困惑，擔心自己引用的理論不夠理想，不能詳細書寫支撐自己對文本的分析。關於這一點，理論家卡勒（Jonathan Culler）提供了一個絕妙的暗喻。他說，我們就像面對擺滿各種牌子的洗衣粉的架子，每種洗衣粉都強調它的洗滌功能，鼓勵我們試用看看。我們要買哪種牌子？沒有一種洗衣粉能做到廣告上所說的誇張功能。同樣地，沒有一種理論能達成所有我們的詮釋需要[9]，因此，我們只能選取那些適合我們正在研究的材料的理論。

一本文本常有多種的主題，再加上讀者的不同閱讀背景和「預存立場」，這間接提供了廣闊的詮釋空間。面對這樣的文本，我們試著用不同的理論去詮釋，去盡情揮灑。我們姑且把這種方法稱之為「多元論」（pluralism）或「多元文化論」（multiculturalism）。摩爾（John Noell Moore）對《孿生姊妹》（*Jacob Have I Loved*）[10]的分析便是一個絕佳的例

9 John Noell Moore, *Interpreting Young Adult Literature: Literary Theory in the Secondary Classroom* （Portsmouth, NH: Boynton/Cook Publishers, Inc., 1997）, pp. 13～14.

10 ibid. pp. 187～200.

子。他把這本書的多重閱讀（multiple readings）稱之為「稜鏡理論」(theory as prism)。稜鏡隱喻點出，不同的光線不會以相同的方式照亮同一文本。因此，他使用了「原型：姊妹競爭（archetypes: sibling rivalry）」、「女性主義（feminism）」、「文化研究（cultural studies）」、「閱讀大眾文化(reading popular culture)」和「形式主義：敘述循環（formalism: the narrative circle）」來詳細剖析《孿生姊妹》一書。這種多重分析值得我們學習。但如果想引用這種方式，則細讀文本與熟悉理論是不可或缺的。

研究者究竟應以何種角度出發來撰寫論文？佩克(David Peck）提出他對文本想法的「妙方」。他說：「要發現一本文本裡的想法的最佳方法就是仔細閱讀、慎重思考、全面討論、明確書寫。[11]」。他還倡導三 C 來取代 3R ：批評性閱讀、批評性書寫和批評性思考（critical reading, critical writing & critical thinking）[12]。以批評角度出發，總是比較嚴謹。依照這三 C 來撰寫論文也是一種可行的方法，只是順序要稍作調整：先閱讀，再思考，最後書寫。當然，初稿完成後，作者也可能再重新調整順序，依照自己的方式來調整。只要把論文寫好，順序並不是很重要，但這三個過程是可以讓初學者深思、學習的。

11 David Peck, *Novels of Initiation: A Guidebook for Teaching Literature to Adolescents*（N.Y.: Teachers College Press, 1989）. pp. xiv ～ xv.

12 ibid., p. xiv.

縱線和橫斷面

研究者如果採用文本分析法，深入解析文本，可以以兩種方式進行。一種是以單一作家的所有作品或重要作品作為剖析文本，為縱線的考察；另一種則擷取同一年代或相近年代的作品為研究文本，深究作品之間的共相與殊相，從中間接探討社會的變遷，為橫斷面的考察。

以第一種方式（縱線）進行研究，常常要涉及作家本人的背景身世，整個研究就結合了作家與作品的探討。這中間當然免不了論及作家的定位，也就是要考慮這位作家作品的量與質是否值得研究。如果作家剛剛出道，作品不多，則不應考慮。封筆或過世的作家作品應該是比較恰當的研究材料，因為他（她）的整個創作過程及作品都已確定，研究者可以放手去做，即使他（她）未曾出版或刊出的作品也不會造成困擾，因為這類作品畢竟有限，就現成出版的作品就夠大費周章了，何況並非所有的作品都應列入研究文本，研究者還是應設定研究的範疇，從所有的作品去找自己確實需要的作品。如果對李潼的作品有興趣，《台灣的兒女》[13]系列十六冊就足夠分許多層面探討一番了；從曹文軒的《山羊不吃天堂草》、《草房子》、《紅瓦房》與《細米》[14]中，可以

---

13 李潼的《台灣的兒女》系列共十六冊，1999年均由台北圓神出版社出版。

14 曹文軒的《山羊不吃天堂草》與《草房子》由民生報出版；《紅瓦房》由小魯出版；《細米》尚未在國內出版。

研究作者的行文風格以及文革前後大陸城鄉變遷；沈石溪的動物小說和張之路的奇幻小說也是研究的好題材，只要能找到好的角度切入。

國外的兒童文學發展較早，作品琳琅滿目，可做研究的好題材俯拾皆是。對童話有興趣，可從格林童話故事全集、卡爾維諾童話、安徒生童話故事全集、王爾德童話找題目。少年小說方面，茱蒂・布倫（Judy Blume）[15]、錢伯斯（Aidan Chambers）[16]的作品在國內出版的不少，當然適合做研究。約希・弗列德里（Joachim Friedrich）的《朋友4個半》（*4 1/2 freundeund ratselhafte lehrerschwund*）[17]系列、

15 茱蒂・布倫的中譯本作品包括《那段青澀的日子》（*Then Again Maybe I won't*・中華叢書1985）、《鯨脂》（*Blubber*、民生報1986）、《虎眼》（*Tiger eye*、桂冠1990）、《狄妮》（*Dennie*、桂冠1990）、《神啊，你在嗎？》（*Are You there God? It's Me Margarate*、幼獅2002）、《永遠》（*Forever*、幼獅2002）、《一對活寶》（*Tales of A Fourth Grade Nothing*、國語日報1981）、《超級糖漿》（*Superfudge*、九歌1985）、《小妻子》（*Wifey*、皇冠）、《離婚的女人》（*Smart Women*、皇冠1984）、《夏日姐妹》（*Summer Sisters*、高寶2003）。

16 艾登・錢伯斯的《在我墳上起舞》（*Dance on My Grave*）、《收費橋》（*The Toll Bridge*）、《來自無人地帶的明信片》（*Postcards from No Man's Land*）、《休息時間》（*Break Time*），與《尼克的秘密筆記》（*Now I Know*）均由小知堂文化事業公司出版。

17 《朋友4個半》系列已出版《神祕的洞穴》、《失蹤的生物老師》、《聖誕老人集團》、《妙探守則十條》《緝捕校長》、《網路追追追》、《老師在尖叫》、《七根黃瓜的祕密》和《機警的花園小矮小》等九本，均由台北遠流出版事業公司出版。

雷蒙尼·史尼奇（Lemony Snicket）的《波特萊爾大遇險》[18]系列也可列入考慮。

橫斷面研究涉及相關學門。這類研究在強調科際整合下顯得特別重要。以文學研究為基調，如果論文想達成「既深又廣」的目標，仍然需要許多其他人文學科的幫忙。這類研究以文學為骨幹，討論不同作品中的共同現象或相異現象為主，只討論作品中書寫文字的表相是不夠的，必須借助語言學、社會學、人類學、心理學、倫理學、神話學、教育學、傳播學、哲學等學門的專門知識來詮釋，研究內容才會顯得周延，更加深入。以文本為基本骨架，融入上述學科的知識，成為血肉，研究會更有內涵。例如，談不同作家在文本中對死亡詮釋的不同角度，則宗教學、心理學、社會學、哲學、倫理學，甚至教育學都可涉及，成為科際整合的作品。另外，以親情、冒險、戰爭、生死、族群關係、同儕、作家作品比較、科幻作品內涵等，來論述共同現象或相異現象，都可寫成不錯的論文。

「作家作品比較」涉及層面較廣。如果同是華文作家作品，可以就其生活背景、作品意涵、用字遣詞等，做詳盡的

---

18 《波特萊爾大遇險》系列已出版《悲慘的開始》（*The Bad Beginning*）、《可怕的爬蟲屋》（*The Reptile Room*）、《鬼魅的大窗子》（*The Wide Window*）、《糟糕的工廠》（*The Miserable Mill*）、《嚴酷的學校》（*The Austere Academy*）、《破爛的電梯》（*The Ersatz Elevator*）、《邪惡的村子》（*The Vile Village*）、《恐怖的醫院》（*The Hostile Hospital*）、《吃人的遊樂園》（*The Carnivorous Carnival*）、《絕命的山崖》（*The Slippery Slope*）、《陰深的洞穴》（*The Grim Grotto*）等十一本，均由台北天下遠見出版公司出版。

分析，例如比較李潼和曹文軒的某些關於成長的作品，就可從上述的切入角度進去。先分開敘述，再比較相同、相異之處，會有相當不錯的結論。如果嘗試比較不同語文的作品，千萬要避免分析文字，也不能以譯文做為評論文字的依據。基本上，要具備某種程度的語文能力，才有資格以同一種語文去解析該語文結構，例如研究不同版本的《湯姆歷險記》（*The Adventures of Tom Sawyer*）譯本裡的中文，來探討作者馬克・吐溫（Mark Twain）的文字，完全沒有意義，除非用英文書寫，而且駕御英文的功力不下於作者本人。

不論是縱線或橫斷面的考察，研究者的首要工作都是熟讀文本，對於相關學門的專業書籍也必須大量閱讀，勤做筆記（如影印資料或把資料鍵入電腦），只憑超人一等的記憶力是不夠的。這種過程有如大量吃下桑葉的蠶，才有可能吐絲成繭。只仰賴少量的閱讀，就想引經據典，根本是不可能的。做學問講求紮實，勤讀雜書就是紮實工夫之一。

如何決定採用縱線或橫斷面的考察則是見仁見智。基本上，作家作品的質和量常常可以左右研究方向。好的作品不需太多，照樣可以做研究，只是擔心「言無不盡」會有困難，因為限於文本不足，常常難以引用文本中之段落，詳加分析，除非研究者有羅蘭・巴特（Roland Barthes）的本領，寫出差不多二百頁的 *S/Z*：*An Essay* 那樣典範的研究，來詳析巴爾札克只有二十頁的作品《沙哈辛》（*Sarrasine*）[19]。

19　高辛勇，《形名學與敘事理論：結構主義的小説分析法》（台北：聯經出版社，1987年），頁200。

因此，不論縱線或橫斷面的考察均需相當分量的文本。

文本與閱讀

仔細檢視西方近、現代文學批評的發展過程，我們可發現其中呈現出明顯的階段性和連續性。浪漫主義時代和十九世紀以專門研究作者為主；二十世紀初和新批評派則專注於文本，六七十年代則從文本明顯轉向讀者。也就是說，「研究的中心或側重點從作品轉到了讀者以及作者、作品、讀者三者之間的關係上。」[20]這種轉向凸顯了讀者的重要，以「讀者反應」為批評活動著眼點，自然是以「閱讀」過程為中心。許多批評大家和傑出作家也提出他們對「閱讀」的看法，試舉數例加以說明。

但丁（Dante Alighieri）在《神曲》（*The Divine Comedy*）〈天堂篇〉（Paradiso）中說：

> 在那深處的終極，我看到「愛」如何把紙頁
> 裝訂成一冊書籍；頁片繽紛，
> 原本散飛在宇宙間。
>
> （XXX，III：85～87）[21]

---

20 劉鋒，〈讀者反應批評：當代西方文藝批評的走向〉（代序），《讀者反應批評》（北京：文化藝術出版社，1989年）。

21 轉引自麥可．潘恩（Michael Payne）著，李奭學譯，《閱讀理論－拉康、德希達與克麗絲蒂娃導讀》（*Reading Theory－An Introduction to Lacan, Derrida and Kristeva*）（台北：書林出版公司，1996年），頁xiii。

但丁的這幾句話顯然是以文本為焦點。麥可・潘恩（Michael Payne）則指出閱讀對人的影響。他認為聖・奧古斯丁（St. Augustine）在《懺悔錄》（*The Confessions*）中為生平劃分階段，所憑藉的就是對一己心靈影響深刻的書籍的回憶。早期非裔美籍作家斐威麗（Phillis Wheatley）也在閱讀特倫斯（Terence）和米爾頓（John Milton）時，找到奴隸枷鎖的破除之道，「他們靈犀互通，都相信閱讀的行為有變化與解放人心的力量。」[22]

當代評論家托拓洛夫（Tzvetan Todorov）以「文學術」（poetics）來闡釋「閱讀」（reading）觀念。他說：

> 文學術所關注的是文學的一般特徵與普遍原則，它不以作品爲心理或社會現象等非文學體系的「產品」（如「投射」觀念的設想），作品是文學屬性與機能融合運作而產生的東西。「文學術」研究的是普遍原則—如亞里斯多德的「詩學」所討論的並非個別作品而是悲劇與史詩的一般屬性。但這並不否定個別作品的內涵，相反地，它的基礎是對作品的詳細審視。[23]

審視的方法，托氏名之為「閱讀」。接著他又指出：「閱讀的目的並不只要在個別作品中尋出共通的概念以佐證文學理論，它的鵠的是作品本身，引用的工具與概念主要還是為作

22 同上註，頁 xiv。

23 同註 21，頁 166。

品服務，為了發掘、處理作品中自足的內在體系。」[24]既然閱讀的目的是作品本身，以閱讀的結果來「發掘、處理作品中自足的內在體系」，當然是可行的，因此，文本研究也就有其實際的意義與價值了。

現象學家殷格頓（Roman Ingarden）說：文學作品是他律的：它等待主體的活動來使它實現。他又區分了「作品的四層次」：實質的符號、文詞的意義、表現的事物與想像的目標；這四個層次，各有一些意識活動與之相應，而這些意識活動所組成的系統，則構成閱讀。閱讀即「具體化」，使作品成為真正的作品：成為美的事物，成為與活活潑潑的意識相對相聯的事物。在這種意義下，批評家—所有的讀者亦然—是足以自豪的；他們促成作品的真正存在。[25]他的說法更清楚點出文本與閱讀的共存意義。

一個實例

在簡單敘述文本與閱讀的關係後，可舉一實例來說明如何應用文學理論與批評於論文的撰寫上。檢視美加出版的青少年文學作品，可發現其中部分作品曾述及華人在異鄉的生活實錄及形象的塑造。華裔加拿大籍的作家余保羅（Paul

24 同註21，頁166。

25 杜夫潤，〈文學批評與現象學〉，鄭樹森，《現象學與文學批評》（台北：東大圖書公司，1984年），頁64。

Yee）曾在《金山傳奇》（*Tales from Gold Mountain*）[26]、《玫瑰白雪》（*Roses Sing on the New Snow*）[27]、《夢魂列車》（*Ghost Train*）[28]和《閣樓上的鬼魂》（*The Boy in the Attic*）[29]談到了中國人在加拿大的生活。前面三部作品集中於早期移民的實際生活，悲多於喜、苦多於樂。《閣樓上的鬼魂》則是文革後的移民故事。這四本作品均以繪本形式出現。如果要提及少年小說，則必須從紐伯瑞獎的得獎作品去找。關於描寫中國的有《海中仙》（*Shen of the Sea*）[30]、《六十個父親》（*The House of Sixty Fathers*）[31]、《長江河上的小傳子》（*Young Fu of Upper Yangtze*）[32]、《龍翼》（*Dragonwings*）[33]和《龍門》（*Dragon's Gate*）[34]等，前面三冊仍然以中國大

---

26 Paul Yee, *Tales From Gold Mountains: Stories of the Chinese in the New World*（Vancouver: Ground Books, 1989）.

27 Paul Yee, *Roses Sing on the New Snow: A Delicious Tale*（Macmillan, 1991）.

28 Paul Yee, *Ghost Train*（Vancouver: Ground Books, 1989）.

29 Paul Yee, *The Boy in the Attic*（Vancouver: Ground Books, 1998）.

30 Arthur Bowie Chrisman 著，劉宜譯，《海中仙》（*Shen of the Sea*）（台北：智茂文化事業公司，1991 年）.

31 Meindert DeJong 著，莫莉譯，《六十個父親》（*The House of Sixty Fathers*）（台北：智茂文化事業公司，1995 年）.

32 Elizabeth Foreman Lewis 著，莫莉譯，《長江河上的小傳子》（*Young Fu of Upper Yangtze*）（台北：智茂文化事業公司，1993 年）.

33 葉祥添（Laurence Yep）著，葉美利譯，《龍翼》（*Dragonwings*）（台北：智茂文化事業公司，1992 年）。

34 葉祥添（Laurence Yep）著，葉美利譯，《龍門》（*Dragon's Gate*）（台北：智茂文化事業公司，1997 年）。

陸為主要背景，而葉祥添（Laurence Yep）的《龍翼》和《龍門》是真正以中國早期移民在美國的生活為背景。如果要深入探討早期在美國的中國移民的形象，則這兩本作品是很理想的題材。

論文重點只放在這兩本作品上，必然會顯得十分單薄。因此，有心研究的人必須大量閱讀有關中國移民形象的重要作品，包括影視媒體對中國人形象的敘述。這類描述當然都離不開傅滿州和陳查理這兩位截然不同的典型人物。

在羅模（Sax Rohmer）筆下，傅滿州殘暴狡猾、精明邪惡，身後總是跟著一群華人歹徒；畢格斯（Earl Derr Biggers）創造的陳查理是位欠缺冷靜與決心的偵探。他肥胖的身軀和豐潤的臉頰，走起路像女子般扭捏，陰柔化的形象，態度又是逆來順受、卑躬屈膝。這些都是《龍翼》和《龍門》的作者葉祥添最在意的。他說：「我希望推翻以前呈現在媒體中的巢臼：傅滿州大夫和他的部眾、靠小聰明發財的陳查理、電視電影中的廚師、洗衣工及各種喜劇中的僕役，那都是美國白人心目中的中國人，不是真正的中國人。我希望藉由這個剛到美國的中國小孩的所見所聞，以及他父親為了追求理想而奮鬥的故事，刻畫出當年胼手胝足、流血流汗的的中國人真正的形象。」[35]

上面這段話是葉祥添寫在《龍翼》一書的後記。他對於傅滿州和陳查理的扁平形象十分不滿，因此在「文獻分析」

---

35 葉祥添（Laurence Yep）著，葉美利譯，《龍翼》(*Dragonwings*)，頁 284。

方面，必須回溯到影視中的中國形象，首先必須去閱讀《好萊塢電影中的中國男性形象：1919～1961》（李金徽）[36]、《美國電影中的海外華人形象》（吳振明）[37]、《西方電影中華人的定型化問題》（史文鴻）[38]和陳儒修所做的研究。[39]

在期刊論文方面，我在〈鄉關夢已遠〉[40]一文介紹了余保羅的《金山傳奇》、《玫瑰白雪》和《夢魂列車》三本作品。這三本書均以北美中國人的遭遇為背景。另一篇評析文字〈《海中仙》的三種讀法〉[41]也提供了不同的切入角度。劉鳳芯的〈葉祥添少年／兒童小說中的華裔形象及兒童讀者形象研究〉[42]點出作家是重要的文化族裔形象塑造者、分析葉祥添的三本少年小說：*Child of the Owl, The Star Fisher* 和 *Ribbans*，並提出葉氏塑造的四種華裔主要形象：強勢的母女關係、華裔認同美國白人的觀點、次要角色反映了刻板的

36 李金徽，《好萊塢電影中的中國男性形象：1919～1961》，輔仁大學大眾傳播研究所碩士論文，1999年。

37 吳振明，〈美國電影中的海外華人形象〉，《聯合文學》第九卷第七期，1993年5月，頁100～109。

38 史文鴻，〈西方電影中華人的定型化問題〉，《聯合文學》第九卷第七期，1993年5月，頁100～109。

39 陳儒修，〈「秋菊打官司」的中國圖象〉，《當代》81期，1993年1月，頁4～9；〈好萊塢觀看的中國〉，《電影欣賞》103期，2000年9月。頁89～93。

40 張子樟，〈鄉關夢已遠〉，《國語日報》「兒童文學」，1998年5月31日。

41 張子樟，〈《海中仙》的三種讀法〉，《閱讀與詮釋之間》（花蓮：花蓮文化中心，1995年），頁83～92。

42 劉鳳芯，〈葉祥添少年／兒童小說中的華裔形象及兒童讀者形象研究〉，《中外文學》323期，1999年4月，頁49～70。

華裔形象以及早期的華裔兒童。趙映雪的〈從兩本少年自傳／小說看華人在美國·美人在中國的自我認同問題〉[43]也是不可忽略的文章。

其次，廣泛閱讀文本是必須做的嚴肅工作，華裔作家湯亭亭、譚恩美、朱路易、黃哲倫、趙健秀等人的作品中透露出的文化偏頗性問題，都是不可忽視的。進一步分析作家的身分、背景如何影響作品創作，並在種族、階級、法律、政治、性別等方面進行廣泛多樣的議題。這方面的研究以中央研究院歐美研究所所做的最為出色。這些研究提供豐富的資料，特殊的切入觀點和論述方法均可做為後學者的參考。

這樣的研究以文本分析和歷史分析為主，薩伊德的《東方主義》和《文化與帝國主義》是論述的最佳接引觀點。薩伊德在《東方主義》提出一個觀看世界的新角度，為第三世界發聲。他同時指出東方學者如何與帝國主義掛勾。《文化帝國主義》重心在於文本在詮釋帝國主義的文化侵略。這兩本書所論述均以伊斯蘭和阿拉伯世界為主，但是否適用於中國則有待商榷。朱耀偉在《當代西方批評論述中的中國圖象》[44]一書中有了詳盡的討論。因此，即使西方學者在建構、虛擬東方學時，中國與伊斯蘭、阿拉伯世界同樣是想像神秘的國度，不妨試用，再檢驗這樣的論述是否適用。

---

43 趙映雪，〈從兩本少年自傳／小說看華人在美國·美人在中國的自我認同問題〉，《兒童文學學刊》6 期下卷，2001 年 11 月，頁 196～211。

44 朱耀偉，《當代西方批評論述中的中國圖象》（台北：駱駝出版社，1994 年）。

背景問題同樣不可忽略，因此，陳靜瑜的《從落葉歸根到落地生根－美國華人社會史論文集》[45]、劉伯驥的《美國華裔史》[46]及其續編、劉志雄和楊靜榮合著的《龍的身世》[47]、郭洪江的《文化民族主義》[48]、傑夫瑞．亞歷山大和史蒂芬．謝德門的《文化與社會》[49]均是必讀的參考書。

研究者不可能把所有與自己論文題目相關的文字（包括專書、論文、期刊論述等）蒐集齊全，原因有二：一是限於研究者語文能力、經濟能力，相關文字蒐集不易；二是研究者會考量即使盡力蒐集，也會有遺漏。然而，若以薩伊德的《東方主義》為論文理論基柱，則能找到的薩伊德作品和討論他作品的文字都不應忽略，如《知識份子論》（*Representations of the Intellectual: The 1993 Reith Lectures*）[50]、《鄉關何處》（*Out of Place: A Memoir*）[51]。同樣的，既然以葉祥添的作

45 陳靜瑜，《從落葉歸根到落地生根—美國華人社會史論文集》（板橋：稻香出版公司，2003年12月）。

46 劉伯驥，《美國華裔史》及其續編《美國華裔史續編》（台北：黎明圖書公司，1981&1982年）。

47 劉志雄和楊靜榮合著，《龍的身世》（台北：台灣商務印書館，2001年）。

48 郭洪記，《文化民族主義》（台北：揚智文化事業公司，2000年）。

49 傑夫瑞．亞歷山大（Jeffrey C. Alexander）和史蒂芬．謝德門（Steven Seidman）主編，古佳豔等譯：《文化與社會》（*Culture and Society*）（台北：立緒文化事業公司，1999年）。

50 愛德華．薩依德著，單德興譯，《知識份子論》（*Representations of the Intellectual: The 1993 Reith Lectures*）（台北：麥田出版公司，1997年）。

51 愛德華．薩依德著，彭懷棟譯：《鄉關何處》（*Out of Place: A Memoir*）（台北：立緒文化事業公司，2002年）。

品為主要論述文本，則與他的相關文字也不能不讀，例如在《純真與經驗》（*Innocence & Experience*）一書中找到一篇他討論與撰寫《龍翼》經過的相關文字：〈一種中國真實感〉（'A Chinese Sense of Reality'）[52]，會有如獲至寶的感覺。雖然在行文中不一定會引用，他對葉祥添為這些龍族立傳的心態會有更深入的了解，卻是事實。因此，研究者在蒐集資料時，絕對不會嫌多。再多的資料經過篩選後，往往所剩無幾。參考資料主要在於支撐研究者的立論，使得其論述更有力，更加清楚。

書寫準則

文本研究必須細讀文本，而且只讀一次是不夠的。一部作品可以有不只一次的「閱讀」，每次以某種關節因素為著眼點，從這個著眼點連繫統御其他關節成分；不同著眼點的選擇也就構成不同的閱讀法。一部作品可用的著眼點幾乎是無限的，因此閱讀的種類也不計其數。這些當中，有某些可能比較「適當」、「切題」，或比較能使作品顯得「繁富充實」，但我們不能說只有那一種才是唯一「正確」的讀法，寫論文亦復如此。因此，把初稿寫完後，應該重讀引用的文

52 *Innocence & Experience：Essays & Conventions on Children's Literature*. Compiled & edited by Barbara Harrison & Fregary Maquire from Programs presented at Simmons College Center for the study of Children's Literature（Boston, Massachusetts, 1987）.

本。每讀一次，總會有新的發現，新的領悟，可以補寫入初稿。但發現與領悟不是單純的添加文字，說不定得刪減某些不理想的段落。這時候，「捨得」便是一種必要的手段。初學者常常喜愛把自己蒐集不易的資料，強加入論文敘述中，不理會別人的文字對自己的論文有多少幫助。結果，冗長不宜的文字徒增整篇論文的負擔，缺少了精簡樸實的優點，往往造成閱聽者的不耐，而擱置一旁，不想翻閱續讀。

所謂「精簡樸實」是寫作邏輯上的問題。首先，論述中肯，確實能顧到「批評性閱讀、批評性思考、批評性寫作」三種原則，不打高空、不說空話與廢話，便是精簡。其次，論文有其特殊語言，理性多於感性，散文般的雕琢、小說般的描述並不一定能適用於講求嚴謹的論文中。當然，這方面見仁見智，但文字講求清晰爽朗，不加一廢字，是論文的基本要求。同樣的，論文題目的選定也應該是「精簡樸實」。基本上，學術論文應趨於「小題大作」，而非「大題小作」。與其「大題小作」，空言泛論，還不如「小題大作」，言簡意賅。

論文貴在創新，而非純粹資料的蒐集與整理。蒐集與整理資料大部分只是勞力，勞心較少。當然，資料的尋覓與檢視還要仰賴敏銳的眼光與超人一等的篩選功夫。有了很好的資料，如果行文時，不懂得好好引用，那往往就會浪費了花在蒐集和整理資料的寶貴時間。聰明的研究者不僅懂得如何從大量資料中找出自己想要的，更懂得將獲得的資料加以發揮、無限延伸，讓自己的論文處處有新意、處處有創見。人們看到這樣的論文，常常會眼睛一亮，論文本身終於展現了研究者的潛力。

不論是引用文學理論或他人的研究成果，其主要目的在於支撐自己的研究論點，而非詮釋引用之理論或研究成果。因此，千萬不要失去論文重心，也就是立論的重心。研究者要懂得自己的書寫方向，以邏輯的思考來論述自己的研究，夾雜著理論大師的說法或他人研究的結果，來突顯自己論述的強度及可靠性。因此，所謂的「文獻探討」是否應另以一節、甚至一章來介紹，就有待商榷了。我個人偏愛的方式是「夾敘夾論」。研究者應該把相關參考資料充分消化、融會貫通後，自自然然在敘述中溶入，而不需套用固定模式，填充式的把相關文字填入。

依據固定模式書寫，有人覺得四平八穩，蠻安全的，但容易趨於僵化、缺少創見。如果以「批評性閱讀、批評性思考和批評性書寫」來論述論文，則應捨棄固定模式，而在不同章節的敘述中，針對需要，將自己閱讀理論和他人研究的發現，不動聲色的帶入自己的論文中，強化論述的可靠性與可信度，且不失其創意。這樣的書寫方式較具挑戰性，但研究之收穫必定較多。

研究發現試擬

薩伊德的《東方主義》與《文化與帝國主義》以批評英法美對第三世界（包括阿拉伯世界、非洲、印度等曾經淪為殖民地的國家）的不公心態為主，但其基本精神卻是普遍性的。有色人種生活在美國，同樣也遭受到《東方主義》學說的影響，過著二等國民的生活。早期的中國移民被歧視的遭遇，從葉祥添的《龍門》和《龍翼》的兩本作品中，我們看到許多悲慘的故事，背負「原罪」（膚色）的贖罪方式竟然是必須接納生命中無法忍受之重。

如果再深入研究，我們會訝然發覺《東方主義》中的殖民心態永遠潛伏在每個人內心深處。這種心態一旦有了發揮的空間，不知不覺就會展露出來。雖然說世界已經邁入「地球村」，但階級觀念仍然無法剷除。貧富差距、強弱高下之分，似乎舉世皆然。因此，在詳細陳述葉祥添這兩本作品中中國早期移民的悲慘遭遇、文化差異、種族歧視後，研究者更應大膽推論，島上的原住民是否也受到《東方主義》之害，一直無法說出心中的真正感受。歐威爾（George Orwell）在《動物農莊》（*Animal Farm*）中說：「所有的動物一律平等，但有些動物比其他人更平等。」[53]所謂「更平等」自然是指新階級的形成。我們幾乎可以斷言，階級說是人類永恆擺脫的烙記，《東方主義》的說法更強調了階級的存在。

以西方文學理論檢視作品，使用在《龍門》和《龍翼》兩本作品上，絕對是合適的。文學作品反映了某個時代某種階級的生活實況，極可能比正史所記載的更為真實。薩伊德說：「小說是具體的歷史敘述，被真實民族的真實歷史所形塑。」[54]他提供給我們另一種新的檢驗文本的方法，使得我

53 John Bartlett, *Familiar Quotations*, 15th ed.（Little, Brown and Company, Inc., 1980）, p. 858.

54 愛德華。薩依德著，蔡源林譯：《文化與帝國主義》（初版二刷），頁155。

們的研究能更加周延、更具說服力。

在《文化與帝國主義》一書裡，薩伊德提出「空間」的重要概念。他從重要文本中[55]找出跳離英國遙遠的殖民地上的殖民者，如何以勞役來為住在英國本土上的白人賣力。「空間」使得剖析更為深刻，薩伊德為後學者開了另一扇窗子。乍看之下，薩伊德筆下的文本，不論是珍・奧斯汀（Jane Austen）的《曼思菲爾公園》（*Mansfield Park*）、康拉德（Conrad Joseph）的《黑暗的心》（*Heart of Darkness*）或吉卜齡（Rudyard Kipling）的《金姆》（*Kim*）均是殖民者如何利用殖民地過著高人一等的生活，而葉祥添的兩本作品卻是中國移民在異鄉討生活的辛酸記錄，似乎以薩伊德的說法來詮釋不甚理想，但書中的中國人滿懷幻想，來到夢想的「金山」，遭受岐視、排擠、隔離、壓迫、扭曲，未嘗不是第三世界被殖民者遭遇的翻版。

相較之下，美國式的帝國主義在「空間」方面，與英法帝國主義截然不同。它有它的新殖民方式。首先，它把所有的戰爭都推往異國他鄉，一二次世界大戰重要戰役都在別人的領土上進行，「珍珠港事件」是僅有的例外。為了經濟利益，它盡量採購他國石油，減少開採本土上的油礦。它同時把英法的傳統殖民空間從他國搬至自己土地上，盡情網羅世界各國的菁英份子，為新殖民大帝國服務，然而不論是阿拉伯人、印度人、紅人、黑人、黃人均未得到該有的待遇，因為他們面對的是堅決認定白人文明優越價值的不公正社會結

55 同註 21，頁 131~159。

構。《龍門》和《龍翼》中的中國移民只不過是建立新羅馬帝國的新奴隸而已。

結　語

如果我們相信「文本」的特性是「眾聲喧嘩，各說各話（multi-voiced）」[56]，則閱讀文本後的反應同樣亦是「眾聲喧嘩，各說各話」。每個讀者自有他（她）的思考模式、閱讀策略，自然閱讀後的反應不可能是一致的。同樣的，論文寫作者一樣是「眾聲喧嘩，各說各話」。這裡的「各說各話」並非巴別塔（Babel）式的眾說紛紜，而是「各自表述」，且能自圓其說。

即使使用相同的文本做為剖析依據，因為切入角度不同，寫的內容也不可能相同。何況，閱讀是種「採集」的動作，「是豐收期的拾穗，是在藤蔓和泥土上採集果物」[57]。因此，採集方式不同，筆下展露自然相異。引用薩伊德的《東方主義》和《文化與帝國主義》來詮釋《龍門》與《龍翼》，只是許多研究方法中的一種而已。薩伊德的博學不但給後學者一種震撼作用，同時也指引了他們的學習方向，使他們明瞭做學問必須具有嚴謹、勤學的態度，才有希望在某種專門研究領域，有所突破，有所創新。嘗試以薩伊德的幾本著作，去闡釋近代中國移民的悲愴點，是種冒險，但也不

56　同註 21，頁 166。

57　同註 21，頁 107。

失為一種創舉。研究者必須先站穩立場，認為薩伊德對西方世界殖民第三世界的事實，正是凸現了白人優先的固有心態。因此，研究者這樣的寫法本身就具有創新的意味。

文本不變，評析方式不一，則研究結果不會相同，也不應該相同。如果想從學術研究過程中，得到閱讀與書寫的喜悅，則視個人先天智慧和後天努力的結果而定。先天智慧可影響研究角度、資料爬梳與撰寫內涵；但後天努力在做研究的學習過程最容易展現出來。「勤能補拙」是後天努力的一種說法，做學術研究還是需要「勤」字。雖然與創作者相比，研究者的創意不能算多（大師例外）。然而，「創意」常常用來做為評析論文優劣的一種標準。這種創意應該是指研究過程中的發現，從中找到別的研究者沒發現的，或者讓他們覺得你的發現正是其所尋求的，這些都是做研究的人的樂趣。既然已推開文學殿堂的大門，如果發現自己創作無望，不妨另找空間，從文本出發，嘗試去領略做研究的樂趣。

——「台灣兒童文學學術研究方向研討會」，《兒童文學》學刊，第 11 期，2004 年 7 月

【附錄一】

淨土上的琅琅書聲

——花蓮海星國小的英語教學

全國熱中學習英語時，我們看到「望子成龍、望女成龍」，四處尋求秘方，疲於奔命的家長；我們見識了四處兼課，拼命賺錢的中外「名師」；我們接觸了堅持教學理念、不計名利，在自己崗位上為學生扎根的好老師。這兒要介紹的是長期默默在英語教學上努力耕耘的一間國小。

成立於一九六〇年的花蓮海星國小（原名若瑟國小）在實施英語教學方面，一向走在時代的前端，至今已有三十幾年的歷史。最初英語課程的設計是三年級開始教授英語，每週兩節、八十分鐘。實施一段時間後，深受家長學生歡迎，校方深刻體認提升英語溝通能力的重要，教學年級提前為一年級，每個年級並另加英語唱遊和電腦英語，共計五堂課。為了銜接國中課程，六年級除了主課以外，還特別安排拼字及有關中小學的統整課程，由海星中學的老師來支援教學，合計四堂課。

誰來教？教什麼？用什麼教？

學習外語，師資重要，教材及設備也重要。目前海星國小十五班，有兩位專任英語教師，兼任七位（其中兩位為加拿大籍）支援四班英語課外才藝班，專、兼老師均能全力投入教學，貢獻一己之長。

教材遴選全由教師自主。目前一至五年級採用英國牛津出版社出版的相關教材，六年級採用英國劍橋出版社的教科書、卡帶及拼字本補助教材。另外，並配合主題，實施校外教學，以補充教材的不足和缺點。

由於器材的日新月異，語言教學必須仰賴特殊器材，才能獲得更大效果。海星國小在這方面也不落人後，設有英語專業教室，備有音響、電視和放影機、投影機等先進設備。電腦多媒體的應用也不缺，該校同時配合電腦實施教學，藉由電腦的聲光和動畫效果，增進學生學習的興趣。

怎麼教？

人人都知道，國小英語教學的重要以培養聽說能力為主，讀寫為輔，並且強調單字與發音並重，希望兒童能充分發揮兒童在發音學習方面的優勢，同時兒童也可由豐富的聽說經驗，奠定未來急需的良好英語口語溝通基礎。海星國小完全遵循這種教學重要及方式。

當然，聽說讀寫是有其連貫性的，因此，海星國小的英語教學並沒有因過分強調聽說，而忽略了讀寫活動。每一年級的教師在教學中，都是適時將讀寫活動融入課程中，讓學生因接觸簡易的閱讀材料，並做適當的臨摹和填寫字語等練習，在學習中自然而然地體會到語言表達的不同形式，如此一來，聽說讀寫相輔相成的效果便易於達成。換句話說，這一切等於是為國中階段聽說讀寫並重的英語學習作準備，以便達成國小、國中英語課程一貫的目標。

由於學生的家庭背景差異性高，每位學生接觸英語的時間多寡和學習機會都不同，結果，同一年級的程度也就不一致。海星國小為了讓每個年級不同程度的學生有適當的學習機會，便採用程度分級制度。先經筆試和聽力的測試，測出程度，作為分級的依據，使得孩子能在適合自己能力的班級上課，以減少學習上的挫折感。

另外，學生的學習態度也影響學習效果，海星國小觀察學生學習情況，並根據學生吸收情形做適度的調整。如果孩子的表現有十分顯著的進步時，便鼓勵其向上跳級。學習有困難時，則加強其基礎訓練。班級的編排也特別用心，程度較不理想的學生的班級人數較少，以便增強個別輔導的機會。因此，你如果在同一班上看到六年級生與一年級生並坐學習時，也不必驚訝。

有什麼課外活動？

語言教學並非只有課堂上的活動，必須有課外活動來搭配，才能顯得更生動活潑。海星國小除了在每星期一朝會時教導學生英語每週一句外，並鼓勵同學自願上台，發表演說或者當場表演。為了使學生確實明瞭自己的程度，該校與台北師德教育顧問公司合辦「全國兒童英語能力分級檢定」，並另與英國劍橋授權駐台辦事處簽約合作，推展兒童英語小院士（劍橋小院士）的檢定。孩子都樂意參加。

其次，為了配合課程，海星國小還不定期舉辦英語校外教學，著重實用及生活化，例如：麥當勞及西餐牛排點餐。每逢西洋節慶，除介紹外並配合活動，舉辦英語跳蚤市場募捐活動和英語電影欣賞、英語拼字和朗讀比賽。為了讓學生拓寬視野，培養開闊胸襟，利用寒、暑假，組成海外文化遊學團，深受家長的支持。

雖然有不少花蓮人認為海星國小是貴族學校，但現在貴族的意涵已不再是一般人想像的生活奢侈豪華、衣著講究的少數人，而應該是彬彬有禮、氣質高貴，具備健康、快樂、積極生活態度的優秀分子。這是現代社會急需培養的接棒者，這也正是海星國小加強英語教學的主要原因。

——《民生報》，2001年11月11日

學習意願和努力程度

半世紀以來，台灣的政治、經濟和文化始終籠罩在超強大美國的陰影底下，英（美）語的地位也始終居於所有外語之冠。大學生出國深造多以美國為主。英語的威力隨著美式文化以各種不同方式進入台灣，學習英語的熱潮從未消退過，托福班的人潮盛況以及英美雜誌的暢銷，便是最好的說明。

然而，近年國內高等教育蓬勃發展，各種學科的研究所紛紛成立。大學生在經濟與語言環境的考量下，許多人選擇在國內深造，甚至到對岸的重點大學去取經。赴美留學生逐年減少，大學生的英語能力似乎也跟著日漸衰退。多位研究所的教授覺得研究生能力不如從前，因為無法接受閱讀外文參考資料，造成研究上的不便與內容的貧乏。

如果我們追根究柢，會發覺大學生的英文程度一向不是很理想，最主要的原因當然是花費在接觸英文的時間太少，不論說讀聽寫。國高中學了六年英語（文），最終目標都在升學考試上。聯考題型常常左右了教學方式。近年來雖已擺脫從前一再遭人詬病的命題方式，轉而趨向生活化，活潑有趣，但教學環境依然不是很理想。每班學生人數過多，口語與寫作訓練機會相對減少，仍是致命傷。

早年大學各系都得修滿大一英文八學分。有些大學增開大二英文八學分，甚至有些私立大學規定四年都必修英文。但隨著課程修訂，八學分變成六學分，再減為四學分，目前更淪落為通識兩學分，而且可修其他外語代替。如此一來，英文程度必定下降。許多大學生追求舒服的生活，並未體認自己英文程度欠佳的危機。缺乏學習動機與壓力，程度也就無從提升了。

人人都知道，有競爭才有進步。對岸的外交，經濟與文化力量日見壯大，壓縮到我們的生存空間，這是不爭的事實。國內有識之士親睹對岸學子苦讀英語，心驚膽跳，大聲疾呼國人加強學習英語。各大學負責人也有同感，多已著手修訂課程，要求在校學生在畢業前通過托福或全民英檢的某種關卡，才能拿到畢業文憑。再加上國小開始實施英語教學，一時之間，學習英語熱潮再起，頗有一番新氣象。

其實，學習任何語文都必須持之以恆。每天不斷的接觸與應用，自然會精進，如果只是一時興起，追隨時尚，一曝十寒，當然不會有效。就當前的學習環境而言，台灣大學生要把英文學好並非難事，最大關鍵還是在於個人意願和努力程度。外來的壓力只有催化作用，並無法轉化成真正的學習動力。

——《國語日報》「教育」，2002年3月11日

一千個基本字彙　正面意義大

為了方便九十四學年度國中英語科學測名題依據，教育部公佈了國中小一千個基本英語字彙。跟往常一樣，這些字彙的內容與多寡，又引起廣泛的討論。一般擔心一千字太少的理由是，將來要與高中甚至大學銜接會有困難，再跟大陸一比，我們「弱很多」。大部分望子成龍的家長與補習界老師，都抱持著這種態度，但他們似乎忽略了國中小教育的本質、學習過程和城鄉差距這些問題。

熟悉語言學習過程的人都十分清楚，死背一個單字並不等於完全掌握了這個字的用法。我們聽過這樣的說法：背一個字，不如背有這個字的一句話；背一句話，不如背一段；背一段，不如背全文。當然，這種學習法是過時的、古板的，但活用單字是深廣學習的方式卻不容否認。因此，教師如果懂得將這一千個基本字彙融於基本句型，再配合情境教學，使學生能充分了解每個字的用法和使用於實際應對中，教學便算成功了。

在現實環境的壓力下，許多家長都忘了國中小階段是國民義務教育，而非經過篩選的精英教育。家長總是認為自己的子弟不能輸在起跑點，因此給孩子相當大的學習壓力；但家長忘了，語言學習是漸進的、持久的，並非一朝一夕就一蹴可幾的，而且壓力也可能變成阻力。原來學習新的語言是一種樂趣，但如果加上多層功能要求，效果往往適得其反。一千字基本字彙的訂定並非簡化學習，從另一個角度來觀察，還深具推廣作用。

許多學子學習英語起步較晚，又因家境無法參與補習，目前已形成相當明顯的城鄉差距；即使在大都會裡，一樣出現這種情形，更不用說那些生活在偏遠地區的學童。這些孩子的學習環境一向不如他人，一開始學習英語，就有了重大的挫折感，不但毫無學習樂趣可言，甚至轉而憎恨學習英語。雖然有許多專家學者體認這種嚴重的學習落差，但一直無法改善。一千個基本英語字彙的訂定，至少給這些偏遠的孩子在學習上有所依循，心懷希望，落差的心態可以調整。

只有一千個字是不夠的，但老師如果用心教學，還是可以把學習英語的基礎觀念和方式傳授給學生。有了這一千個基本字彙，根據廣泛閱讀或寫作需要，不妨再另訂定兩千個常用字彙。當然，每個學生的學習能力不同，選修與分級制度也是另一種補強方式。

——《國語日報》「教育」，2003年1月30日

好玩與好記
——介紹一本有趣的英語小書

一

在升學主義掛帥的年代，課外書籍毫無地位可言。熱衷於提高學生升學的老師，不贊成學生接觸課外書籍，因為那會佔用了學子啃教科書的時間，何況課外書籍良莠不齊，說不定接觸之後，會深陷其中而無法自拔。對孩子學習方式不甚清楚的家長，當然堅信老師的吩咐，以免孩子在升學的路上出了差錯。於是，看課外書似乎是妨害正當學習的惡事。

依據學習原則，這種想法與做法當然是錯誤的。教科書只是指引讀書的方式之一，並非知識的全部。博深的知識並須仰賴大量的閱讀才能獲得，而優秀的課外讀物正是最佳的知識營養補充液。學校的正課有如正餐。學子要正常成長，需要良好的營養補給。除了三餐之外，孩子還是需要零食或是宵夜的補充，多寡不是重點，重要的是學習如何去汲取及吸收。

二

英語是舉世公認的世界語，是當前的最佳溝通工具。學習英語的熱潮始終未曾在島上消失過，人人都肯定英語的重要性，也熱烈尋找快速精通英語的秘方。國小開始實施英語教學後，這種現象更加明顯，尤其在說聽方面。然而，英語的說聽固然重要，但如果欠缺讀寫，學習過程必定不算完整。再進一步細想，加強讀寫也可以增強聽說的內涵。

市面上有關學習英語的課外書，始終擁有相當高的銷售率，這間接反映了一般讀者的需求。這類書籍多半針對考試為主，書寫方式正經八百，讀來有如嚼蠟，雖有部分功效，讀者總覺得辛苦費勁，如果內容深澀，那更是苦上加苦，學習效果自然大打折扣。

三

專家認為，給青少年閱讀的書不外是要達到下面三種功能：提供樂趣、增進了解和獲得知識。三者之間又以「提供樂趣」為主。一本乏味的書，讀者懶得翻閱，或者只是翻了幾頁，就擺在一邊，又如何去增進了解或獲得知識？因此，要編成一本有內涵又有趣的事，還真是一件不容易的事。筆者研究所的學長朱邦彥，就有這等本事。這些年來，他編了不少有趣的英文小書，頗受好評。《公說公有理，婆說婆有理——互相唱反調的英語諺語》也不例外。

編者中英文俱佳，滿腹人生哲理與生活情趣，編書自然是件快樂的事，但灌注讀者的卻是上述二者的調和。這本書的編輯方向主要遵循編者在「自序」中談到的兩個原因：好玩與好記。讀者逐句推敲，就會體會編者的功力與幽默。全書絕無乏味之處。

書中一百三十對英語諺語的排列，除了中英文的對照和「解字」外，「解句」最有看頭。中英文對照和解字只是編者語文造詣的展現，「解句」卻是他對世間人事物細察後的沉澱結晶，最值得細細品味，而全書的「好玩」，就在「解句」裡。至於，「好記」那要看讀者的功夫了。

四

行家浦萊（George Poulet）說：「書是物，書在桌上，在書架上，在書房的櫥窗裡，等待人們將它從物質的、靜止的狀態中擺脫出來。」書唯有透過閱讀，才能擺脫物質的與靜止的狀態。換句話說，讀者賦予書生命，賦予書意義。面對這樣一本好書，你還在猶豫什麼，趕快翻開第一頁，開始「悅」讀之旅。

——《民生報》「兒童少年」，2003年11月16日

在文字中汲取文化養分

——讀揚歌的《繞口令學英文》有感

大環境的變遷往往會改變學習態度。台灣自從進入WTO，國小開始實施英語教學後，全國上下立刻陷入學英語的狂熱階段，也製造了不少商機。凡是與學英語有關的幾乎全部出籠。不同程度與階段的補習班紛紛以外籍人士為號召，想要那些怕孩子輸在起跑點的家長，乖乖把口袋裡的錢掏出來。這些急得像熱鍋上的螞蟻的家長早已忘了「先起跑，可能先摔倒」的說法，到處尋找名師、秘方，恨不得一夜之間，自己的孩子就能說得一口標準英語。

廣播電視界也突然增加了不少刻意塑造的英語教學專家，日日傳授新奇的學習技巧。市面上和學習英語有關的工具更是琳琅滿目，傳統的錄音帶、錄影帶已經落伍，取而代之的是語言學習機和電子辭典（青少年幾乎人手一「冊」），更不必提到那些設計精良的有趣玩具了。如果我們冷靜思考一番，或許會發現我們又回到過去了。我們具有清末那群高喊「扶清滅洋」的拳匪般的熱忱，只是口號變了；擔心的是我們會同樣陷入「自強運動」似的下場，到時候只學到皮毛，未能觸及精髓。

其實，學習英語跟學習其他語言沒有兩樣。認真加上恆心，遲早都會有所成的。學英語絕對不是坊間廣告所保證的，短短時間之內就可速成。同時不要忘記，學習語言的同時，也必須了解語言背後的文化。了解文化當然不是一蹴可成的，必須長期沈潛，才能融會貫通。大家都明瞭，正常的英語教育並不是要培養說得一口流利、洋涇濱似的英語，但沒內容的人，何況，流利也需要豐富的內容來襯托。所以，眾所期盼的是，藉由英語適度栽培具有相當水準的文化觀的現代人。

如果上面的學習英語說法是正確的，則在加強口說能力的同時，必須大量閱讀相當書籍，才會言之有物，不致於變成虛有其表的要嘴皮的人。根據大力倡導閱讀的學者羅森布萊特的說法，閱讀是種美學經驗。閱讀具有「提供樂趣」、「增進了解」和「獲得資訊」三大功能。任何書籍都可用這三種標準來檢視，這本書當然也不例外。

基本上，「繞口令」是種文字遊戲，音義俱全才是好的繞口令。單單文字的堆砌，並不能凸顯作者的功力與用心。這本書中的每一則讀來趣味橫生，自然是把趣味擺在第一位，但讀者如果深入探究，就會發現作者在不知不覺中也融入「增進了解」和「獲得資訊」這兩大功能。最令人佩服的是，為了達成這兩種功能，作者使用了淺顯和幽默的文字，不但傳達了作者急於展現的訊息，而且也勾勒了中西文化的差異。作者楊國明老師教學多年，終日浸淫在文字中，對文字特別敏感，中英文均運用自如，非常順暢。每則的說明，不論繞口令的解釋或列舉的句子，都可看出作者的用心推敲和豐富學識，值得好好細讀一番。

——《民生報》「少年兒童」，2002年5月5日

在歡樂中學習

——推介《兒童生活美語卡通》

孩子喜歡聽故事，尤其喜歡聽有趣的故事。有關動物的故事，更是他們最樂意聽的故事，因為動物故事必定涉及幻想，而幻想力的激發正是孩童年代最需要的。沒有幻想力的孩子，極可能就沒有創造力。想想看，一個童年時期失去幻想力和創造力的孩子，如何跟其他孩子在一起學習、遊戲？是不是會輸在起跑點上，那就更不用說了。

在媒體使用特別發達的年代，學語言只有「聽」是不夠的，必須加上「看」才能把學習的功效發揮到極致。所謂的audience（閱聽人）本來就是包括「聽」和「看」。今天人人肯定英語的重要，熱中學習英語時，大家都關心孩子在這方面如何邁出穩健的第一步，也就是如何找到優良的教材，讓孩子天天聆聽觀賞之餘，不知不覺融入書中情境，達到學習的最終目標，而這正是理查．史蓋瑞《兒童生活美語卡通》這套教材預期達成的。

理查．史蓋瑞是個著作等身的兒童文學家。一生貢獻是眾所周知的。這套教材在他精密策畫下，展現出同類書籍不及的優點。初學者可依據內容的深淺，從第一集到第六集，循序漸進，一定會有意外的驚喜和收穫。以第六集「鵝媽媽童謠精選」為例，主角哈克貓在夢中發現好友蟲蟲不見了，便展開路途漫長的尋友之旅。編撰者細心安排，順著牠的不同遭遇，幾乎把所有重要有趣的「鵝媽媽童謠」全部收入，情節安排自然而不做作，一氣呵成，使小朋友在半小時之內，隨著哈克貓走了一趟童謠之旅。主角哈克貓個性明顯，合乎孩童的天性。故事裡的長者在尊重孩子的選擇之外，也同時給予適當的約束和教誨。全書對白幽默俏皮，畫面明亮清晰，英語咬字清楚，給小朋友絕好的模仿機會。其餘五集的內容亦是如此。

一般而言，兒童文學讀物最基本的功能有三：「提供樂趣」，「增進了解」和「獲得資訊」。這套系列產品的功能亦是如此。小朋友在聆聽、觀賞時，獲得的耳目樂趣不言而喻，並且同時也能得到不同的相關資訊，充實自己生活中的各種生活常識，懂得在家如何與父母做良好的互動，在外如何與朋友交往，了解動植物的生態，也逐漸了解做人的種種道理。

學習英語貴在融入某種情境之中，不斷重複練習。童話故事中「三」與「七」的一再重複出現，間接告訴我們重複練習的重要。有了這套系列叢書，相信小朋友在第一次接觸後，會一再要求重複播放，而沈迷在故事與美妙的旋律中。多采多姿的動人畫面，再加上美妙有趣的旋律，會給小朋友留下永遠的記憶，使得自己更有信心，更樂意大聲說英語、讀英語。

──《民生報》，2003年6月8日

尋找一本好字典

在舉國熱中倡導學習英語的時候，由於急功近利的心態相當濃厚，一時之間出現了不少偏差的現象。家長望子成龍、望女成鳳，但對於正常的語言學習過程不甚了解，因此他們對子女學習英語的期待落差頗大。他們總是希望兒女今天學英語，最好明天就會說一口流利的英語，以後諸事順利。他們忘記英語只是一種學習的工具，而不是學習的全部。許多以利益掛帥的外語補習班就利用家長這種期望過度的奇特心態，大發補習財，滿足家長的瞬間成就感，而忽略了學習英語的真正目的。

英語是一種溝通的工具。藉由英語，我們了解英美文化，甚至推而廣之，進一步了解其他文化，因為英語是當前舉世公認的世界語。了解他人的文化，才能懂得彼此互相尊重，才能真正掌握溝通的工具。然而，在了解他人文化的過程當中，說與聽的能力固然重要，但決定了解是否深入，卻是閱讀能力。

國小英語教學實施至今，我們發現了一個相當重大的缺失：整個課程設計過度強調說與聽，而忽略了識字和閱讀的重要，更談不上練習寫作了。我們不否認說與聽的重要，因為這兩者是最容易展現基本英語能力，而且可帶給學生不少學習樂趣和成就感，還可提升學生的膽識。但學習語言是全套的，不能只是學說與聽。說聽具有相當程度後，還是得回歸到閱讀（甚至於寫作），因為唯有具備良好的閱讀能力，才能增強擴大說與聽能力的範疇，擁有更豐富的說聽資料。因此，這種基本功夫是英語學習中不可或缺的，而在識字中增強閱讀能力，經常得仰賴好的參考字典。《小學生英漢圖解字典》就是在這種期待中問世。

每種語言都有其特殊語法，英語亦不例外。熟背一大堆字彙，並不能證明具有高人一等的閱讀能力。字典是學習時的良師益友，初學者必須養成勤查字典的習慣，熟悉英語的特殊語法與結構，明瞭每個字在句子中的位置，懂得句子的組合原則，逐字推敲，句義自然浮現，便可溶入另一種文化。這本圖解字典就是依據上述原則來編寫的。每個單字除了附有K.K.音標外，並列舉一個句子，說明這個字的基本用法。適當的中文譯文，能讓讀者一目瞭然，立刻掌握該字的意義與用法。圖解部分除了加深讀者對該字的認識外，也深具趣味性。

此外，這本字典譯自澳洲製作字典頗具盛名的Macquarie大學的Macquarie Library出版社，該書在選字的取材與例句的寫作上，兼顧澳洲多元文化及多種族的特性，思考並研究適合非英語系國家學生使用的英語學習方法。在例句中不但選用各種族的人名，更精選小學生在生活上常用的字彙，組成貼近生活情境的練習語句。除了字典的功能外，也建議學生將例句熟讀甚至熟背，之後當遇到類似的生活情境時，便可實際運用。這樣的設計正適合臺灣地區將英語當成第一外國語的學生使用。

每個不同的學習階段都應具備良好適用的參考工具書。這本圖解字典的主要訴求對象為國小學生。如果能在課堂之餘，經常不斷翻閱此書，一定可加快學習英語的速度，也不致於排斥英語。當然，這本字典雖包含了部定英語一千字字彙，還是有其極限。進入國中後，必須再換另一本字文較為深奧的「辭典」，更上一層樓，使自己的英語學習進入另一個高峰。

——《國語日報》「星期天書房」，2003年7月27日

【附錄二】

歡喜甘願的少兒文學研究

——張子樟的《青春記憶的書寫》

李　潼

自廣博閱讀文本驗證的理論

《青春記憶的書寫》是張子樟先生在二〇〇二年結集成冊的「少兒文學賞析」作品，也是幼獅文化公司繼《少年小說創作坊》之後的第二本少兒文學理論出版品。

《青春記憶的書寫》共分三輯成一冊，包括「台灣本土少年小說的探索」、「本土少兒文學發展及演進觀察」及「中外少兒文學作品閱讀心得」；是近五年來，對台灣本土創作的長、中、短篇作品涉獵最泛、評析角度最多元的作品集。有心從事這方面深度閱讀的讀者、研究者及現役的少兒文學寫作人，可從中獲取豐富訊息，進而砥礪研究或激揚創作。

目前擔任花蓮師範學院英教系主任的張子樟教授，多年來屢次擔任兒童文學「好書大家讀活動」評審委員，主編「幼獅少年雜誌少年小說精選集」和「一九八九～一九九八年台灣短篇少年小說選集」，參與「一九四五～一九九八台灣兒童文學一百」的中長篇少年小說選拔及若干少兒文學獎徵文評委。他閱讀此類作品的廣度，在學者中恐難有人勝過他，加上他全心投入、敬謹問事及努力評析書寫的風格，成果當然可觀。

整體呈現創造理論著作可讀性

《青春記憶的書寫》做為一本意圖多眾傳讀的理論作品，張子樟不「以理引理」，而以文本耙梳理論的作法，是一種務實、用功、勇敢且具創思的自我考驗。為他自我的研究成長直接吸取養分，同時也創造這類作品在學院專業外的可讀性；讓一般讀者免於被生冷歸納的理論框架阻隔，而在分享豐多作品的「本事」中，有趣的、親切的理解了少兒文學的門道。

張子樟在《青春記憶的書寫》輯一～台灣現代少年小說評析研究共一百頁的生動論述，展現了他有別同行的理論思惟和架構築建的學養，也為他潛心尋找「台灣現代少年小說作家與作品特質」開啟了門扉。連同他前此結集出版的《閱讀與詮釋之間——少兒文學評論集》（花蓮文化中心．一九九五）、《少年小說大家讀——啟蒙與成長的探索》（天衛文化．一九九九）兩書中的「短評、論述和專文」，都有助他可以完成的，對「二十世紀台灣少年小說本質、技法、內容與成果總覽」的探索來奠基。

也就是以此為基礎，在熱身式的操作後，以更恢弘觀點，更完整的論述架構，在少年小說技法和題材之上，探觸台灣少年小說本質；其中至少涉及「台灣少年性格的型塑與生命情調」的了解，「台灣歷史定位在少年小說滲透」的體察，「電子傳媒與台灣少年小說互動」的發現，「華和美文化對台灣少年小說供給滋養」的品味，進而建構出台灣這塊多元文化交融、政權更迭頻仍、天災人禍不斷的特殊島國的「台灣特色」少年小說論述。

期待磨劍十年的自創劍法

以張子樟對華文和英文少年小說閱讀的勤奮及評析書寫的精進和歡喜投注的心力，他在結集出版的規劃上，其實大可更從容、更「永續」些。他的一系列作品合集，當可更見脈絡。

《青春記憶的書寫》一書，若將輯二輯三有關圖畫故事和童話導讀的篇章另外收錄，完全以少年小說評讀為基準，將其中的少年小說「短評和論述」重新匯整剔理，加梁立柱，調適論述風格和文字氣質，再與輯一的主題呼應或襯托，《青春記憶的書寫》當可綿延出可觀的少年小說論述風景。

張子樟以「少兒文學的研究和分享」為生命志業的戮力從事，讓他享受了在此無所求應的自我奮發和自得其樂，讓他的閱讀、發表和論述有了良性循環的互動和機會；讓他成為近十年來，台灣少年小說論述學者中成果最豐碩的一位。他自五十歲以來的「十年磨劍」，霍霍之聲，對台灣少年小說創作發展及研究論壇的聲勢，必有一定助益。連同傅林統、許建崑、張清榮幾位相關學者同儕在此的獻力，他們不但光采了自己的學術生涯，也補充了台灣少年小說論述在此之前的清瘦。

六十歲的張子樟在二○○○年以前推出《青春記憶的書寫》、《閱讀與詮釋之間》及《少年小說大家讀》三本少年小說論述合集，未來十年，他將以何種視野、架構和鑽研功夫呈現恢弘與細緻兼具、實務理論相顧的少年小說論述？值得期待。

——《國語日報》「兒童文學」，2000年11月26日

書海有明珠

——關於《寫實與幻想——外國青少年文學作品賞析》

桂文亞

喜愛閱讀的人，一般都會養成留意書評和收集相關書訊的習慣，這樣做有幾個好處：一、節省時間。書海茫茫，大海撈針不如就教高明；二、節省精力。有專業人士代勞，好書再不必「眾裡尋它千百度」了；三、節省金錢。如今書價並不便宜，一本沒有價值的書形同廢紙，又何必浪費鈔票呢？

十年前，一般學校家庭對於青少年文學讀物並不像現在這麼重視（儘管現在也還不夠重視），出版社更沒想到把眼光放在經少年讀物的出版上。但隨著日漸改變的觀念和閱讀風氣的推廣，對青少年身心發展有著莫大影響的青少年成長文學，開始展現前所未見的生命力。

《寫實與幻想——外國青少年文學作品賞析》（國語日報出版）的出版，正式綜合前面兩段文字敘述中的特色，不僅是一份「三（節）省」書單，六十一本得獎與經典之作，經過作者張子樟教授簡練清晰的疏理，如同帶領愛書人做了一趟打開眼界的「精華之旅」，收穫十分豐盛。

「冒險」、「動物」、「親情」、「同儕」、「種族」、「幻想」、「死亡」、「戰爭」和「問題」，常是青少年文學中呈現的主題，而不論以何種風格呈現，都是藉以引導青少年在成長過程中面對生活與人性中的種種真相，使青少年讀者在文學的浸潤和啟發中，獲得正確健全的人生態度，並進一步提升他們的性靈和境界，以保有勇敢、善良、正義、誠實、堅忍、慈悲、理想等生命的美質。

張子樟長年鑽研中外少年小說，對於青少年文學不但讀得多了解也深。他心中的一把尺，既正且直，加上精闢的觀念，使得六十一本好書兼具了「欣賞」與「分析」雙重價值，附錄中「主題分類」的延伸閱讀，更見出他的博學多聞，在這樣一個浮躁變動的環境裡，埋首書案，靜讀與靜思的人，已經愈來愈少，這本書的出版，以「明珠」相稱應不為過。

——《民生報》「少年兒童」，2002年2月3日

寫實與幻想

——引領青少年進入好書殿堂

王錫璋

青少年文學的創作在我國算是屬於較薄弱的一環，這或許是國內升學主義和聯考壓力，導致國中、高中學生較少有時間閱讀課外讀物，再導致青少年讀物的出版因而不振的連鎖關係吧！然而，近年來畢竟有一些具有理想的出版社，如「國語日報社」、「小魯」、「幼獅」、「格林」等，一心一意想為國內的青少年提供一些優質的文學作品，讓他們也有機會閱讀到好的讀物。這些出版社的方法就是引進、翻譯、出版優良的外國青少年文學作品——大家從每年「好書大家讀」活動的人選書單來看，翻譯自外國的青少年文學作品，的確佔了很大的比例。這些出版社的努力，就培養本土作家和作品的立場，固是一種遺憾或缺憾；但就另一方面而言，卻也讓我們有許多機會讀到外國好的作品，開拓更寬廣的視野。

外國青少年文學作品有中譯本了，但由於文化背景的不同，以及國人對外國作家的寫作風格較不熟悉。因此，對作品的內容、要表達的意義，可能都需要專家幫讀者加以闡釋，或導讀一番比較好。

張子樟教授就是國內研究及閱讀外國青少年文學作品最力的學者之一，他從前年五月起，應國語日報之邀，在「少年文藝版」開闢了一個介紹優秀外國青少年文學作品的專欄，頗受讀者歡迎，也讓他們讀後有「增進了解」和「獲得資訊」的雙重收穫。這個專欄的各篇，以結集成《寫實與幻想——外國青少年文學作品賞析》一書，成書後並附加參考資料，相信也更便於利用參考。

就筆者一個圖書館從業人員來看，本書也算是具有圖書館學上所謂的「優良圖書選目」的功能了。圖書館學上的圖書選目有幾個目的，其一是提供讀者在閱讀方面的遵循或參考，其二是提供教師在教材選擇或課外讀物的推荐上有個指引，其三是提供圖書館選購好書的依據。張子樟教授這本書，不僅為我們選擇國外青少年文學好書（這些書不是經典，就是得獎作品），而且還精挑細選，選擇比較好的譯本來介紹，讓我們不致看到好的原著，卻是差的中譯本。

這本書介紹、導讀了六十一本國外各種寫實和幻想的青少年文學作品，每篇千字左右。張教授除了討論作品的撰寫手法和技巧特色外，篇名之下並附有簡單書目資料、書的封面，以及適讀年齡標示，方便大家選購閱讀之參考。書後兩個附錄，其一是「賞析作品的出版概況」，提供詳細的原作品和原作者之外文名稱，以及相關的出版資訊，補充了篇名之下書目資料的不足；圖書館或教師影印這幾頁，也就可成為推薦書單或待購書單了。其二是張教授的貼心之舉，他將全部書單再依主題（如冒險、動物、親情等）等重新分類組合，各類更加上一些其他相關的延伸閱讀書單，使這本書的書目性質更加明顯和豐富，也見證了作者在青少年文學研究方面的功力。

這本書不僅適合青少年讀者，家長、教師、圖書館員讀後，都可省去一些進入好書殿堂的摸索時間，並開展更寬廣的閱讀世界。

——《國語日報》「星期天書房」，2002年8月4日

【附錄三】

那一年

一

那一年，在金門。

那一年，文建會舉辦了歷屆國家文藝獎得獎人參觀金門之行，許多沒見過面的文學愛好者聚在一起，好不熱鬧。第一次見到李潼，高高的個子、爽朗的笑聲，再加上喜樂的歌聲，是個可以結交的人，我想。

那時，正碰上我的低潮期。自己對學校的行政工作有些厭倦，書倒是教得一樣起勁。研究工作呢，大陸文革後小說的研究剛告一段落，台灣本土小說的研究才起步，卻緩慢甚至停滯，自己有點徬徨。李潼一開口，當然離不開寫作，我也喜愛動筆，談話內容也就沒離開創作。

在金門各處參觀，眼睛看的是古厝美景，嘴巴說的話是文學創作。我發現，兩個人可以談的還蠻多的。我們談五四作品，我們談文革後小說，我們談鄉土文學論戰，最後竟然談到我的家鄉澎湖。李潼曾在海軍服過役，曾在澎湖住過一段時間，他當然不忘推薦他的《再見天人菊》，那是以澎湖為背景的得獎少年小說。

我曾讀過李潼的成人小說作品，那時對兒童文學是一片空白，從未碰觸過。他的第一本歷史少年小說《少年噶瑪蘭》剛剛完成，作品中的幻想構思幾乎未能贏得一般導讀者、評論家的贊同。他問我要不要寫篇文章談這本書。想了又想，這未嘗不是另一個起點，也就冒冒失失的答應了。

讀完《少年噶瑪蘭》，感想不少，湊巧碰上台東師院語教系主辦一年一度的兒童文學學術研討會，動起筆來，洋洋灑灑寫了一萬多字的論文：〈從歷史與閱讀趣味看少年小說——淺析《少年噶瑪蘭》〉，以不同角度去評析這本作品。這篇論文除了拿到發表費外，還順便得到隔年的國科會專題研究獎助。就因為這篇文字，我從此「深陷」在青少年讀物裡，十年匆忙而過。

二

那一年，在北迴鐵路上。

李潼辭了教職，專心寫作。有一次告訴我，他正在撰寫十六冊的《台灣的兒女》系列作品。對他活絡的創作力與奇特的想像力我不懷疑，我只是淡淡說句：「不要蠟燭兩頭燒。」

他花費了不少時間去蒐集相關資料，再擬定心目中值得一寫的「新台灣人」。他想藉歷史小說展現台灣近百年的演進脈絡。他一向不喜歡電腦，所以他在他私人的「碾字坊」裡逐字琢磨。不說別的，要把十六冊一百多萬字寫一遍，都得花上不少功夫，但他做到了。

打完字，他搖電話給我，要我先過目，提些意見。怎麼把打好的稿子影印本交給我？想了又想，想出一個絕妙的方法。我在花蓮上課，每週一坐六點四十五分的頭班自強號從台北出發。星期日晚上，我打電話告訴李潼，我在那一個車廂。上了車，先小睡，車過宜蘭，精神來了，十分鐘後，車停羅東，從車窗或車門往外看，李潼穿著短褲，提著裝了剛影印好的三本或四本作品的紙袋，正在月台上快走。有時候，他帶著最小的兒子順道來。打開一看，除了稿子，還有一兩樣的宜蘭土產，這個李潼。拿到稿子，我的工作開始，在將進一個多小時的隧道旅行中，我總是能正襟危坐的看完一至二冊。這種情形，繼續了五個星期，我對李潼的寫作脈絡又有更深一層的體認。

在他筆下，台灣人自有台灣人的特別之處。在困苦中求生存，台灣人追求的是種自尊的生活。百年來，台灣地位未定，沉沉浮浮，李潼想刻劃的就是台灣人的凝重與不認輸的精神。在艱難的處境中，如何走出一條比較坦平的道路，始終是台灣人的最終目標。李潼描述的是可愛的台灣人如何走完該走的路，從不怨恨過。

三

那一年，在台北。

經過五年多的努力，《台灣的兒女》系列作品終於要出版了。圓神出版社特地為李潼在台北晶華酒店舉了一場十分體面的新書發表會。鮮花繽紛，場內盡是文藝界的好友，李敏勇、鄭清文、林良、陳若曦都出現了，圓神的美麗工作人員不停的到處走動招呼著。恭喜之聲不斷，李潼滿面笑容，上了台不忘發下宏願：「……我準備寫完一百本《台灣的兒女》……」一百本？十六本花了五年多，另外八十四本還得花上幾個五年？太……了。上台的眾家英雄好漢，都口不出惡言，對他的作品予以肯定，說了不少稱讚的話，輪到我上台，心中想，該說些實話吧！於是：「……李潼說他要寫完一百本，我看是不必了，留些給別人寫吧！」台下人人面露訝異，怎麼冒出一個不識趣的人來？李潼還是維持著笑容，我倒是很想知道他當時心中在想什麼？會不會「交友不慎」之類的古訓？

四

那一年，在台東。

台東師院兒童文學研究所舉辦了一場國際性學術研討會，我和東海大學的許建崑都不能缺席，兩個人都寫了論文。我寫的是〈少年小說的欣賞作用——以洪建全兒童文學獎得獎作品為例〉，許建崑以李潼的《台灣的兒女》大作文章，題目是：〈陷圍的旗手——試論《台灣的兒女》系列作品的成就與困境〉。我先把許建崑的論文看了一遍，褒貶都有。當時李潼帶著馬來西亞的愛薇、日本的中田美子坐在台下，我想這場絕對不會冷場。

我報告完畢，講評人客客氣氣做了簡短的講評。輪到許建崑發表論文，一開始就表示他要懺悔，他說不應該替李潼的作品寫導讀，然後又是一連串的批評之詞，似乎忘記他在暑假曾跟李潼一起赴愛薇之請，在馬來西亞並肩講學兩週之事。許建崑是個藏不住話的人，也因為如此，台下一片錯愕，台下的李潼臉色凝重，果然「陷圍」了。誰來「解圍」？我忍不住問主持人我能不能說幾句話。主持人笑笑，我並沒有數落許建崑的不是，只是覺得活到這把年紀，要懺悔的事太多了，所以不要再懺悔。沒錯，李潼的作品仍然有許多地方可以挑剔，但瑕不掩瑜總是事實，何況許建崑寫的是導讀，並不是犀利的評論，有點不對勁吧！這下子，許建崑不說話了。主持人點點李潼：「作者在台下，要不要說些話？」李潼一下子忘了他的基本台詞：「我是李潼！」只是淡淡的說：「作者已死，作品發表後，作者可以不理會作品的下場。」好個李潼。

五

那一年，在……

——《呼喚——李潼少年小說的聲音》，民生報，2003年5月

灑脫的一生
——追憶李潼的幾件往事

一

在好友心目中，李潼是個精通十八般武藝的人。他幫民歌填詞、也寫劇本，他寫成人小說、寫散文、寫詩、寫童話，更重要的是他對青少年小說創作的癡迷。論斷他的貢獻主要還是要以他的青少年小說作品為主。

如果我們細心把李潼的少年小說作品加以比較，約略可分為三個階段：洪建全兒童文學創作獎（包括、《天鷹翱翔》、《順風耳的新香爐》和《再見天人菊》三冊）、《少年噶瑪蘭》（包括後來的《望天丘》）以及《台灣的兒女》（共十六冊）。這種分法主要是依據作品的「外延」和「內涵」。《天鷹翱翔》等三本作品只是他創作少年小說的暖身動作，《少年噶瑪蘭》讓他找到島上的族群問題為背景，開始認真思考歷史小說的創作。等到「圓神出版社」的簡老闆一招手，他整個人便投入過去台灣百年史的爬梳工作，使得台灣近代史上的人物能以另一種風貌出現。這一系列書是他的寫作高峰期作品，玩盡了各種敘述技巧，奠定了他的地位。十六冊並非冊冊成功，但他投入的心力卻極可能種下後來的病因。幾次問他寫作情形，他總是輕鬆帶過：「進行得很順利，寫得很高興！」但心理與生理的壓力永遠存在。台灣專業作家的悲哀也在於此。

二

李潼這一生有幾件憾事。在和病魔搏鬥的兩年半中，他深刻覺察到時間老人的無情。在「時不我予」的感嘆中，他嘗試低聲下氣的向時間老人透支幾年，好讓他陪陪長年照料他生活起居的摯愛妻子和三個未成年的孩子，也讓他完成《南澳公主》〈與《少年噶瑪蘭》和《望天丘》成為三部曲〉和《魚藤號列車長》〈只缺三萬字〉。但時間老人悍然拒絕，只願意匀出少數「三」個月。在電話的那一端，他故作驚訝般的說：「醫生說我只有三個月。」我聽了以後，十分難過，但也只能安慰他：「你的三個月是n次方的三個月。放手去做想做的事。」或許心知肚明，他忍不住告訴我：「我還在寫作，但盡量寫些短的，長一些就不敢了！」聽來令人鼻酸。

二〇〇三年正月初十三，李潼寫了封信，談到民生報預定在五四文藝節為他舉辦研討會的事，興高采烈，提了一大堆構想。沒想到一場SARS，把他的想法全部摧毀。有生之年，他的研討會始終沒辦成。以後是否有機會幫他辦場研討會，誰也沒把握。在同一封信中，他還提到台東大學兒文所找他拍些影像的事：「今日陰雨濕冷，誰被拍了都不光鮮亮麗，盼明天放大晴。養病中最怕灰撲撲的天氣和想法，特別怕悲觀歎息的人。」後半段話說盡了重病者心中的恐懼。觸景傷情，怎能不心生悲涼？

其實，同年的前半年，我正陷入兩難的窘境。台東大學兒文所成立博士班，希望我轉校幫忙。四月中，花師英語系選第二任系主任，我又當選，可以做到退休。雖然我的教書工作一直沒有固定在某處〔我先後在馬公高中、高雄女中、台中中興大學、台北建國高中、花蓮師院待過〕，但一下子要我離開住了十五年半的城市，還是有些不捨與畏懼。想了好久，先後向幾位兒童文學界大老請教（當然包括李潼），竟然人人都鼓勵我轉校，接所長的工作。考慮再三，決定再往南走，希望以後的三年能做出一點成績。七月中旬，李潼來了封俏皮的信：「張子樟大師兄：兒童文學研究所這東台山寨，不乏頭角崢嶸的某一路好漢；也多得是身手飄逸的某一派俠女。既然都自投到這山寨門下，你別客氣，那就多設武壇，讓他們捉對比畫兩下，或多擺擂台，讓他們輪番上去展功夫，這才會熱鬧有勁，也才會光明平靜。……」關懷之心，不言而喻。重讀這封短信，猶如聽到李潼在耳邊嘀咕著，但只聞其聲，卻不見其人，怎不令人悲傷？

三

朋友往往對李潼的過度自信感到訝異，但卻能容忍他的自負與自戀，因為他有本錢。這位集自信、自負與自戀於一身的作家，終於揮手向他熱愛的世界告別，灑脫的走了。在追思音樂會的前夕，我們永遠記得這一位為島上青少兒文學奉獻一生的專業作家。他高大的身材、誠摯的微笑和爽朗的笑聲永遠留在好友及學生的心中。然而，「我是李潼」這樣乾脆有力的開場白已成絕響。台灣青少年小說的創作後繼有人嗎？或許我們還得擔心一陣子。

——《自由時報》副刊，2005年1月1日

往事點滴在心頭

——追憶李潼

一

李潼走了！凡是認識他的人，都不肯相信這樣一位精力充沛、活力十足的陽光型男子轉眼就離去。與病魔纏鬥兩年半，李潼在離開的剎那，念念不忘的必定是摯愛的妻兒與未完成的文筆耕耘工作。

二

近年來，我一直從事兒童文學研究，能做出一些成績來，首先得歸功於李潼。第一次見到李潼是在文建會主辦的參觀金門之旅中。一見如故，無所不談。他邀我為他剛出版的《少年噶瑪蘭》寫篇評論。細讀這本平埔族故事後，我一寫就超過萬字，後來在東師研討會上發表，從此愛上青少年文學。這些年來，兩人互動頻繁，在許多文藝性場合上，常常碰見。他一有寫作計畫或出本新書，總是想聽聽我的看法（《台灣的兒女》十六冊打字本是我在北迴線上看完的）。其實，作家與讀者（導讀者與評論者也是讀者）總是有著一道無法跨越的鴻溝，不然也就沒有「作者之死」的說法了。

三

李潼多才多藝，眾所皆知。他撰寫成人小說多篇得獎，又回過頭來努力創作少年小說，是一種使命感的催促。一次閒談中，他曾感嘆成人作家沒有幾位願意給青少年寫些好作品，是件憾事，所以他願意積極投入。

他同時也關心青少年文學研究。一九九八年，我獲得國家文藝基金會的獎助，赴美研究少年小說半年。行前，他來了一封長信，把他對於華文世界作品與外國作品的相關研究想法告訴我。半年期間，書信來往不斷，互相切磋。那是一段美好的回憶。

四

李潼好強。惡病上身，他依然輕描淡寫。剛生病時，羅東、台北關渡來回，進行化療。然後在住處、醫院繼續追蹤治療。每次談起病來，彷彿是別人生病似的，讓好友心痛。朋友去探視他，他依然堅持開車接送，談笑風生。即使到了生命的最後幾個月，他依舊熱心參與各項文藝活動，我負責主辦「台東大學文學獎」，決審委員的聘請第一個就想到他。他一口答應，把三十二篇進入決審作品做了詳細剖析。甚至在他過世前兩天（十八日），他還打算出席一場宜蘭地區的文藝活動。

五

時至隆冬，天人菊早已失去夏日的輝煌燦爛，紛紛落地。廟埕上的露天電影已經散場，宏亮高吭的月琴歌聲逐漸杳然遠去，燈光一盞一盞熄滅。人生像座舞台，我們在台上賣力演出，或闊步傲世，或謙卑過日，或猥瑣求活，總有下台的時候。綜觀李潼一生，雖有遺憾，但依然不停發光發亮。他留下不少作品，讓後輩子弟去咀嚼，去追思這片土地上的先人。

再見，李潼。李潼，慢走！

——《民生報》「少年兒童」，2005年1月2日

國家圖書館出版品預行編目資料

閱讀與觀察：青少年文學的檢視／張子樟著. --
初版. -- 臺北市：萬卷樓, 2005[民 94]
面；　　公分
ISBN 957－739－525－2 (平裝)
1. 兒童讀物

011.94　　　　　　　94006037

閱讀與觀察

—青少年文學的檢視

著　　者：張子樟
發 行 人：許素真
出 版 者：萬卷樓圖書股份有限公司
臺北市羅斯福路二段 41 號 6 樓之 3
電話(02)23216565．23952992
傳真(02)23944113
劃撥帳號 15624015
出版登記證：新聞局局版臺業字第 5655 號
網　　址：http://www.wanjuan.com.tw
E－mail　：wanjuan@tpts5.seed.net.tw
承印廠商：晟齊實業有限公司
定　　價：340 元
出版日期：2005 年 5 月初版

ISBN 957－739－525－2